Le cœur battant de nos mères

BRIT BENNETT

Le cœur battant de nos mères

ROMAN

Traduit de l'anglais (États-Unis)
par Jean Esch

Publié avec le soutien du 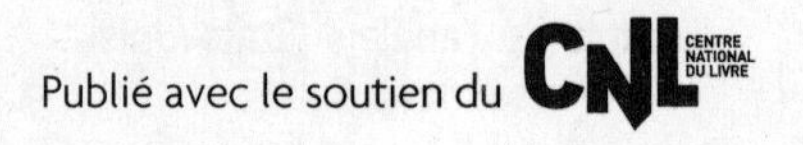

TITRE ORIGINAL
The Mothers

ÉDITEUR ORIGINAL
Riverhead, 2016.

Pour ma mère, mon père,
Brianna et Jynna

Un

La première fois que nous en avons entendu parler, nous n'y avons pas cru. Vous savez bien que les rumeurs vont bon train chez les pratiquants.

Comme la fois où nous avons tous imaginé que John trompait son épouse parce que Betty, la secrétaire du pasteur, l'avait surpris en train de bruncher tendrement avec une autre femme. Une femme jeune et chic qui plus est, qui remuait les hanches quand elle marchait, alors qu'elle n'avait pas à remuer quoi que ce soit devant un homme marié depuis quarante ans. On pouvait pardonner à un homme d'avoir trompé son épouse une fois, mais faire la cour à cette jeune femme devant des croissants au beurre à la terrasse d'un café ? C'était une autre histoire. Mais avant que nous puissions réprimander John, il s'était présenté à la Chapelle du Cénacle le dimanche suivant avec son épouse et la jeune femme qui remuait les hanches – sa petite-nièce venue de Fort Worth en visite – et ça s'était arrêté là.

La première fois que nous en avons entendu parler, nous avons pensé qu'il s'agissait peut-être d'un secret du même acabit, même si, il faut le reconnaître, il y avait quelque chose de différent. Un goût différent. Tous les grands secrets ont un goût particulier avant d'être révélés, et si nous avions pris la peine de faire tourner celui-ci dans notre bouche, nous aurions peut-être perçu l'aigreur d'un secret pas assez mûr, cueilli trop tôt, chapardé et transmis précocement. Mais nous ne l'avons pas fait. Nous avons partagé ce secret amer, un secret qui a débuté au printemps, lorsque Nadia Turner, mise en cloque par le fils du pasteur, s'est rendue en ville à la clinique qui pratique des avortements pour régler le problème.

Elle avait dix-sept ans à l'époque. Elle vivait seule avec son père, un *marine*, et sans sa mère, qui s'était suicidée six mois plus tôt. Depuis, Nadia s'était bâti une sacrée réputation : elle était jeune, elle avait peur, et elle essayait de cacher tout ça derrière son physique. Car elle était mignonne, belle même, avec une peau ambrée, de longs cheveux soyeux et des yeux où tournoyaient des volutes marron, grises et dorées. Comme la plupart des filles, elle avait déjà appris que la beauté vous expose et vous dissimule, et comme la plupart des filles, elle n'avait pas encore appris à gérer la différence. Alors nous avons toutes entendu parler de ses escapades de l'autre côté de la frontière pour danser dans les clubs de Tijuana ; de la bouteille d'eau remplie de vodka qu'elle trimbalait au lycée d'Oceanside ; des dimanches qu'elle passait sur la base militaire, à jouer au billard avec des *marines* ; des nuits qu'elle terminait avec les pieds appuyés contre la vitre embuée de la voiture d'un inconnu. Des racontars sans doute, à l'exception d'une histoire vraie : durant toute son année de terminale, Nadia avait batifolé dans le lit de Luke Sheppard, et au printemps, le bébé de Luke grandissait en elle.

Luke Sheppard était serveur chez Fat Charlie, un restaurant de fruits de mer installé près de la jetée, réputé pour la fraîcheur de ses produits, ses concerts et son ambiance amicale et familiale. C'était du moins ce que disait la pub dans le *San Diego Union-Tribune*, si vous étiez assez stupide pour y croire. Mais si vous aviez vécu suffisamment longtemps à Oceanside, vous saviez que les « produits frais », c'étaient des *fish and chips* de la veille qui suintaient sous des lampes chauffantes, et que les rares concerts étaient généralement donnés par des ados dépenaillés avec des jeans déchirés et des épingles à nourrice dans les lèvres. Nadia Turner savait également des choses sur Fat Charlie qui ne pouvaient figurer dans aucune publicité, comme le fait que les nachos au fromage de Charlie étaient parfaits quand vous aviez trop bu, ou que le cuistot vendait la meilleure herbe au nord de la frontière. Elle savait également que des gilets de sauvetage jaunes étaient suspendus au-dessus du bar, et qu'à cause de leurs longs services les trois serveurs noirs l'avaient baptisé le « navire négrier ». C'était Luke qui lui avait révélé ces secrets.

« Et les bâtonnets de poisson ? lui demandait-elle.

— Mous comme de la merde.
— Les pâtes aux fruits de mer ?
— N'y touche pas, malheureuse.
— Où est le problème ? C'est juste des pâtes.
— Tu sais comment ils font ces saloperies ? Ils prennent des restes de poisson et ils fourrent les raviolis avec.
— OK. Le pain, alors ?
— Si tu finis pas ton pain, ils le refilent à une autre table. Et toi, tu touches le même pain qu'un type qui s'est gratté les couilles toute la journée. »

L'hiver où la mère de Nadia s'était suicidée, Luke l'avait sauvée en l'empêchant de commander les bouchées au crabe (un ersatz de crabe frit dans le saindoux). À cette époque, elle avait commencé à disparaître après l'école, elle montait dans un bus et descendait là où il la conduisait. Parfois, elle partait vers l'est, jusqu'à Camp Pendleton, où elle allait au cinéma, jouait au bowling au Stars and Strikes ou au billard avec des *marines*. Les jeunes soldats souffraient le plus de la solitude, alors elle trouvait toujours un groupe de premières classes, mal à l'aise avec leurs crânes tondus et leurs grosses chaussures et, au bout de la nuit, elle finissait généralement par embrasser l'un d'eux jusqu'à avoir envie de pleurer. De temps en temps, elle partait vers le nord, après la Chapelle du Cénacle, là où la côte devenait la frontière. Ou encore au sud, où l'attendaient d'autres plages, plus belles, où le sable était aussi blanc que les personnes allongées dessus, des plages avec des promenades en bois et des montagnes russes, des plages derrière des clôtures. Elle ne pouvait pas aller à l'ouest. À l'ouest, il y avait l'océan.

Elle montait dans des bus pour s'éloigner de sa vie d'avant, quand, après l'école, elle traînait avec ses amis sur le parking en attendant les cours de conduite, montait dans les gradins du stade pour regarder l'équipe de football s'entraîner ou bien se rendait avec sa bande au In-N-Out. Elle faisait l'idiote au Jojo's Juicery avec ses collègues, elle dansait devant des feux de camp et grimpait sur la jetée quand on la défiait, en faisant toujours semblant de ne pas avoir peur. Rétrospectivement, elle constatait avec étonnement qu'elle avait rarement été seule à cette époque. Elle avait l'impression que du matin au soir les gens se la repassaient de main en main, comme un témoin : son professeur de mathématiques la transmettait à son professeur d'espagnol qui la transmettait à son professeur de chimie qui la transmettait à ses amis, avant qu'elle rentre chez ses parents. Et puis, un jour, la main de sa mère avait disparu et Nadia était tombée par terre, avec fracas.

Désormais, elle ne supportait plus aucune compagnie : ni ses professeurs qui lui pardonnaient avec un sourire patient de rendre ses devoirs en retard, ni ses amis qui cessaient de plaisanter dès qu'elle s'asseyait à leur table au déjeuner, comme si leur joie lui faisait injure. Pendant les TP d'instruction civique, quand M. Thomas demandait un travail en binôme, ses amis s'empressaient de se mettre par deux, et Nadia se retrouvait avec l'unique autre fille effacée et délaissée de la classe : Aubrey Evans, qui filait au Club des élèves chrétiens le midi, non pas pour étoffer son CV en vue de la fac (elle n'avait pas levé la main quand M. Thomas avait voulu savoir qui avait rempli une demande d'inscription), mais parce qu'elle pensait que Dieu serait satisfait de voir qu'elle passait son temps libre dans une salle de classe à planifier des distributions de conserves. Aubrey Evans, qui portait une bague de virginité en or toute simple, qu'elle faisait tourner autour de son doigt quand elle parlait, qui assistait toujours seule aux offices à la Chapelle du Cénacle. Pauvre et sainte enfant, sans doute, de fervents athées qu'elle s'efforçait de conduire vers la lumière. La première fois où elles avaient travaillé ensemble, Aubrey s'était penchée vers Nadia pour lui glisser à l'oreille : « Je voulais juste que tu saches combien je suis désolée. On prie tous pour toi. »

Elle paraissait sincère, mais quelle importance ? Nadia n'avait pas remis les pieds à l'église depuis l'enterrement de sa mère. Au lieu de quoi, elle prenait le bus. Un après-midi, elle était descendue dans le centre-ville, devant le Hanky Panky. Elle était certaine que quelqu'un allait l'arrêter – elle ressemblait à une gamine avec son sac à dos –, mais le videur perché sur un tabouret à l'entrée avait à peine levé les yeux de son téléphone quand elle s'était faufilée à l'intérieur. À quinze heures, un mardi, le club était mort, les tables vides argentées renvoyaient un faible éclat dans la lumière des projecteurs. Des rideaux noirs tirés devant les vitres bloquaient les rayons de ces soleils factices, et dans cette obscurité artificielle, quelques Blancs obèses aux casquettes de base-ball enfoncées jusqu'aux yeux étaient affalés sur des chaises face à la scène. Sous les spots, une fille blanche au corps flasque dansait, ses seins se balançaient comme des pendules.

Dans la pénombre du club, vous pouviez rester seul avec votre chagrin. Son père s'était jeté corps et âme dans les activités du Cénacle. Il assistait aux deux offices du dimanche matin, aux cours d'étude biblique du mercredi soir et aux répétitions de la chorale du jeudi soir, bien qu'il ne chante pas et que les répétitions soient interdites au public, mais personne n'avait le cœur de le renvoyer. Son père déposait sa tristesse sur un banc d'église, Nadia emportait la sienne dans des endroits où nul ne pouvait la voir. Le barman avait regardé sa fausse pièce d'identité en haussant les épaules et lui avait servi un cocktail. Puis Nadia était allée s'asseoir dans un coin sombre pour siroter son rhum-coca en regardant des femmes aux corps meurtris tournoyer sur scène. Ce n'étaient jamais les jeunes filles maigres (le club les gardait pour le week-end et le soir), uniquement des femmes d'un certain âge à la peau distendue et grêlée par les ans, qui songeaient à leurs listes de courses et aux frais de garderie. Sa mère aurait été horrifiée – sa fille, en pleine journée, dans une boîte de strip-tease –, mais Nadia restait là, à boire lentement des cocktails trop légers. Lors de sa troisième visite, un vieux Noir avait approché sa chaise de la sienne. Il portait une chemise rouge à carreaux avec des bretelles et des touffes de cheveux gris dépassaient de sous sa casquette au nom d'une marque de matériel de pêche.

« Qu'est-ce que tu bois ? demanda-t-il.

— Et vous, qu'est-ce que *vous* buvez ? » répondit-elle.

Il rit. « C'est une boisson d'adultes. C'est pas pour une petite chose comme toi. Je vais te commander un truc sucré. T'aimes ça, poupée ? J'ai l'impression que t'adores les sucreries. »

Il sourit et fit glisser une main sur sa cuisse. Ses ongles longs et noirs griffèrent la toile du jean. Avant que Nadia ait le temps de réagir, une Noire d'une quarantaine d'années vêtue d'un soutien-gorge et d'un string fuchsia brillants apparut devant leur table. Des marbrures marron clair striaient son ventre comme les rayures d'un tigre.

« Fiche-lui la paix, Lester. » Puis elle s'adressa à Nadia : « Viens, je vais te rafraîchir.

— Hé, Cici, on bavarde, c'est tout, protesta le vieil homme.

— Tu parles. Cette gamine est plus jeune que ta montre. »

Elle entraîna Nadia vers le bar et vida le restant de son verre dans l'évier. Puis elle enfila un manteau blanc, en faisant signe à Nadia de la suivre dehors. La façade du Hanky Panky semblait encore plus déprimante avec le ciel gris ardoise en toile de fond. Un peu plus loin, deux jeunes filles blanches fumaient ; elles esquissèrent un signe de la main en voyant Cici et Nadia sortir du club. Cici leur répondit de la même manière et alluma une cigarette.

« T'as un joli visage, dit-elle. C'est tes vrais yeux ? T'es métisse ?

— Non. Enfin si, c'est mes vrais yeux, mais je ne suis pas métisse.

— Je trouve que tu ressembles à une métisse. » Cici souffla sa fumée sur le côté. « T'as fait une fugue ? Oh, me regarde pas comme ça, je vais pas te dénoncer. J'en vois passer tout le temps, des filles dans ton genre, qui essayent de gagner un peu de fric. C'est illégal, mais Bernie s'en fout. Il te fera monter sur scène pour voir ce que tu sais faire. Mais espère pas un accueil chaleureux. C'est déjà galère de faire la chasse aux pourboires avec ces salopes de blondasses. Attends un peu qu'elles voient ton petit cul.

— Je veux pas danser.

— Je sais pas ce que tu cherches, mais tu le trouveras pas ici. » Cici se pencha vers elle. « Tu sais que t'as des yeux transparents ? J'ai l'impression de voir à travers. Et y a que de la tristesse de l'autre côté. » Elle plongea la main dans sa poche de manteau, d'où elle sortit une poignée de billets d'un dollar froissés. « C'est pas un endroit pour toi, ici. Va donc manger un truc chez Fat Charlie. Allez, file. »

Nadia hésita, mais Cici fourra les billets dans sa paume et referma son poing dessus. Elle pourrait peut-être faire croire qu'elle était une fugueuse, oui, et d'ailleurs c'était peut-être vrai. Son père ne lui demandait jamais où elle était allée. En rentrant chez elle ce soir-là, elle le trouva dans son fauteuil relax, devant la télé, dans l'obscurité du salon. Il semblait toujours un peu surpris quand elle ouvrait la porte, comme s'il n'avait pas remarqué qu'elle était partie.

Assise dans un box au fond de la salle, chez Fat Charlie, Nadia parcourait le menu quand Luke Sheppard sortit des cuisines, tablier blanc noué autour de la taille et tee-shirt noir au nom du restaurant tendu par son torse puissant. Il était aussi beau que dans son souvenir, quand elle l'apercevait à l'école du dimanche, sauf qu'il était un homme désormais, bronzé et large d'épaules ; une barbe naissante couvrait sa mâchoire carrée. Et il boitait légèrement, en essayant de soulager sa jambe gauche, mais cette claudication, cette démarche irrégulière, cette sensibilité le rendaient encore plus désirable aux yeux de Nadia. Sa mère était morte un mois plus tôt et elle se sentait attirée par toute personne qui osait, contrairement à elle, afficher ouvertement son chagrin. Elle n'avait même pas pleuré à l'enterrement. Ensuite, lors du repas, les invités avaient défilé pour lui dire qu'elle avait été très bien et son père l'avait prise par les épaules. Pendant l'office, il était resté penché au-dessus du banc ; ses épaules tremblotaient, il pleurait de manière virile, mais il pleurait, et pour la première fois de sa vie Nadia s'était demandé si elle n'était pas plus forte que lui.

Une blessure intérieure devait rester à l'intérieur. Ce devait être une sensation étrange de souffrir de manière visible, sans pouvoir le cacher. Elle joua avec le rabat du menu pendant que Luke se dirigea vers le box en boitant.

Comme tout le monde au Cénacle, elle avait vu comment sa prometteuse saison s'était achevée l'an dernier. Une contre-attaque classique après un coup d'envoi, un vilain plaquage et il avait eu la jambe cassée, l'os avait traversé la peau. Les commentateurs avaient dit qu'il pourrait s'estimer heureux s'il remarchait normalement un jour, quant à rejouer au football… Personne n'avait donc été surpris quand l'Université de San Diego lui avait retiré sa bourse. Mais elle n'avait pas revu Luke depuis sa sortie de l'hôpital. Elle le croyait encore allongé dans un lit-cage, entouré d'infirmières amoureuses, sa jambe bandée tendue vers le plafond.

« Qu'est-ce que tu fais ici ? demanda-t-elle.

— Je bosse, répondit-il en riant, mais c'était un rire dur, comme une chaise qui racle le sol. Quoi de neuf ? »

Il feuilletait son carnet au lieu de la regarder et elle comprit qu'il était au courant pour sa mère.

« J'ai faim, dit-elle.

— C'est tout ? Tu as faim ?

— Je peux avoir les bouchées au crabe ?

— Je te le déconseille. » Il guida son doigt sur le menu plastifié, jusqu'aux nachos. « Essaye plutôt ça. »

Sa main exerçait une douce pression sur la sienne ; on aurait dit qu'il lui apprenait à lire en déplaçant son doigt sous des mots inconnus. Il lui donnait toujours le sentiment d'être incroyablement jeune, comme le surlendemain, quand elle revint s'installer dans sa section du restaurant et essaya de commander une margarita.

Il examina la fausse pièce d'identité et éclata de rire.

« Allez, laisse tomber. Tu as quoi, douze ans ? »

Elle plissa les yeux. « Va te faire foutre. J'en ai dix-sept. »

Mais elle avait dit ça un peu trop fièrement, et Luke s'esclaffa de nouveau. Même si elle avait eu dix-huit ans (elle ne les aurait qu'à la fin août), il trouverait ça jeune. Elle était encore au lycée. Lui avait vingt et un ans et il était déjà allé à la fac, une vraie université, pas un *community college* où tout le monde glandait après le lycée pendant quelques mois en attendant de trouver un boulot. Nadia avait déposé des demandes d'inscription dans cinq universités et attendait les réponses. Elle interrogea Luke sur la vie à la fac. Les douches des résidences étaient-elles aussi répugnantes qu'elle l'imaginait, est-ce que les étudiants accrochaient vraiment des chaussettes aux poignées de porte quand ils voulaient être tranquilles ? Il lui raconta les courses en sous-vêtements et les soirées mousse, lui expliqua comment se débrouiller au réfectoire et négocier du temps supplémentaire en examen en feignant d'avoir des difficultés d'apprentissage. Il connaissait des choses et il connaissait des filles, des étudiantes, qui venaient en cours avec des talons hauts, pas des baskets, et avec des cartables, pas des sacs à dos, qui effectuaient des stages l'été chez Qualcomm ou à la California Bank & Trust, au lieu de presser des jus de fruits sur la jetée. Nadia se voyait à l'université, dans la peau d'une de ces filles sophistiquées. Luke venait la voir en voiture, ou alors, si elle était partie étudier dans un autre État, il prenait l'avion pendant les vacances de printemps. Il éclaterait de rire s'il savait tout ce qu'elle imaginait. Il se moquait souvent d'elle, comme la fois où elle avait commencé à faire ses devoirs chez Fat Charlie.

« La vache, dit-il en feuilletant son manuel de maths. T'es une intello, toi. »

Non, pas vraiment, mais elle apprenait facilement. (Sa mère la taquinait à ce sujet. « Ça doit être chouette », disait-elle quand Nadia rentrait à la maison après avoir obtenu la meilleure note à un examen révisé seulement la veille au soir.) Elle craignait que ses bons résultats scolaires n'effraient Luke, mais il appréciait son intelligence. Tu vois cette fille là-bas, disait-il à un serveur qui passait, ce sera la première Présidente noire, tu verras. On prédisait la même chose à toutes les jeunes filles noires un peu douées. Malgré cela, elle aimait bien écouter Luke fanfaronner, encore plus quand il la taquinait parce qu'elle faisait ses devoirs. Il la traitait différemment de tous les autres au lycée, qui l'évitaient ou bien s'adressaient à elle comme à une petite chose fragile que la moindre parole un peu trop brutale pouvait briser.

Un soir de février, Luke l'avait reconduite chez elle et Nadia l'avait invité à entrer. Son père était parti tout le week-end pour un séminaire d'étude de la Bible, la maison était donc silencieuse et plongée dans l'obscurité. Elle voulait offrir un verre à Luke – c'était ce que faisaient les femmes dans les films, elles tendaient à l'homme un verre épais rempli d'un liquide sombre et masculin –, mais le clair de lune se reflétait dans les vitres des placards vides de toute bouteille d'alcool, et Luke l'avait plaquée contre le mur pour l'embrasser. Elle ne lui avait pas dit que c'était la première fois, mais il le savait. Au lit, il lui avait demandé trois fois si elle voulait arrêter là. Et chaque fois, elle lui avait répondu non. Elle aurait mal et c'était ce qu'elle désirait. Elle voulait que Luke soit sa douleur extérieure.

Au printemps, elle savait à quelle heure il finissait son service, à quel moment elle pouvait le retrouver dans un coin désert du parking qui offrait un peu d'intimité. Elle savait quels soirs il ne travaillait pas, les soirs où elle guettait le bruit de sa voiture dans la rue et passait à pas feutrés devant la porte close de la chambre de son père. Elle savait quels jours il commençait plus tard, ces jours où elle l'accueillait en douce dans la maison avant que son père rentre. Elle savait qu'il portait délibérément un tee-shirt Fat Charlie trop petit car ça lui rapportait davantage de pourboires. Et quand il se laissait tomber au bord du lit, sans rien dire, elle savait qu'il redoutait le long service qui l'attendait, alors elle ne parlait pas, elle non plus, elle lui ôtait son tee-shirt trop moulant et caressait ses larges épaules. Elle savait qu'il souffrait de rester debout toute la journée, plus qu'il voulait bien l'admettre, et parfois, pendant qu'il dormait, elle regardait la fine cicatrice qui remontait vers son genou. Les os, comme tout le reste, étaient solides, jusqu'au moment où ils se brisaient.

Elle savait également que c'était calme chez Fat Charlie entre la fin du déjeuner et l'*happy hour*, alors, quand son test de grossesse s'était avéré positif, elle avait pris le bus pour l'annoncer à Luke.

« Putain de merde » fut sa première réaction.

Puis : « T'es sûre ? »

Puis : « T'es vraiment sûre ? »

Puis : « Putain de merde. »

Dans la salle vide du restaurant, Nadia noya ses frites dans un océan de ketchup jusqu'à ce qu'elles deviennent molles et détrempées. Évidemment qu'elle était sûre. Elle ne l'aurait pas embêté avec ça si elle n'était pas sûre. Durant des jours, elle s'était encouragée à saigner, réclamant juste une goutte, un simple filet rouge, mais elle ne voyait que la blancheur immaculée de sa culotte. Alors, ce matin, elle s'était rendue dans le planning familial situé en banlieue, un bâtiment gris ramassé au cœur d'un centre commercial. Dans le hall, une rangée de fausses plantes vertes cachait presque la réceptionniste, qui avait indiqué à Nadia la salle d'attente. Là, quelques jeunes Noires l'avaient à peine regardée lorsqu'elle s'était assise entre une fille rondouillarde qui faisait des bulles avec son chewing-gum et une fille en salopette-short qui jouait à Tetris sur son téléphone. Une conseillère, une grosse femme blanche prénommée Dolores, l'avait entraînée vers le fond, et elles s'étaient faufilées dans une cabine si exiguë que leurs genoux se touchaient une fois assises.

« Eh bien, as-tu une raison de croire que tu pourrais être enceinte ? » avait demandé Dolores.

Elle portait un pull gris informe décoré de moutons, parlait comme une maîtresse de maternelle, en souriant, et toutes ses phrases s'achevaient par une légère inflexion. Sans doute prenait-elle Nadia pour une idiote : encore une jeune Noire trop stupide pour exiger un préservatif. Pourtant, ils en avaient utilisé, la plupart du temps du moins, et maintenant Nadia s'en voulait d'avoir accepté ces rapports partiellement protégés. C'était elle la plus intelligente des deux, normalement. Elle était censée savoir qu'une seule erreur suffirait à la priver d'avenir. Elle avait connu des filles enceintes. Elle les avait vues se dandiner au lycée, vêtues de débardeurs moulants et de sweat-shirts tendus par leur ventre. Elle ne voyait jamais les garçons qui les avaient mises dans cet état – leurs noms étaient enveloppés de mystère, aussi nébuleux que la rumeur elle-même –, mais elle ne pouvait ignorer ces filles, énormes et rayonnantes devant elle. Plus que n'importe qui, elle aurait dû savoir à quoi s'en tenir. Elle-même avait été l'erreur de sa mère.

Assis en face d'elle dans le box, Luke se pencha au-dessus de la table en faisant craquer ses doigts, comme il le faisait quand il restait sur la touche pendant un match. En troisième, elle avait passé plus de temps à observer Luke qu'à regarder l'équipe sur le terrain, à se demander ce qu'elle éprouverait en sentant ces mains sur elle.

« Je croyais que t'avais faim », dit-il.

Elle prit une frite, puis la lança sur le tas. Elle n'avait rien mangé de toute la journée ; elle avait un goût de sel dans la bouche, comme juste avant de vomir. Elle ôta ses tongs et appuya ses pieds nus contre la cuisse de Luke.

« Je me sens super mal, murmura-t-elle.

— Tu veux autre chose ?

— Je sais pas. »

Il s'écarta de la table. « Je vais te chercher un...

— Je peux pas le garder. »

Luke se figea au moment où il se levait.

« Quoi ?

— Je peux pas avoir un enfant. Je peux pas devenir la mère d'un putain de gosse. Je vais aller à la fac et mon père va... »

Elle n'eut pas le courage de formuler à voix haute ce qu'elle voulait – le mot *avortement* lui paraissait sale et mécanique –, mais Luke comprenait, non ? Il avait été le premier à qui elle avait annoncé la nouvelle quand elle avait reçu le mail de confirmation de l'Université du Michigan, et il l'avait serrée dans ses bras avant qu'elle ait achevé sa phrase, manquant lui broyer les os. Il devait comprendre qu'elle ne pouvait pas laisser passer cette occasion, sa seule chance de partir de chez elle, de quitter son père silencieux dont le sourire n'avait même pas atteint ses yeux quand elle lui avait montré le mail, mais dont elle savait qu'il serait plus heureux quand elle serait partie, quand elle ne serait plus là pour lui rappeler ce qu'il avait perdu. Alors non, elle ne pouvait pas laisser cet enfant ancrer sa vie ici, maintenant qu'on venait de lui offrir la possibilité de s'échapper.

Si Luke comprit, il ne le dit pas. D'ailleurs, tout d'abord il ne dit rien, il s'enfonça dans le box, soudain lent et lourd. À cet instant, il paraissait plus vieux, son visage mal rasé était fatigué, hagard. Il prit les pieds nus de Nadia dans ses mains et les cala sur ses genoux.

« OK, dit-il. OK, répéta-t-il, plus bas. Dis-moi ce que je dois faire. »

Il n'essaya pas de la faire changer d'avis. Ce qu'elle appréciait, même si une partie d'elle-même avait espéré qu'il réagisse de manière démodée et romantique, en proposant de l'épouser, par exemple. Elle n'aurait jamais accepté, mais elle aurait trouvé ça bien. Au lieu de cela, il lui demanda combien d'argent il lui fallait. Nadia se sentit bête, elle n'avait même pas pensé à une question aussi pratique que le coût de l'opération, mais Luke promit de se débrouiller. Quand il lui tendit l'enveloppe, le lendemain, elle le pria de ne pas l'attendre à la clinique. Il lui massa la nuque.

« T'es sûre ?

— Oui. Viens me chercher après. »

Nadia se sentirait encore plus mal devant un public. Vulnérable. Luke l'avait vue nue, il s'était introduit en elle, et pourtant, afficher sa peur devant lui était un geste trop intime à ses yeux.

Le matin de son rendez-vous, Nadia prit le bus pour se rendre à la clinique en ville. Elle était passée devant des dizaines de fois – un bâtiment beige banal, niché dans l'ombre d'une agence de la Bank of America –, sans jamais se demander à quoi pouvait ressembler l'intérieur. Tandis que le bus serpentait vers la plage, elle regarda par la vitre en imaginant des murs blancs stériles, des instruments tranchants alignés sur des plateaux, des réceptionnistes obèses vêtues de pulls amples qui conduisaient des filles en pleurs vers des salles d'attente. Mais le hall était dégagé et clair, les murs peints d'une couleur crémeuse au nom chic comme *taupe* ou *ocre*, et sur les tables en chêne, à côté des piles de magazines, des vases bleus étaient remplis de coquillages. Assise sur la chaise la plus éloignée de la porte, Nadia fit semblant de lire un numéro du *National Geographic*. Sa voisine, une jeune fille rousse, se débattait avec une grille de mots croisés en marmonnant ; son petit ami, avachi à côté d'elle, regardait fixement son téléphone. C'était le seul homme, alors peut-être que la rouquine se sentait supérieure, davantage aimée, puisque son petit ami l'avait accompagnée, même s'il n'avait pas l'air d'être un très bon petit ami, même s'il ne lui parlait pas et ne lui tenait pas la main, comme l'aurait fait Luke. À l'extrémité de la salle, une jeune Noire vêtue d'une robe jaune moulante reniflait dans la manche de son blouson en jean. Sa mère, une femme corpulente avec une rose mauve tatouée sur le biceps, était assise à ses côtés, les bras croisés. Elle paraissait être en colère, ou peut-être juste inquiète. La fille ne semblait pas avoir plus de quatorze ans, et plus elle reniflait, plus chacun s'efforçait de ne pas la regarder.

Nadia envisagea d'envoyer un SMS à Luke. *J'y suis. Tout va bien*. Mais il venait de prendre son service, et sans doute se faisait-il suffisamment de souci. Elle feuilleta lentement le magazine, laissant son regard filer de temps à autre vers la réceptionniste blonde qui souriait dans le micro de son casque, la circulation au-dehors, les coquillages dans le vase bleu à côté d'elle. Sa mère détestait la plage, à cause du sable et des mégots de cigarettes, mais elle adorait les coquillages, et chaque fois qu'elles s'y rendaient, elle passait l'après-midi à arpenter le rivage, se penchant parfois pour arracher des coques nacrées au sable mouillé.

« Ils m'apaisent », lui avait-elle un jour confié. Elle avait agrippé Nadia sur ses genoux et retourné délicatement un coquillage pour lui montrer l'intérieur brillant. Dans sa main, il projetait des éclats lavande et verts.

« Turner ? »

Postée sur le seuil de la pièce, une infirmière noire avec des dreadlocks grisonnantes lut son nom sur une écritoire à pince métallique. Pendant qu'elle prenait son sac, Nadia sentit les yeux de l'infirmière glisser sur elle : le chemisier rouge, le jean moulant, les ballerines noires.

« Tu aurais dû mettre quelque chose de plus confortable, dit l'infirmière.

— Je me sens à l'aise », répondit Nadia.

Elle avait l'impression d'avoir à nouveau treize ans ; elle était dans le bureau du proviseur adjoint qui la sermonnait sur le code vestimentaire du lycée.

« Mettre un pantalon de jogging, insista l'infirmière. On aurait dû te prévenir quand tu as pris rendez-vous.

— Ils m'ont prévenue. »

L'infirmière secoua la tête et recula dans le couloir. Elle semblait lasse, contrairement à ses collègues blanches et joyeuses qui passaient en blouse rose, leurs chaussures en caoutchouc crissant sur le sol. C'était comme si elle avait vu tellement de choses que plus rien ne la surprenait, pas même une fille insolente qui portait une tenue ridicule, une fille si seule qu'elle n'avait trouvé personne pour lui tenir compagnie dans la salle d'attente. Non, une fille comme ça n'avait rien de spécial, ni ses bonnes notes ni son joli minois. Ce n'était qu'une jeune Noire comme les autres qui s'était fourrée dans le pétrin et cherchait à s'en sortir.

Dans la salle d'échographie, un technicien lui proposa de regarder l'écran. Ce n'était pas obligatoire, précisa-t-il, mais cela aidait certaines femmes à faire leur deuil. Nadia déclina la proposition. Un jour, elle avait entendu parler d'une fille de seize ans, dans son lycée, qui avait accouché et abandonné son bébé sur la plage. Elle avait été arrêtée parce qu'elle était revenue sur ses pas pour montrer à un policier le bébé qu'elle avait trouvé, mais celui-ci avait compris qu'elle était sa mère. Comment l'avait-il su ? Nadia s'était toujours posé la question. Peut-être avait-il vu, dans la lumière des projecteurs de sa voiture de patrouille, le sang qui coulait entre les cuisses de la fille, ou senti l'odeur du lait qui sortait de ses mamelons. Mais peut-être était-ce tout autre chose. Le soin avec lequel elle lui avait remis le bébé, la prudence dans ses yeux quand elle avait ôté le sable dans les cheveux duveteux. Peut-être avait-il vu, en reculant, l'amour maternel qui la reliait comme un fil d'or à ce bébé abandonné. Quoi qu'il en soit, un détail avait trahi cette fille, et Nadia ne commettrait pas la même erreur. Elle ne rebrousserait pas chemin. Elle n'hésiterait pas, elle ne s'autoriserait pas à aimer ce bébé, ni même à le connaître.

« Faites ce que vous avez à faire, dit-elle.

— Et s'il y en a plusieurs ? demanda le technicien en roulant vers elle sur son tabouret. Des jumeaux, des triplés…

— Pourquoi est-ce que je voudrais le savoir ? »

Il haussa les épaules. « Il y a des femmes que ça intéresse. »

Elle en savait déjà trop sur ce bébé, comme le fait que c'était un garçon. Bien qu'il soit encore trop tôt pour l'affirmer, elle sentait sa présence étrangère dans son corps, comme quelque chose qui était elle et n'était pas elle. Une présence masculine. Un petit garçon qui aurait les boucles épaisses de Luke et son sourire qui lui faisait plisser les yeux. Non, elle ne devait pas penser à ça non plus. Elle ne pouvait se permettre d'aimer ce bébé uniquement à cause de Luke. Alors, quand le technicien fit tournoyer la sonde sur la matière visqueuse bleue qui couvrait son ventre, Nadia détourna la tête.

Après quelques instants, il s'arrêta, en laissant la sonde appuyée sur son nombril.

« Oh, fit-il.

— Quoi ? demanda Nadia. Qu'est-ce qui se passe ? »

Peut-être qu'elle n'était pas réellement enceinte. Ça pouvait arriver, non ? Peut-être que le test s'était trompé, ou bien que le bébé avait senti qu'il n'était pas désiré. Peut-être avait-il renoncé de lui-même. Elle ne put s'en empêcher : elle se retourna vers l'écran. Il était occupé par un triangle de lumière blanche granuleuse, au centre duquel un ovale noir était ponctué d'une unique petite tache blanche.

« Votre utérus est une sphère parfaite, dit le technicien.

— Et alors ? Ça veut dire quoi ?

— Je ne sais pas. Peut-être que vous êtes une femme super-héros. »

Il eut un petit rire et recommença à promener la sonde sur le gel. Nadia ne savait pas ce qu'elle s'attendait à découvrir sur l'échographie. L'inclinaison d'un front, peut-être, le contour d'un ventre. Mais pas ça, ce haricot blanc si petit qu'elle pourrait le cacher sous son pouce. Comment ce minuscule point lumineux pouvait-il être une vie ? Comment une chose aussi insignifiante pouvait-elle mettre fin à la sienne ?

Quand elle retourna dans la salle d'attente, la fille au blouson en jean sanglotait. Personne ne la regardait, pas même la grosse femme, désormais assise un siège plus loin. Nadia s'était trompée : ça ne pouvait pas être sa mère. Une mère se rapprocherait de son enfant qui pleure, au lieu de s'en éloigner. Sa mère l'aurait prise dans ses bras et aurait absorbé ses larmes dans son propre corps. Elle l'aurait bercée et ne l'aurait lâchée qu'au moment où l'infirmière l'appelait. Mais cette femme se pencha vers la fille en pleurs pour lui pincer la cuisse.

« Arrête un peu, ordonna-t-elle. Tu voulais être adulte ? Eh bah voilà, c'est fait. »

L'intervention ne dure que dix minutes, lui avait dit l'infirmière aux dreadlocks. Moins qu'un épisode de série télé.

Dans la salle d'opération glaciale, Nadia regardait fixement l'écran suspendu devant elle où défilaient des images de plages du monde entier. Au-dessus de sa tête, des haut-parleurs diffusaient une musique de méditation – de la guitare classique sur fond de bruit de vagues – et elle comprit qu'on voulait lui faire croire qu'elle était allongée sur le sable blanc d'une île tropicale. Mais quand l'infirmière plaqua le masque d'anesthésie sur son visage et lui dit de compter jusqu'à cent, Nadia ne put s'empêcher de penser à cette fille qui avait abandonné son bébé. Peut-être qu'une plage était un endroit plus naturel pour laisser un bébé dont vous ne pouviez pas vous occuper. Le blottir dans le sable en espérant que quelqu'un le découvre : un couple âgé se promenant au clair de lune, ou un policier en patrouille qui éclaire avec sa lampe des caisses de bouteilles de bière. Mais si personne ne le découvrait, si personne ne tombait dessus, il retrouverait sa première maison, un océan semblable à celui qui était en elle. Les vagues se briseraient sur le rivage et l'emporteraient dans leurs bras, elles le berceraient pour qu'il s'endorme.

Quand ce fut terminé, Luke ne vint jamais la chercher.

Une heure après l'avoir appelé, elle était la seule fille à attendre encore en salle de réveil, recroquevillée dans un fauteuil inclinable rose trop rembourré, plaquant sur son ventre un coussin chauffant pour soulager la douleur. Pendant une heure elle avait scruté la pénombre de la pièce, sans pouvoir discerner les visages des autres, qu'elle imaginait aussi inexpressifs que le sien. Peut-être que la fille à la robe jaune avait pleuré dans les bras de son fauteuil. Peut-être que la rouquine avait continué ses mots croisés. Peut-être qu'elle avait déjà vécu ça, ou bien elle avait déjà des enfants et n'en voulait pas d'autre. Était-ce plus facile si vous aviez déjà un enfant, comme refuser poliment du rab parce que vous aviez le ventre plein ?

Maintenant, les autres filles étaient parties et Nadia avait sorti son téléphone pour appeler Luke une troisième fois lorsque l'infirmière aux dreadlocks approcha une chaise métallique. Elle tenait une assiette en carton contenant des crackers et une brique de jus de pomme.

« Les crampes vont te faire souffrir pendant un moment. Mets quelque chose de chaud dessus, elles disparaîtront. Tu as une bouillotte chez toi ?

— Non.

— Alors fais chauffer une serviette. Ça marche aussi bien. »

Nadia avait espéré tomber sur une infirmière différente. Elle avait regardé les autres traverser la salle dans un bruissement pour s'occuper de leurs patientes, à qui elles adressaient des sourires ou prenaient la main. Mais l'infirmière aux dreadlocks se contenta d'agiter l'assiette de crackers devant elle.

« Je n'ai pas faim, dit Nadia.

— Il faut que tu manges. Je ne peux pas te laisser partir sinon. »

Nadia soupira et prit un cracker. Où était Luke ? Elle en avait assez de cette infirmière avec sa peau ridée et son regard fixe. Elle avait envie d'être dans son lit, enveloppée dans son édredon, la tête posée sur le torse de Luke. Il lui ferait de la soupe, il lui passerait des films sur son ordinateur jusqu'à ce qu'elle s'endorme. Il l'embrasserait en lui disant qu'elle avait été courageuse. L'infirmière décroisa puis recroisa les jambes.

« Des nouvelles de ton ami ? demanda-t-elle.

— Non, pas encore, mais il va venir.

— Tu n'as personne d'autre à appeler ?

— Je n'ai besoin de personne d'autre, il va venir.

— Non, il ne viendra pas, mon petit. Tu as quelqu'un d'autre à appeler ? »

Nadia leva la tête, surprise par l'assurance avec laquelle elle lui affirmait que Luke ne viendrait pas, mais plus encore par l'emploi de *mon petit*. Un terme aussi doux que du coton, qui semblait avoir échappé à la femme elle-même, d'après son air surpris. Comme quand, juste après l'opération, dans son délire, Nadia avait regardé son visage flou et dit « Maman ? » avec une telle tendresse que l'infirmière avait failli répondre « Oui ».

Deux

Si Nadia Turner nous avait posé la question, nous lui aurions conseillé de garder ses distances.

Vous savez ce qu'on dit sur les enfants de pasteur. À l'école du dimanche, ils courent partout dans l'église en braillant, ils barbouillent les bancs avec des pastels. Au collège, les garçons cavalent après les filles, soulèvent leurs jupes, pendant que leurs sœurs mettent du rouge à lèvres vif qui les fait ressembler à des traînées. Au lycée, ils fument des joints sur le parking de l'église et les filles se font peloter dans les toilettes par les fils du diacre, qui ôtent doucement le collant que leur mère les a obligées à porter, car une femme convenable ne montre pas ses jambes nues à l'église.

Luke Sheppard, effronté et impétueux, avec ses boucles folles, ses épaules de footballeur et ses yeux rieurs. Oh, n'importe laquelle d'entre nous lui aurait dit de garder ses distances. Elle ne nous aurait pas écoutées, évidemment. Les mères de l'église n'y connaissent rien, pas vrai ? Elles ne savaient pas comment Luke lui tenait la main pendant qu'ils dormaient, comment il jouait avec ses cheveux quand ils se faisaient un câlin, ni comment, après qu'elle lui avait annoncé sa grossesse, il avait pris ses pieds nus pour les poser sur ses genoux. Un homme qui gardait vos doigts entrelacés dans les siens toute la nuit et qui vous caressait les pieds quand vous étiez triste vous aimait forcément, au moins un peu. Et d'abord, qu'est-ce qu'une bande de vieilles dames y connaissait ?

Nous lui aurions dit qu'à nous toutes nous avions des siècles d'avance sur elle. Si nous mettions toutes nos vies bout à bout, nous étions nées avant la Dépression, avant la guerre de Sécession, avant l'Amérique elle-même. Et pendant tout ce temps, nous avions connu des hommes. Oh oui, ma petite, nous avions un peu connu l'amour. Ce reste de miel au fond d'un bocal qui emprisonne ce goût sucré dans votre bouche, assez longtemps pour masquer la faim. Nous avions promené nos langues sur nos dents pour le savourer le plus longtemps possible, et dans toute notre existence rien ne nous a affamées davantage.

Nous avions déjà visité une première fois le centre d'avortement, dix ans avant le rendez-vous de Nadia Turner. Oh, pas pour la raison que vous imaginez. À l'époque où cette clinique a été construite, nous aurions bien ri, comme Sarah, à l'idée d'avoir des enfants, désirés ou non. En outre, nous étions déjà mères, par le cœur pour certaines, par le ventre pour d'autres. Nous bercions les bébés que l'on nous confiait, nous enseignions le piano aux gamins du quartier, nous confectionnions des gâteaux pour les malades et les invalides. Nous maternions toutes quelqu'un, plus que ça, même : nous maternions le Cénacle. Alors, quand l'église avait organisé une manifestation devant la clinique, nous y avions participé. Bien que le Cénacle ne soit pas le genre d'église à faire du tapage dès qu'une petite chose lui déplaisait, à brandir le poing devant les films indécents, à acheter des brassées de CD de rap pour les briser ou à écrire au gouverneur à Sacramento pour veiller à ce que la liste des livres interdits soit mise à jour et exhaustive. En vérité, l'église n'avait manifesté qu'une seule fois auparavant, dans les années 1970, lors de la construction du premier club de strip-tease à Oceanside. Un club de strip-tease, à quelques minutes de la plage où des enfants se baignaient et jouaient. Ce serait quoi, ensuite ? Une maison de passe sur la jetée ? Pourquoi ne pas transformer le port en quartier chaud ? Ma foi, le Hanky Panky a ouvert ses portes malgré tout et, bien que ce soit une honte pour la communauté, tout le monde s'accordait à dire que la nouvelle clinique était bien pire. Un signe des temps, véritablement. Un centre d'avortement qui surgissait en pleine ville, comme s'il s'agissait d'une boutique de donuts.

Et donc, le matin de la manifestation, les fidèles s'étaient réunis devant le chantier de la clinique. John Numéro Deux, qui avait transporté avec la fourgonnette de l'église ceux qui n'avaient pas de voiture, sœur Willis, qui avait demandé à ses élèves de l'école du dimanche de l'aider à peindre les pancartes, et même Magdalena Price, qui acceptait rarement de faire quoi que ce soit qui l'oblige à abandonner son tabouret de piano, étaient venus manifester eux aussi pour, comme le disait Magdalena, voir ce qui provoquait toute cette agitation. Nous avions tous formé un cercle autour du pasteur, de son épouse et de leur fils – encore jeune garçon à l'époque, et qui donnait des coups de pied dans les mottes de terre –, pendant que le pasteur priait pour le salut des innocents.

Notre manifestation n'avait duré que trois jours. (Non pas à cause de nos convictions chancelantes, mais à cause des militants qui nous avaient rejoints, le genre de Blancs complètement fous qui se retrouveraient un jour à la une des journaux pour avoir fait sauter des cliniques et poignardé des médecins. Aucun de nous n'avait envie d'être sur place lorsque l'un d'eux perdrait la boule.) Et pendant ces trois jours, Robert Turner s'était rendu en ville à six heures du matin pour livrer avec son pick-up de nouvelles pancartes provenant de l'église. Son épouse et lui n'étaient pas du genre à manifester, avait-il confié au pasteur, mais il estimait que c'était le moins qu'il puisse faire.

C'était dix ans avant que tous les fidèles le connaissent sous le nom de « l'homme au pick-up », un Chevrolet noir devenu le pick-up du Cénacle à force de voir Robert repartir de l'église au volant de ce véhicule, un bras à la portière, transportant à l'arrière des paniers de provisions, des vêtements ou des chaises métalliques. Il n'était pas l'unique fidèle à posséder un pick-up, évidemment, mais lui seul acceptait de le prêter à tout moment. Il avait installé près de son téléphone un calendrier sur lequel il notait soigneusement, avec un petit crayon de golf, ce qu'il avait à faire chaque fois que l'un de nous l'appelait. Pour rire, il disait parfois qu'il devrait ajouter son pick-up sur l'annonce de son répondeur, car il recevait plus de messages que lui. C'était une plaisanterie, évidemment, mais il se demandait si ce n'était pas la vérité, si le pick-up n'était pas la seule raison pour laquelle nous le conviions aux pique-niques et aux repas communs, si le véritable invité n'était pas sa voiture, indispensable pour transporter haut-parleurs, tables, chaises pliantes, et peu importe que lui-même soit présent ou pas. Pourquoi, sinon, serait-il accueilli si chaleureusement au Cénacle chaque dimanche ? Les placeurs lui tapaient dans le dos, les dames assises à l'accueil lui souriaient, et le pasteur avait fait remarquer qu'il ne serait pas surpris si la bonne gestion de Robert l'amenait à siéger un jour au conseil des anciens.

Ce pick-up, Robert en était convaincu, avait changé sa vie. Mais il y avait également sa fille. Les gens ont toujours eu un faible pour les pères célibataires, surtout ceux qui élèvent des filles. Ils auraient été attachés à Robert Turner sans ce terrible drame survenu à son épouse, même si cette dernière avait simplement fait sa valise pour partir, ce qui semblait être le cas aux yeux de certains.

Ce soir-là, quand son père rentra le pick-up dans le garage, Nadia était recroquevillée dans son lit, les mains plaquées sur son ventre en feu. « Les crampes seront douloureuses », lui avait dit l'infirmière aux dreadlocks. « Pendant quelques heures. Si elles deviennent trop violentes, appelle le numéro d'urgence. » Elle n'avait pas précisé la différence entre douloureuses et violentes, mais elle avait tendu à Nadia un sac en papier blanc roulé. « Pour la douleur. Deux comprimés toutes les quatre heures. » Une bénévole de la clinique avait proposé à Nadia de la ramener chez elle en voiture, et quand elle était montée dans la Sentra poussiéreuse de cette fille blanche, elle avait jeté un coup d'œil à l'infirmière qui les regardait partir. La bénévole, une jeune blonde enthousiaste d'une vingtaine d'années, avait bavardé nerveusement pendant tout le trajet, en tripotant les boutons de la radio. Elle était en licence à Cal State San Marcos, avait-elle expliqué, et elle faisait du bénévolat à la clinique dans le cadre de ses études sur le féminisme. C'était tout à fait le genre de fille qui pouvait étudier le féminisme à l'université et s'attendre à ce qu'on la prenne au sérieux. Quand elle avait demandé à Nadia si elle projetait d'aller à l'université, elle avait semblé surprise par la réponse. « Oh, Michigan est une bonne école », avait-elle commenté, comme si Nadia ne le savait pas déjà.

C'était il y a deux heures. Nadia ferma les yeux de toutes ses forces pour traverser le centre glacé de la douleur vers les contours plus chauds. Elle avait envie d'avaler un autre comprimé, tout en sachant qu'elle devait attendre, mais quand elle entendit le bruit de la porte du garage, elle fourra le flacon orange dans le sachet blanc, et le tout dans le tiroir de sa table de chevet. Le moindre détail insolite risquait de mettre la puce à l'oreille de son père, même ce banal sac en papier. Depuis qu'elle avait découvert qu'elle était enceinte, elle était certaine que son père allait remarquer que quelque chose n'allait pas. Sa mère devinait toujours quand elle avait passé une mauvaise journée à l'école, dès qu'elle montait dans la voiture. Qu'est-ce qui s'est passé ? lui demandait-elle, avant même que Nadia ait dit bonjour. Certes, son père n'avait jamais été aussi perspicace, mais une grossesse, ce n'était pas comme une mauvaise journée à l'école ; il allait se rendre compte qu'elle paniquait, forcément. Elle se réjouissait qu'il n'ait rien remarqué jusqu'à présent, mais ça l'effrayait également de se dire qu'elle était rentrée à la maison dans un corps différent, qu'un bouleversement capital se produisait en elle, et que personne ne s'en apercevait.

Son père frappa trois fois à la porte de sa chambre avant de l'entrouvrir. Il portait son uniforme, qui lui faisait comme une seconde peau tant son corps remplissait naturellement les plis bien marqués. Des insignes s'alignaient sur sa poitrine. Les amis de Nadia étaient toujours surpris d'apprendre que son père était un *marine*. Il ne ressemblait pas aux garçons qu'ils avaient pu voir en ville quand ils étaient enfants, des gars trop sûrs d'eux et costauds, qui faisaient les idiots devant le Regal et draguaient les filles qui passaient. Son père avait peut-être été comme eux quand il était plus jeune, mais elle avait du mal à l'imaginer. C'était un homme discret et sérieux, grand, maigre et nerveux, qui semblait ne jamais se détendre, comme un chien de garde assis, les oreilles toujours dressées. Il se pencha pour délacer ses chaussures noires étincelantes.

« Tu n'as pas l'air bien. Tu es malade ?

— Des crampes d'estomac, c'est tout.

— Oh. Tu as tes... » Il montra son propre ventre. « Tu as besoin de quelque chose ?

— Non. Si. Je pourrai t'emprunter ton pick-up plus tard ?

— Pour quoi faire ?

— Pour m'en servir.

— Pour aller où, je veux dire.

— Tu n'as pas le droit de faire ça.

— Quoi donc ?

— De me demander où je vais. J'ai bientôt dix-huit ans.

— Je ne peux pas te demander où tu vas avec mon pick-up ?

— Où tu crois que je vais aller avec ? Jusqu'à la frontière ? »

Son père ne se souciait jamais de savoir où elle se rendait, sauf quand elle voulait emprunter son précieux pick-up. Il passait des soirées entières à en faire le tour, dans l'allée, en plongeant un chiffon en velours rouge dans un pot de cire jusqu'à ce que la carrosserie brille comme du verre. Et, dès que quelqu'un du Cénacle l'appelait pour lui demander un service, il courait jusqu'à son véhicule comme s'il s'agissait de son enfant unique qui réclamait tout son amour. Il soupira et lissa ses cheveux grisonnants que Nadia coupait tous les quinze jours, ainsi que le faisait sa mère autrefois. Son père s'asseyait dans le jardin derrière la maison, une serviette sur les épaules, et Nadia passait la tondeuse. Il n'y avait que dans ces moments-là, quand elle lui coupait les cheveux, qu'elle se sentait proche de lui.

« C'est pour aller en ville, ça te va ? dit-elle. Puis-je emprunter ton pick-up, s'il te plaît ? »

Les crampes l'assaillirent de nouveau et elle grimaça en resserrant la couverture autour d'elle. Son père s'attarda un instant sur le seuil, avant de déposer ses clés sur la commode.

« Je peux te faire du thé, si tu veux, dit-il. Il paraît que... tes tantes, elles en buvaient quand... tu vois, quoi.

— Laisse-moi juste les clés, ça ira. »

Lorsque Nadia avait été admise à la fac, Luke l'avait invitée dès le lendemain au Wave Waterpark, un parc aquatique où, installés sur de grosses chambres à air, ils avaient dévalé la Slide Tower et le Flow Rider jusqu'à être trempés et épuisés. Elle avait craint que Luke n'ait choisi un parc aquatique parce qu'il la prenait pour une gamine. Mais il s'était amusé autant qu'elle ; il poussait des cris de joie quand ils plongeaient dans les bassins, puis l'entraînait aussitôt vers le toboggan suivant. Les gouttes d'eau s'accrochaient à sa poitrine, ses favoris mouillés brillaient au soleil. Ensuite, ils avaient mangé des *corn dogs*[1] et des churros, assis devant une pataugeoire où jouaient des enfants munis de brassards. Nadia avait léché le sucre à la cannelle sur ses doigts, assommée par le soleil et débordante de bonheur, un bonheur qui aurait pu lui sembler ordinaire autrefois et qui maintenant lui paraissait fragile. Elle avait peur qu'il ne glisse de ses épaules et ne se brise si elle se levait trop vite.

Elle avait été surprise de recevoir un cadeau de Luke, alors que son père l'avait à peine félicitée. Eh bah, dis donc, avait-il dit quand elle lui avait montré le mail, et il avait passé son bras autour de ses épaules. Et plus tard, ce soir-là, dans la cuisine, en la croisant, il l'avait regardée d'un air absent, comme si elle était un meuble qu'il avait trouvé intéressant autrefois mais dont il s'était lassé. Elle avait essayé de ne pas y attacher trop d'importance – plus rien ne réjouissait son père ces temps-ci –, mais elle avait fondu en larmes dans la salle de bains en se lavant les dents. Le lendemain matin, au réveil, elle avait trouvé une carte de félicitations sur sa table de chevet, un billet de vingt dollars glissé à l'intérieur. *Je suis désolé*, avait écrit son père. *J'essaye*. Il essayait quoi ? De l'aimer ?

Elle avait étendu ses jambes sur les genoux de Luke et il avait pétri ses chevilles lisses en finissant son *corn dog*. Il ne l'avait jamais vue ainsi – cheveux mouillés et frisés, sans maquillage –, mais Nadia se sentait jolie car Luke lui

1. Saucisse enrobée de pâte à frire, sur un bâton. *(N.d.T.)*

souriait tandis qu'il lui caressait les chevilles, et elle se demandait si ce geste doux ne cachait pas autre chose, s'il n'était pas un petit peu amoureux d'elle. Avant qu'ils s'en aillent, elle avait essayé de prendre une ou deux photos d'eux, mais Luke avait refermé la main autour de son portable. Il voulait que leur relation reste cachée.

« Non, pas cachée, précisa-t-il. Secrète.

— C'est la même chose, fit remarquer Nadia.

— Pas du tout. Je pense qu'il vaut mieux être discrets, c'est tout.

— Pourquoi ?

— La différence d'âge.

— J'ai presque dix-huit ans.

— Oui, presque.

— Tu n'auras jamais d'ennuis à cause de moi. Tu ne le sais pas ?

— Il n'y a pas que ça. Tu ignores ce que c'est. Tu n'es pas fille de pasteur. Tous les fidèles fourrent leur nez dans mes affaires, en permanence. Ils feront pareil avec toi. Soyons malins, c'est tout ce que je te demande. »

Peut-être y avait-il une différence, en effet. Vous cachiez une relation parce que vous aviez honte, mais vous pouviez garder le secret pour un tas de raisons. D'ailleurs, toutes les relations étaient secrètes, d'une certaine façon : les gens avaient-ils besoin de le savoir, du moment que vous étiez heureux ? Alors, elle avait appris à être discrète. Elle ne prenait pas la main de Luke en public, elle ne postait pas de photos de lui sur Internet. Elle avait même cessé d'aller chez Fat Charlie tous les jours après le lycée, de peur qu'un des collègues de Luke n'ait des soupçons. Mais, ce soir-là, après que Luke l'avait abandonnée à la clinique, elle oublia toute prudence et se rendit au restaurant avec le pick-up de son père. Elle savait que Luke faisait la fermeture le jeudi soir, mais en entrant, elle ne le vit pas dans la salle. S'approchant du bar, elle fit signe à Pepe, le barman, un Mexicain baraqué avec une queue-de-cheval grisonnante. Il leva les yeux du verre qu'il était en train d'essuyer avec un torchon pas très net.

« Tu peux remballer ta pièce d'identité à deux balles, dit-il. Tu sais bien que je ne te servirai pas.

— Où est Luke ?

— Comment tu veux que je le sache ?

— Il n'a pas bientôt fini son service ?

— Je m'occupe pas de son emploi du temps.

— Vous l'avez vu aujourd'hui ?

— Tout va bien ?

— Vous l'avez vu ?

— Pourquoi tu l'appelles pas ?

— Il ne répond pas. Je suis inquiète.

Luke n'était pas du genre à disparaître de cette façon, à ne pas répondre au téléphone, à ne pas venir quand on l'attendait. Surtout un jour comme aujourd'hui, quand elle avait besoin de lui, quand il savait qu'elle avait besoin de lui. Nadia craignait qu'il ne lui soit arrivé quelque chose de grave ou, pire, qu'il ne lui soit rien arrivé. Et s'il avait décidé, tout simplement, de l'abandonner dans cette clinique ? Non, jamais il ne ferait une chose pareille. Mais elle le revoyait au parc aquatique, quand il avait plaqué la main sur son portable ; elle revivait ce bref instant pendant lequel elle s'était sentie en sécurité et aimée, juste avant que Luke se détache.

Pepe soupira en posant le verre sur le comptoir. Il avait quatre filles, lui avait un jour confié Luke, et Nadia se demandait si c'était pour cela que Pepe refusait d'accepter sa fausse pièce d'identité, qu'il chassait les types qui essayaient de la draguer et qu'il lui demandait toujours comment elle allait rentrer chez elle.

« Écoute, tu connais Sheppard, ma jolie. Il a sûrement eu envie de sortir avec ses potes. Je suis sûr qu'il t'appellera demain. Alors, rentre chez toi, d'accord ? »

Finalement, elle le retrouva dans une fête.

Pas n'importe quelle fête, une fête de lycéens, même si Cody Richardson aurait été choqué par ce qualificatif. Il avait obtenu son diplôme dix ans plus tôt, mais ses soirées seraient toujours des fêtes de lycéens car Nadia et tout le monde à Oceanside High avaient passé d'innombrables week-ends dans cette maison à festoyer. Cody Richardson était un skater aux cheveux blonds, le genre de garçon avec qui elle n'avait rien en commun. Et si, généralement, elle détestait les fêtes de Blancs – la musique techno répétitive, l'eau de toilette Abercrombie & Fitch suffocante, la façon de danser épouvantable –, elle avait fréquenté celles de Cody parce que tous ses amis y allaient. Chaque week-end, elle s'était entassée avec les autres dans cette maison sur la plage, où vous n'aviez pas à craindre de voir vos parents rentrer trop tôt ou la police débarquer pour tout arrêter, et aujourd'hui, le plan de la demeure ressemblait à un schéma de toutes ses premières fois d'adolescente : la terrasse où elle avait fumé son premier joint, en toussant dans l'air marin ; le coin de la cuisine où elle avait rompu avec son premier petit ami ; le couloir devant la salle de bains où, ivre, elle avait pleuré, le week-end après l'enterrement de sa mère.

Elle n'était pas revenue depuis. Elle avait l'impression d'être trop grande déjà pour cette maison jaune, et elle se promit de ne plus y remettre les pieds dès qu'elle aurait son diplôme. Elle avait toujours été gênée de voir autant de gens revenir ici. Ils semblaient figés dans le temps, les années écoulées depuis le départ du lycée s'effondraient dès qu'ils franchissaient la porte. Mais c'était le seul endroit où Nadia pensait pouvoir trouver Luke, après être passée devant la maison de ses parents et avoir constaté que sa camionnette n'était pas dans l'allée. Elle sentit sa présence en marchant dans le sable mouillé, en mal d'amour et furieuse. Elle suivit la piste des empreintes de pas qui conduisait à la maison, en se demandant si elle serait capable de reconnaître celles de Luke et de mettre ses traces dans les siennes.

Des vagues vertes de musique techno se déversaient par la porte ouverte, tandis qu'elle gravissait lentement les marches bancales en bois flotté. Les basses faisaient vibrer le plancher rendu collant par la bière, et elle s'arrêta sur le seuil, le temps que ses yeux s'habituent à la pénombre. Elle n'aurait pas remarqué immédiatement Luke s'il n'y avait eu sa démarche. Au-delà des jeunes Blancs qui se cognaient les uns aux autres, au-delà des plans de travail de la cuisine sur lesquels traînaient des bouteilles d'alcool à moitié vides et des gobelets disposés en deux triangles, vestiges d'une partie de *beer-pong* délaissée, elle aperçut la silhouette de Luke qui traversait la pièce obscure. Ce léger boitillement, si discret que la plupart des gens ne le remarquaient pas, mais pour elle aussi familier que sa voix. Il paraissait ivre, une bouteille de Jim Bean presque vide pendait au bout de son bras. Quand elle s'approcha de lui, il vacilla légèrement, comme si cette simple apparition suffisait à le déséquilibrer.

« Nadia, qu'est-ce que tu fais ici ?

— Et toi, qu'est-ce que tu fous ici ? répliqua-t-elle. Je t'ai appelé au moins cent fois, putain.

— Tu devrais pas être ici. Tu devrais être dans ton lit, ou je sais pas quoi...

— T'étais où ? Je t'ai attendu pendant des plombes.

— Y a eu une merde. Je savais que tu te débrouillerais pour rentrer. »

Il regardait le sol en disant cela, et Nadia comprit qu'il mentait.

« Tu m'as abandonnée. »

Quand Luke releva la tête, elle fut stupéfaite : il était exactement comme avant. Est-ce qu'une personne ne devrait pas changer de visage quand vous l'aviez surprise en train de mentir ? Quand vous l'aviez vue sous son vrai jour pour la première fois ?

« Écoute, lâcha-t-il, on était censés s'amuser tous les deux, ça devait pas virer au drame. Je t'ai filé du fric. Qu'est-ce que tu veux de plus ? »

Il la frôla et se dirigea vers la porte d'un pas chancelant. Elle aurait dû s'en douter. Elle aurait dû s'en douter quand il lui avait apporté cette enveloppe et ces six cents dollars : cette somme représentait sa part, à elle de se débrouiller pour le reste. Il lui avait remis cet argent et maintenant il la considérait comme un problème réglé. En un sens, elle le savait déjà – du moins elle l'avait deviné –, mais elle avait voulu croire en Luke, en l'amour, croire que les gens ne se défilaient pas. Elle se faufila dans la cuisine, en passant près d'un groupe de lycéens ivres en pleine partie de *flip cup*[1], et se saisit d'une bouteille de Jose Cuervo posée sur le plan de travail. L'infirmière aux dreadlocks lui avait interdit de boire de l'alcool pendant quarante-huit heures – ça fluidifie le sang et augmente les saignements –, mais Nadia se servit malgré tout une dose de tequila. Sentant une main se poser sur sa taille, elle se retourna et découvrit Devon Jackson planté devant elle, un joint pincé entre ses doigts. Elle ne lui avait pas adressé la parole depuis ce jour en troisième où ils s'étaient pelotés. Grand et mince, il avait gardé son apparence presque fragile, avec ses longs cils, à cette différence près que sa peau

1. Après avoir bu un verre cul sec, le joueur pose son gobelet à l'envers au bord de la table, il doit ensuite le retourner d'une pichenette pour qu'il retombe à l'endroit. S'il y parvient, un de ses équipiers peut alors boire son verre et tenter d'en faire autant. *(N.d.T.)*

était maintenant couverte de tatouages. Même son cou était assombri par une fleur de lis qui montait jusqu'à sa gorge.

« La vache, dit-elle. Te voilà marqué au fer rouge. »

Il rit. « Où t'étais passée, bordel ? »

Nulle part. Partout. Il lui tendit le joint et Nadia eut l'impression d'avoir quinze ans de nouveau ; elle fumait avec un garçon qui l'avait doigtée un jour, au sommet d'une grande roue, tout doucement, dans une nacelle qui se balançait comme pour les bercer. Aux dernières nouvelles, Devon était devenu mannequin, principalement pour des sites gays. Deux ans plus tôt, une amie lui avait envoyé un lien vers une série de photos dont l'une le montrait allongé sur des draps blancs, en caleçon, la tête d'un homme blond posée à quelques centimètres de son entrejambe.

« Il paraît que tu es célèbre, maintenant », fit-elle en lui rendant le joint.

Elle n'avait pas l'intention de se saouler. Elle reprit de la tequila car Devon s'étonnait que son gobelet soit vide. Elle était devenue bonne sœur ou quoi ? Encore un peu de tequila dans un gobelet de citronnade, puis une autre, et encore une autre, et elle se laissa entraîner sur la piste. Non parce qu'elle avait envie de danser, mais parce que c'était un prétexte pour être tout près de Devon, pour le toucher, se laisser réconforter par la pression de ce corps contre le sien sans être obligée de parler. Et l'alcool l'aidait à se sentir bien, même si on étouffait dans cette pièce et même si elle était dégoûtée par le tee-shirt trempé de sueur de Devon quand il passa un bras autour de sa taille. Son sang était certainement en train de se fluidifier, mais c'était tellement bon d'être ivre, détendue, au chaud, d'être caressée et de pouvoir caresser.

Devon l'embrassa dans le cou, en lui malaxant les fesses à deux mains.

« T'es super canon », dit-il.

Son souffle tiède dans son oreille.

Il se frotta contre elle en se mordillant la lèvre avec l'expression de gravité de celui qui s'efforce de paraître sexy. Nadia gloussa. Devon rit, lui aussi, et lui malaxa les fesses de nouveau.

« Quoi ? fit-il.

— Je croyais que tu aimais les garçons maintenant.

— Qui t'a dit ça ?

— Des gens.

— Est-ce que j'ai l'air d'aimer les garçons ? »

Il lui prit la main pour la plaquer sur la bosse de son pantalon. Nadia dégagea son poignet d'un mouvement brusque et repoussa Devon. Elle se sentait prise au piège, soudain, elle suffoquait. Le regard embrumé, elle longea le mur à tâtons, bousculée par des corps, tandis que les enceintes crachaient des rythmes frénétiques, et traversa l'humidité poisseuse jusqu'à la porte de derrière. Cody Richardson était accoudé à la balustrade, à l'autre extrémité de la terrasse. Il avait grandi, minci aussi, ses cheveux blond foncé étaient hirsutes, sa chemise à carreaux pendait sur ses épaules osseuses. Il lui sourit, exhibant l'anneau en argent planté dans sa lèvre, et Nadia marcha lentement vers lui en agrippant la balustrade.

« Tu trouves pas ça bizarre ? demanda-t-il.

— Quoi donc ? »

Il pointa le doigt par-dessus l'épaule de Nadia. Au-delà des toits couleur lavande des autres maisons de bord de mer, elle apercevait le sommet de la centrale nucléaire de San Onofre : deux dômes blancs que les gamins appelaient autrefois « les nichons » quand ils passaient devant à bord du car de ramassage scolaire qui les emmenait en excursion.

« D'une minute à l'autre... Boum ! » Cody ouvrit de grands yeux et écarta les mains pour mimer une explosion. « D'un seul coup. Un orage et tout le monde saute. »

Nadia appuya sa tête contre la balustrade et ferma les yeux.

« C'est comme ça que je veux mourir, dit-elle.

— Sérieux ?

— Boum. »

Voici comment elle imaginait la scène.

Sa mère roulait au hasard en ville, l'arme de service de son mari posée sur ses genoux. Un virage, puis un autre, la lumière du matin rose comme une chemise de nuit de petite fille. Elle était groggy, ou peut-être qu'elle était lucide, plus lucide que jamais. Elle envisagea d'abord d'aller jusqu'à la plage, car ce serait un bel endroit pour mourir. Assez chaud. Un endroit pour mourir devait être chaud, il ferait déjà assez froid dans l'au-delà. Mais c'était trop tard : les surfeurs marchaient dans le sable, et la mort était une affaire intime, comme fredonner une petite chanson que vous seul entendez.

Alors elle continua à rouler, jusqu'à un peu moins d'un kilomètre du Cénacle, sur la colline, là où les branches masquaient sa voiture. Elle coupa le moteur et prit l'arme. Elle n'avait jamais tiré sur quoi que ce soit, mais elle avait vu des animaux mourir, les cochons qui braillaient en se vidant de leur sang, les poulets qui battaient des ailes pendant que sa mère leur tordait le cou. Vous pouviez faire disparaître la vie peu à peu ou y mettre fin d'un seul coup. Une mort lente paraîtrait peut-être plus douce, mais une mort soudaine était plus charitable. Clémente, même.

Elle aurait pitié d'elle, cette fois-ci.

Quand son père l'interrogea, Nadia lui répondit qu'elle n'avait pas vu l'arbre. Dans l'obscurité, l'arbre planté devant leur maison était quasiment invisible, et elle avait pris un virage trop serré. À presque quatre heures du matin, ils étaient tous les deux dans l'allée, son père en robe de chambre verte à carreaux et pantoufles, Nadia appuyée contre la portière du pick-up, ses chaussures à la main. Elle avait voulu rentrer en douce, mais son père s'était précipité dehors dès qu'il avait entendu le choc. Accroupi devant son véhicule, il caressait le pare-chocs enfoncé.

« Pourquoi tu n'avais pas allumé tes phares, nom d'un chien ?

— Ils étaient allumés ! Mais… j'ai baissé les yeux pour les éteindre, et quand j'ai relevé la tête, j'ai vu l'arbre. »

Elle tituba légèrement. Son père fronça les sourcils et se redressa.

« Tu es ivre ?

— Non.

— Je sens l'alcool d'ici.

— Non...

— Et tu es rentrée en voiture ? »

Il s'avança vers elle et ce mouvement brusque lui fit lâcher tout ce qu'elle tenait dans les mains. Son sac, ses chaussures et les clés tombèrent bruyamment dans l'allée. Elle tendit les bras devant elle pour empêcher son père d'approcher. Il s'arrêta, mâchoire serrée, et elle ne put déterminer s'il avait envie de la gifler ou de la prendre dans ses bras. Ces deux sentiments, sa colère et son amour, étaient douloureux, alors qu'ils se faisaient face dans la nuit, le cœur de son père cognant contre ses paumes.

Trois

Nous prions.

Pas en permanence, comme l'exige Paul, mais assez souvent. Le dimanche et le mercredi, nous nous réunissons dans la chapelle, nous ôtons nos vestes, laissons nos chaussures à l'entrée et déambulons en chaussettes, en glissant légèrement, comme des gamines qui jouent sur un parquet ciré. Nous formons un cercle de chaises blanches au centre de la pièce et chacune de nous glisse la main dans la boîte en bois, près de la porte, remplie de cartes de prières. Puis nous prions : pour Earl Vernon, qui attend que sa fille accro au crack revienne ; pour le mari de Cindy Harris, qui va la quitter car il l'a surprise en train d'envoyer des photos cochonnes à son patron ; pour Tracy Robinson, qui a recommencé à boire, des alcools forts par-dessus le marché ; pour Saul Young, qui accompagne son épouse sénile dans ses derniers instants. Nous lisons les cartes et nous prions, pour trouver un nouveau travail, une nouvelle maison, un nouveau mari, être en meilleure santé, avoir des enfants mieux élevés, davantage de foi, de patience, et moins de tentations.

Nous ne sommes pas des « guerrières de la prière ». Ce terme a sans doute été inventé par un homme : pour les hommes, tout ce qui est difficile ressemble à la guerre. Mais les prières sont une chose plus délicate qu'un combat, surtout les prières d'intercession. Ce n'est pas un simple concept, il s'agit d'assumer le fardeau de quelqu'un d'autre, que vous ne connaissez même pas la plupart du temps. Vous fermez les yeux et vous écoutez une demande. Ensuite, vous devez vous glisser dans le corps de cette personne. Vous êtes Tracy Robinson, rongée par l'envie de boire un whisky. Vous êtes le mari de Cindy Harris, qui fouille dans le téléphone de sa femme. Vous êtes Earl Vernon, qui lave et démêle les cheveux de sa fille shootée.

Si vous ne devenez pas toutes ces personnes, ne serait-ce qu'une seconde, une prière n'est rien d'autre qu'un ensemble de mots.

Voilà pourquoi il ne nous fallut pas longtemps pour comprendre ce qui était arrivé au pick-up de Robert Turner. Habituellement lustré et étincelant, il était arrivé en cahotant sur le parking du Cénacle, le dimanche, le pare-chocs avant enfoncé et un phare brisé. Dans le hall, nous entendîmes des plaisantins raconter que Nadia Turner s'était saoulée lors d'une fête sur la plage. Alors, nous sommes redevenues jeunes, ou plutôt, nous sommes redevenues Nadia. Dansant toute la nuit avec une bouteille de vodka à la main, et rentrant chez elle en titubant. Le retour imprudent en zigzaguant d'une voie à l'autre. Le bruit du métal froissé. En sentant les effluves d'alcool, Robert avait dû gifler sa fille, ou la serrer dans ses bras. Sans doute méritait-elle les deux.

Le pick-up fut le premier signe que quelque chose clochait cet été-là, mais aucune d'entre nous ne le vit immédiatement. À ce moment-là, le véhicule cabossé ne signifiait qu'une seule chose à nos yeux.

« Regardez ce qu'elle a fait.

— Qui ça ?

— La fille Turner.

— Laquelle ?

— Vous savez bien.

— Le genre café au lait et yeux clairs.

— Oh, cette Turner-là.

— Il y en a une autre ?

— Vous ne trouvez pas qu'elle a l'air...

— Absolument.

— Son portrait craché.

— Vous avez vu son...

— Hmm.

— À votre avis, ça va coûter combien pour réparer ?

— Pourquoi elle fait ça ?

— Elle est déchaînée.

— Pauvre Robert.

— Déchaînée, je vous dis. »

Nous avions de la peine pour Robert Turner. Il en avait déjà tellement bavé. Six mois plus tôt, sa femme lui avait dérobé son arme et s'était fait sauter la cervelle. Au lever du soleil, elle avait garé sa Tercel bleue sur le bas-côté d'une petite route, et la voiture avait tremblé sous l'effet de la détonation. Un joggeur l'avait découverte une heure plus tard. Robert avait ramené la Tercel chez lui, du poste de police, le repose-tête encore taché du sang de sa femme. Nul ne savait ce qu'était devenue cette voiture. La rumeur disait qu'après l'avoir passée au peigne fin pour récupérer toutes les affaires de sa femme – son sac à main, des livres empruntés à la bibliothèque, une barrette rouge rubis qu'il lui avait offerte quelques années plus tôt au Mexique –, il avait coincé l'accélérateur avec une brique et expédié la voiture dans la San Luis Rey River. Mais un homme aussi sensé que Robert l'avait certainement vendue dans une casse, et parfois, nous nous demandions si cette voiture qui nous dépassait ne roulait pas avec le pot d'échappement d'Elise Turner, si ce n'était pas son clignotant qui nous faisait signe dans la voie d'à côté.

Et maintenant, pour couronner le tout, une fille au comportement dissolu. Pas étonnant que Robert ait l'air si inquiet.

Ce soir-là, dans la boîte en bois près de la porte, nous trouvâmes une carte de prière qui portait son nom. Au milieu, en minuscules, il y avait ces mots : *priez pour elle.* Nous ne savions pas qui était ce *elle* – son épouse décédée ou sa fille dévergondée –, alors nous priâmes pour les deux. Ce n'est pas juste un concept, vous savez. Prier pour une personne morte. Quand il n'y a pas de corps dans lequel se glisser, vous pouvez juste essayer de trouver son âme, et qui a envie de traquer celle d'Elise Turner, où qu'elle se cache ?

Plus tard ce soir-là, en quittant la chapelle, nous perçûmes un changement à l'intérieur du Cénacle. Sans pouvoir l'expliquer. Quelque chose était différent. Anormal. Nous connaissions les murs du Cénacle aussi bien que ceux de notre propre maison. Durant des dizaines d'années, nous avions parcouru ces couloirs sur la pointe des pieds pendant que la chorale répétait ; nous connaissions ces endroits, devant le placard aux instruments, où la peinture s'était écaillée, où le carrelage avait été posé de travers dans les toilettes des dames. Nous avions passé des dizaines d'années à étudier la tache qui ressemblait à une oreille d'éléphant au plafond, au-dessus de la fontaine à eau. Et nous savions exactement à quel endroit du tapis s'était agenouillée Elise Turner la veille de son suicide. (Les plus croyantes d'entre nous juraient même qu'elles voyaient encore le creux laissé par ses genoux.) Parfois, pour plaisanter, nous disions qu'à notre mort nous deviendrions toutes une partie de ces murs, aplaties comme du papier peint. Près des vitraux du sanctuaire, ou dans un coin de la salle de l'école du dimanche, ou même collées au plafond de la chapelle, où nous nous réunissons tous les dimanches et mercredis pour intercéder.

Nous ne savions pas, alors, que le pick-up cabossé avait lié l'avenir de Nadia Turner au nôtre, et qu'au fil des ans nous la regarderions aller et venir en resserrant un peu plus ce lien chaque fois.

Le dimanche soir, les Turner eurent de la visite.

Nadia avait passé son week-end au lit, pas à cause de son mal de ventre, mais parce qu'elle n'avait nulle part où aller. Elle n'était plus enceinte, mais elle avait sacrément endommagé le pick-up de son père. Si les réparations prenaient des semaines, le supporterait-elle ? Pas de pick-up, pas de courses à faire, uniquement le travail et la maison. Son père n'aimait qu'une chose dans sa vie, et elle l'avait abîmée. Pis encore, il n'avait même pas crié. Elle aurait voulu qu'il s'emporte quand il était en colère – ce serait plus facile, plus rapide –, mais, au lieu de cela, il se repliait sur lui-même et il la contournait sans rien dire dans la cuisine, ou bien il l'évitait carrément. Nadia se sentait disparaître dans le silence, jusqu'à ce qu'elle entende deux notes aiguës flotter dans l'air, si légères qu'elle crut les avoir imaginées. Puis trois coups frappés à la porte. Elle eut un pincement au cœur. Luke. Elle se leva d'un bond, se fit rapidement une queue-de-cheval, remonta la bretelle de son soutien-gorge sous son débardeur, tira sur son short. Pieds nus, elle traversa le carrelage froid pour aller ouvrir.

« Oh, fit-elle. Bonjour. »

Le pasteur Sheppard souriait sur le seuil. Jamais elle ne l'avait vu habillé de manière aussi décontractée, sans sa robe de pasteur ni son costume trois-pièces, mais en polo et en jean, avec ses baskets noires qui avaient une semelle spéciale, d'après Luke, car il souffrait d'un problème de genoux. Elle s'était toujours représenté les pasteurs comme de vieux messieurs effacés qui portaient des pulls et des lunettes, mais le pasteur Sheppard ressemblait davantage aux videurs qu'elle essayait de baratiner devant l'entrée des boîtes de nuit, grand et large, touchant presque le haut de l'encadrement de la porte avec sa tête brillante couleur acajou. Il paraissait encore plus costaud le dimanche matin quand il allait et venait devant l'autel, dans sa longue robe noire, et que sa voix résonnait jusqu'au toit. Mais là, sur le seuil, avec son polo, il avait l'air détendu. Chaleureux, même.

« Bonsoir, ma chérie. Ton papa est là ?

— Dans le jardin. »

Nadia recula pour le laisser entrer. Il balaya le salon du regard, et elle se demanda ce qu'il pensait de leur intérieur. Comme il visitait de nombreuses maisons, il pouvait se faire une idée au premier coup d'œil. Certaines étaient envahies par la maladie, d'autres par le péché ou le chagrin. Mais la sienne ? Elle devait sembler vide, simplement, avec ses pièces silencieuses et dépouillées. Toute la maison était ouverte comme une plaie qui ne cicatriserait jamais. Elle conduisit le pasteur dans le jardin de derrière, où son père était en train de soulever ses haltères, qu'il rangea bruyamment sur le râtelier.

« Monsieur le pasteur. » Il s'essuya le visage dans son tee-shirt gris USMC[1]. « Je ne vous attendais pas. »

Nadia referma la porte vitrée coulissante et s'éloigna dans le couloir. En se retournant, elle sentit que le pasteur la regardait, et elle se demanda, l'espace d'une seconde, s'il savait. Peut-être que sa vocation l'avait rendu omniscient et qu'il voyait peser sur ses épaules le poids de ses secrets. Ou bien, même s'il ne possédait pas de pouvoir divin, peut-être qu'il sentait ce lien qui avait existé entre eux deux, et dès qu'elle aurait tourné le dos, il en caresserait ses bords élimés.

Elle se rendit dans la salle de bains, sur la pointe des pieds, et s'assit sur le couvercle des toilettes pour écouter par la fenêtre entrouverte.

« Je passais dans le coin, disait le pasteur. J'ai vu votre pick-up l'autre jour. Tout va bien ?

— Ça va aller. Un peu de tôle à réparer, c'est tout. Désolé pour le pique-nique... j'avais promis de transporter les chaises...

— On se débrouillera. » Le pasteur marqua une pause. « Certaines personnes disent que c'est votre fille qui a eu un accident. »

— Est-ce qu'on était aussi fous quand on était jeunes ? demanda son père.

— Peut-être plus. Elle va bien ?

— C'est une fille intelligente. Beaucoup plus que moi, c'est certain. Elle va bientôt entrer à

1. United States Marines Corps. *(N.d.T.)*

l'université. Elle devrait avoir un peu plus de jugeote. C'est ça qui m'inquiète.

— Vous savez comment sont les jeunes... Ils veulent repousser les limites. Ils se croient invincibles.

— Elle n'était pas comme ça avant. Ou peut-être que si. Peut-être que je ne la connaissais pas. Elise était toujours là pour... Elles étaient très proches, je n'arrivais pas à me glisser entre elles, et je n'essayais pas vraiment. Les mères sont égoïstes. Figurez-vous qu'elle ne voulait même pas que je tienne Nadia dans mes bras au début. Jusqu'à ce que le médecin l'oblige à se reposer. Impossible de s'immiscer entre une mère et son enfant. Je suis perdu, monsieur le pasteur. J'essaye de l'élever correctement. Mais peut-être que je ne sais pas m'y prendre.

Nadia ressortit dans le couloir, sans bruit. Elle ne voulait pas en entendre davantage. Elle ne supportait pas de voir son père se tenir pour responsable des erreurs qu'elle commettait, même si elle avait conscience de rejeter la faute sur lui, elle aussi. Après tout, c'était elle qui avait tenu le coup. Elle avait ouvert la porte aux Mères qui leur rendaient visite et apportaient à manger, tandis que son père disparaissait dans l'obscurité de sa chambre. Elle avait mangé la nourriture des Mères, à s'en rendre malade, jusqu'à être capable de deviner très précisément qui avait cuisiné quoi. Hattie avait apporté le gratin de macaronis, tellement riche que le beurre s'accumulait dans un coin du plat. Agnes, maigre comme un clou, avait fait une tarte aux pommes avec le treillis de pâte bien droit, tracé à la règle. Pendant des semaines, Nadia avait mangé cette nourriture offerte, dont chaque bouchée avait le goût aigre du chagrin, jusqu'à ce qu'elle ne puisse plus supporter ces vieilles dames avec leurs sourires chaleureux qui masquaient leur curiosité. Alors, un jour, elle avait laissé leurs plats sur le perron et ignoré la sonnette. Puis elle avait pris le pick-up, direction l'épicerie, et avait cuisiné un pain de viande pour le dîner. Il était sec, dur comme une brique et flottait dans une gelée marron au fond du plat, mais son père l'avait mangé quand même.

Après le départ du pasteur, elle se saisit de la tondeuse de sa mère et se rendit dans le salon. Son père regardait un western. Bien que ce soit leur heure habituelle, elle pensait qu'il allait faire comme si de rien n'était, mais il se leva, sans un mot, et sortit dans le jardin. Ils pourraient se parler de cette manière, par-dessus le bourdonnement de l'appareil, sans être obligés de se regarder.

« Le pasteur m'a demandé de tes nouvelles. »

Le ciel était vaporeux et léger, semblable à de la soie couleur lavande. Elle guidait la tondeuse dans les cheveux de son père, des touffes de laine noire et grise tombaient sur ses épaules.

« Ah, dit-elle.

— Son épouse a besoin d'une assistante. Juste pour cet été. Ce n'est pas très excitant, mais c'est payé et tu apprendras des choses utiles.

— Je peux pas travailler là-bas.

— Pourquoi ?

— Je ne peux pas, c'est tout. Je trouverai un autre job.

— C'est un bon travail…

— Je m'en fiche. Je ferai autre chose.

— Tu paieras les réparations de mon pick-up et le reste servira pour tes livres et tes études. Ça te fera du bien de passer un peu de temps au Cénacle. Dieu saura… Tu dois avoir confiance en Lui. Tu dois avoir confiance en Lui et rester en Sa présence car Il t'aidera à traverser cette épreuve comme Il m'aide moi aussi. »

Lui-même avait l'air d'essayer de se convaincre du bien-fondé de cette idée. Comme si, en passant suffisamment de temps à l'église, elle pouvait absorber un peu de sainteté. Nadia soupira et chassa les cheveux des épaules de son père. Comment pouvait-il savoir ce qui était bon pour elle ; que savait-il d'elle ?

Le matin de son premier jour de travail, elle s'appuya contre la vitre du véhicule de prêt avec lequel son père grimpait vers le Cénacle. L'église – beige, coiffée d'une grande flèche – se dressait au milieu des collines broussailleuses : l'endroit le plus dangereux dans une région sujette aux incendies. Les étrangers ne s'aventuraient jamais aussi loin au nord. Les visiteurs d'une ville de bord de mer voulaient des océans scintillants et des brises rafraîchissantes, alors ils restaient dans le centre, ils déambulaient sur la longue jetée en bois où des pêcheurs se prélassaient dans des fauteuils pliants avec leurs cannes calées au-dessus de l'eau, et où des enfants se rendaient au Dairy Queen en sautillant, seaux rouges à la main. Mais au nord de la plage, le long de la côte, s'étendaient des kilomètres d'armoise qui se transformaient en petit bois à l'époque des feux de forêt. Au printemps, les incendies n'étaient qu'une préoccupation lointaine dans l'esprit des gens, mais tandis que son père conduisait, Nadia regardait par la vitre les souches noircies qui sortaient du sol carbonisé. Bien que le Cénacle soit situé dans un nid de petit bois, et qu'il aurait suffi d'un souffle de vent pour transporter une seule braise jusqu'à la porte, l'église n'avait jamais brûlé. Un signe, disaient souvent les fidèles, une faveur divine. Dieu aimait tellement le Cénacle qu'Il les protégeait des flammes.

Voilà les histoires qui se racontaient. Elle avait entendu, encore et encore, sa propre mère raconter comment Dieu l'avait menée jusqu'au Cénacle. C'était une jeune mère, femme de militaire, nouvellement arrivée en Californie et seule. Elle ne possédait aucun diplôme, alors elle nettoyait les chambres au Days Inn dans le centre, et elle pouvait s'estimer heureuse d'avoir ce travail, lui disait sa supérieure, une vieille Noire.

« Dans le temps, c'était notre gagne-pain, disait-elle. Maintenant ? Ils engagent uniquement des Mexicains. Ils parlent pas un mot d'anglais, mais ils sont pas chers. Ils se font payer de la main à la main. Tu parles espagnol ?

— Non, avait répondu sa mère.

— C'est pas grave. Tu apprendras. »

Et elle avait appris, avec le temps. Des phrases élémentaires, du style *Comment ça va ?* ou *Vous pouvez me passer ça ?* Parfois, quand sa nounou lui faisait faux bond, elle emmenait Nadia au travail et les autres femmes s'extasiaient devant elle, elles lui chantaient des comptines en espagnol pendant qu'elles la berçaient sur les balcons qui dominaient la plage. Sa mère ne comprenait presque rien à ces chansons, mais elle avait entendu dire dans l'émission d'Oprah qu'il était bon d'exposer le cerveau d'un bébé à d'autres langues. Voilà pourquoi Nadia était devenue si intelligente, dirait-elle plus tard. Pourquoi elle avait lu son premier livre avant la maternelle, ce qui estomaquait les autres parents, à tel point qu'une mère avait apporté son propre livre, un jour, pour lui faire passer un test, convaincue que Nadia avait appris le texte par cœur. Mais sa mère se souvenait de ces Mexicaines rassemblées autour de Nadia, qui l'enveloppaient d'un cocon d'espagnol, et son cerveau absorbait les mots jusqu'à en être rempli et alourdi.

Ses rudiments d'espagnol ne l'avaient pas menée bien loin. Son mari avait été envoyé dans le golfe Persique et, bien qu'elle ait vécu à Oceanside pendant un an, elle ne s'était pas fait de véritables amis. Alors, dans sa solitude, elle avait cherché une église. Sans trop savoir par où commencer. En dehors des églises catholiques, qui portaient systématiquement des noms de saints et de saintes, la plupart des églises de San Diego avaient des noms à connotation maritime, comme l'Église baptiste du Littoral ou la Communauté de la Côte. Elle imaginait des fidèles en maillot de bain alignés sur les bancs et un pasteur qui montait en chaire avec un surf sous le bras. Elle avait essayé la Chapelle de la Cavalerie et l'Église d'Emmanuel Faith. Mais ni l'un ni l'autre ne lui convenaient. Emmanuel Faith possédait une femme pasteur qui avait étudié à Oxford et ne s'était pas privée de le mentionner trois fois dans son sermon. À la Chapelle de la Cavalerie, une femme qui se trouvait derrière elle, possédée par l'Esprit saint, s'était mise à gesticuler, au risque de donner des coups dans la tête des gens. Pendant des années, elle avait rebondi d'une église à l'autre, toujours trop petites ou trop grandes, trop modernes ou trop traditionnelles. Et puis, un après-midi, alors qu'elle vidait la poubelle d'une chambre, un bulletin de la Chapelle du Cénacle était tombé sur son pied.

« C'était l'église faite pour moi, disait-elle à Nadia. Je l'ai su dès que je suis entrée. Tout était parfait. »

Le dimanche matin, la Chapelle du Cénacle était bondée et animée ; des hommes en costume s'étreignaient avec vigueur, des femmes s'embrassaient avant de griffonner des dates de brunch sur des bouts de papier qui dépassaient de leurs Bibles, des bambins tournaient autour des plantes en pot pour des parties de chat improvisées, et les Mères se pavanaient avec leurs chapeaux colorés, ornés de plumes. Au cours de sa première visite au Cénacle, Nadia, cachée derrière les jambes de sa mère, désorientée, avait regardé ces plumes passer devant elle en tressautant. Leurs gants blancs étaient remontés jusqu'aux coudes, leurs tambourins tintaient quand elles marchaient, et Nadia s'était demandé si ce tintement venait avec l'âge, et si, un jour, quand elle aurait des rides et des cheveux gris, ses pas feraient de la musique. Cette question avait fait rire sa mère.

« Oh, ton corps fera des bruits, oui », avait-elle répondu en refermant sa main sur celle de Nadia.

Ce premier dimanche, son père n'était pas avec elles. Sa mère s'était excusée pour cette absence auprès du pasteur, après l'office, quand elle avait fait la queue pour lui serrer la main.

« Mon mari rentre tout juste de l'étranger. Et il n'aime pas trop venir à l'église. »

Le père de Nadia était revenu à la maison une semaine plus tôt. Âgée de quatre ans à l'époque, elle se souvenait à peine de lui, mais elle était assez grande pour comprendre que c'était un aveu honteux. Durant les mois précédant le retour de son père, sa mère l'avait prise sur ses genoux et avait sorti un album de photos, faisant défiler lentement les images de son père qui la tenait dans ses bras. Sur l'un d'eux, elle était recroquevillée sur sa poitrine, comme un chat, et son père, jeune, solidement bâti dans son uniforme bleu, souriait à l'objectif. Il avait un grain de beauté près du nez et des cheveux noirs très courts qui faisaient penser à une peluche et aux poils du pinceau de maquillage de sa mère. Elle avait étudié ce visage, à la recherche de traits semblables aux siens. Les gens avaient toujours dit qu'elle lui ressemblait.

Au début, elle s'était montrée méfiante avec lui, timide même. À la sortie du terminal de l'aéroport, il s'était agenouillé pour la serrer dans ses bras, et elle avait eu un mouvement de recul, surprise par cet homme en tenue de camouflage qui portait un gigantesque sac de toile, le visage assombri par le soleil du désert. Les moments qu'elle avait passés à étudier les photos ne l'avaient pas préparée à la réalité de sa taille, de son odeur. Il avait froncé les sourcils.

« Elle ne se souvient pas de moi ? » avait-il demandé à sa mère.

— C'était encore un bébé quand tu es parti. » Sa mère l'avait poussée dans le dos, tout doucement. « Va faire un câlin à ton papa. Allez. »

Elle s'était avancée de quelques pas, et son père l'avait prise dans ses bras. Son torse était dur. Elle lui souriait, bien qu'il lui fasse mal. Sur le trajet du retour, dans la voiture, il l'avait gardée sur ses genoux, pendant que sa mère protestait en disant qu'elle devrait être assise sur un siège.

« Il faut qu'elle s'habitue à moi.

— Laisse-lui un peu de temps, Robert.
— Je m'en fiche. Je me fiche du temps que ça prendra. Elle m'aimera. »

Son père s'arrêta à un croisement, avant de bifurquer sur la route qui menait à l'église. Elle n'avait pas suivi ce chemin depuis l'enterrement de sa mère. Le trajet s'était déroulé dans une sorte de brouillard ; elle avait l'impression de jouer dans une pièce pour laquelle elle n'avait pas passé d'audition, et dont on lui demandait subitement de connaître toutes les répliques. Devrait-elle prendre la parole lors de la cérémonie ? Que voulaient entendre les gens ? Qu'elle avait eu une mère et que, du jour au lendemain, elle n'en avait plus ? Que la seule circonstance tragique qui avait frappé sa mère, c'était elle-même ? Assise à l'arrière du corbillard, elle avait découvert que son collant était filé, et elle avait tiré sur l'accroc, doucement, jusqu'à ce que le trou devienne béant : cet effilochage lui procurait un sentiment de paix.

« Je veux que tu prennes ce travail au sérieux, déclara son père. C'est un service que Mme Sheppard te rend. »

Peut-être, mais Nadia ne comprenait pas pourquoi la femme du pasteur avait éprouvé le besoin de l'aider. La mère de Luke la détestait depuis la cinquième, quand elle l'avait surprise en train d'embrasser le neveu du diacre Lou derrière l'église. C'était le genre de garçon qu'elle aimait à cette époque – grand et mince, enveloppé dans un tee-shirt trois fois trop grand – et ses mains avaient suivi les zigzags de ses tresses africaines en le plaquant contre le mur de l'église, tandis qu'ils échangeaient leurs respirations haletantes. Elle n'avait jamais vraiment embrassé quelqu'un auparavant. Un peu plus tôt cette année-là, elle était sortie avec un garçon pendant trois semaines, mais ils s'étaient embrassés une seule fois, mis au défi par leurs camarades réunis en cercle, alors ça ne comptait pas. Mais ce baiser, c'était un vrai. Elle le sentait brûler en elle pendant que le garçon faisait remonter sa main sur sa chemise et la massait à travers son soutien-gorge de sport, et elle s'était dit qu'il l'avait peut-être senti lui aussi quand il avait retiré sa main brusquement, comme s'il s'était brûlé. Mais elle avait suivi son regard par-dessus son épaule et découvert la femme du pasteur. Celle-ci avait saisi Nadia par le bras pour la ramener à l'intérieur de l'église, en lui secouant le poignet, pendant qu'elle la réprimandait.

« Je n'ai jamais vu ça de ma vie ! Se comporter de cette façon derrière l'église ! » Mme Sheppard s'était remise à lui secouer le poignet vigoureusement, en approchant son visage du sien. « Tu ne sais donc pas que les filles bien ne font pas ce genre de choses ? Tu ne le sais pas ? »

Nadia revoyait encore la façon dont le visage de la femme du pasteur se dressait devant elle. Elle avait un œil marron et un œil bleu, mais, à cet instant, les deux formaient une tache floue déconcertante. Elle avait ramené Nadia dans la classe de sœur Willis. Celle-ci l'avait obligée à rester assise au fond de la salle, seule, jusqu'à la fin de l'école du dimanche, et à copier cent fois : « Mon corps est le temple du Saint-Esprit. » Sur le trajet du retour, sa mère n'avait pas dit grand-chose, mais dans le garage, après avoir coupé le moteur, calmement, elle était restée assise pendant une minute, les mains sur le volant.

« Ma mère a essayé de m'éloigner des garçons, avait-elle dit. De toute évidence, ça n'a pas marché, alors je ne te dirai pas la même chose. Mais il faut que tu sois intelligente et prudente. Les garçons peuvent traverser la vie en toute insouciance. Mais toi, tu as le choix entre faire attention maintenant ou plus tard. C'est même ton seul choix, à vrai dire. De grandes choses t'attendent. Ne gâche pas tout pour n'importe qui.

— C'était juste un baiser.

— Fais en sorte que ça en reste là. Je ne veux pas que tu finisses comme moi. Venant de toi, c'est la seule chose qui pourrait briser le cœur de ton père. »

Nadia ne s'était jamais crue capable de briser le cœur de quelqu'un et surtout pas celui de son père. Mais sa mère avait dix-sept ans quand elle était tombée enceinte. Elle savait donc, par expérience, combien ses parents en avaient souffert. Et si tomber enceinte était la chose la plus cruelle que pouvait faire Nadia, quelle douleur avait dû provoquer alors sa naissance inattendue ? Fallait-il qu'elle ait détruit la vie de sa mère pour que celle-ci lui dise qu'un bébé était la pire chose qui pouvait lui arriver.

Un jour, Nadia avait raconté l'histoire de ce baiser à Luke, et il avait éclaté de rire dans son oreiller.

« Ce n'est pas drôle, avait-elle dit.

— Oh, allez ! C'est du passé tout ça. Et qu'est-ce qui te fait croire que ma mère te déteste ? Tu ne lui parles jamais.

— Je le sens bien, à sa façon de me regarder.

— Elle regarde tout le monde de cette manière. Elle est comme ça. »

Il avait roulé sur lui-même dans le lit pour enfouir son visage dans le cou de Nadia, mais elle s'était dégagée de son étreinte, en cherchant sa culotte à tâtons sous les draps. Elle ne s'attardait jamais quand elle lui rendait visite. Au début, c'était excitant – baiser dans la maison d'un pasteur –, mais ensuite, l'excitation se transformait en panique et elle imaginait un bruit de pas devant la porte, des clés qui tintent, des voitures qui roulent dans l'allée. La mère de Luke l'extirpait du lit, nue, et lui secouait le poignet. Luke s'amusait de sa paranoïa, mais Nadia ne voulait pas donner à Mme Sheppard une raison supplémentaire de la haïr. Elle avait espéré qu'un jour Luke la ramènerait chez elle, au lieu de la faire entrer en douce dans sa chambre en l'absence de ses parents, et qu'il l'inviterait à dîner. Il la présenterait comme sa petite amie, et sa mère la prendrait par les épaules pour la conduire à table.

Son père pénétra sur le parking au volant de la Chevrolet Malibu gris métallisé et roula jusqu'à la porte de l'église. Nadia sentit son ventre se nouer.

« Je pourrais trouver un autre travail, dit-elle. Si tu me laisses un peu de temps.

— Allez, vas-y, répondit son père en déverrouillant la portière. Ne sois pas en retard. »

Nadia n'était jamais venue au Cénacle en semaine, et lorsqu'elle poussa la lourde porte à double battant, elle eut l'impression de pénétrer illégalement dans une propriété privée. Bondée et débordante d'activité le dimanche matin, l'église était enveloppée de silence, les couloirs étaient sombres et la grande salle, avec son immense moquette bleue, déserte. Elle fut presque déçue par la banalité de ce lieu inoccupé, comme le jour où, à Disneyland, *Space Mountain* s'était arrêté en plein milieu. Les lumières s'étaient rallumées, dévoilant qu'elle se trouvait dans un simple hangar gris, sur un circuit, avec quelques descentes minuscules qui lui avaient semblé excitantes dans le brouillard des effets spéciaux. Elle emprunta un couloir sombre qui menait au fond du bâtiment, passant devant la salle de l'école du dimanche où elle s'était rendue bien sagement de la maternelle à la quatrième, devant le chœur et le bureau du pasteur, jusqu'au bureau de son épouse au bout du couloir. La pièce s'étendait devant elle, somptueuse, les meubles en acajou brillaient dans la lumière du soleil, de minuscules palmiers en pot poussaient dans tous les coins. Mme Sheppard était appuyée contre son bureau, bras croisés. Elle était grande – au moins 1,80 mètre – et, avec son tailleur rouge et ses chaussures à talons hauts assorties, elle dominait Nadia.

« Eh bien, entre, dit-elle. Ne reste pas plantée là. »

Elle lui avait toujours paru intimidante, à cause de sa taille, de sa fonction et de sa manière de marcher lentement, tout en parlant, telle une panthère qui surveille sa proie, et de ses yeux étranges. Un œil marron et un œil bleu, la froideur de ce dernier obligeant Nadia à regarder le sol chaque fois que la femme du pasteur passait dans le hall de l'église.

« Quel âge as-tu, ma chérie ?

— Dix-sept ans, répondit Nadia, tout bas.

— Dix-sept ans. » Mme Sheppard se tourna vers la porte comme si elle s'attendait à voir entrer une autre fille qui valait mieux qu'elle. « Et tu vas partir étudier ailleurs à la rentrée ?

— À l'université du Michigan », dit Nadia, mais sa réponse lui parut trop sèche, alors elle ajouta : madame.

— Quelle matière ?

— Je ne sais pas encore. Mais j'ai envie de faire du droit.

— Bien. Une étudiante comme toi doit être une fille intelligente. Tu as déjà travaillé dans un bureau ?

— Non, madame.

— Mais tu as déjà travaillé, n'est-ce pas ?

— Bien sûr.

— Où ?

— J'ai été caissière au centre commercial. Et j'ai travaillé chez Jojo's Juicery aussi.

— Jojo's Juicery. » Mme Sheppard fit la moue. « Bon, écoute. Je n'ai jamais eu d'assistante et je n'en ai jamais eu besoin. Mais mon mari semble penser que tu pourrais m'être utile. Alors, on va essayer de te trouver quelque chose à faire, d'accord ? »

Elle envoya Nadia lui chercher un café dans le bureau du pasteur. En passant, Nadia jeta un coup d'œil par la fenêtre qui donnait sur le parking. De jeunes enfants jouaient à chat dans l'herbe devant l'église. Le centre de loisirs, pensa-t-elle, mais elle s'arrêta, les yeux plissés, lorsqu'elle aperçut, au milieu du chaos, Aubrey Evans. Aubrey passait son été au Cénacle, évidemment ; elle n'avait rien de mieux à faire. Elle portait un chapeau de brousse grotesque et un bermuda à poches trop large, et elle marchait doucement à grands pas vers les gamins qui s'éparpillaient dès qu'elle approchait. La plupart lui échappèrent, mais elle finit par en attraper un, plus lent que les autres, et le souleva de terre pendant qu'il poussait des cris perçants et agitait ses petites jambes. Dans une autre vie, peut-être que Nadia aurait pu ressembler à Aubrey. Elle jouerait dehors par un matin d'été et prendrait dans ses bras un enfant joyeux, content d'avoir été attrapé.

Au cours des premières semaines de travail de Nadia au Cénacle, son père et elle prirent des habitudes : ils se levaient tôt, mangeaient en silence et montaient dans la voiture de prêt. Son père la déposait en allant à la base. Pendant le trajet, il se plaignait de la différence de conduite, et il détestait être aussi bas au milieu des embouteillages, mais Nadia savait que si son pick-up lui manquait tant, c'était parce qu'il n'était plus utile au Cénacle. Sa journée finie, il traînait dans la cuisine, il tapotait ses poches comme s'il venait de pénétrer dans la maison d'un inconnu et se trouvait embarrassé. Devait-il ôter ses chaussures ? Où était la salle de bains ? Finalement, il sortait dans le jardin pour soulever de la fonte, comme un prisonnier qui tue le temps.

De son côté, Nadia obéissait à Mme Sheppard : elle contactait des traiteurs pour le déjeuner des bénévoles, relisait les épreuves du bulletin paroissial, organisait les dons de jouets à l'hôpital pour enfants, photocopiait les formulaires d'inscription pour le centre de loisirs. Elle s'efforçait de tout faire à la perfection car, chaque fois qu'elle commettait une erreur, Mme Sheppard lui adressait son fameux regard. Yeux plissés, bouche en cul-de-poule, à mi-chemin entre le froncement de sourcils et le sourire suffisant, comme pour dire : regardez ce que je dois endurer.

« Il faut recommencer, ma chérie, déclarait-elle en congédiant Nadia d'un geste. Fais donc un peu attention. N'est-ce pas pour ça qu'on t'a engagée ? »

À vrai dire, Nadia ne savait pas pourquoi le pasteur et sa femme l'avaient voulue ici. Ils avaient pitié d'elle, elle le savait, mais comme tout le monde. Lors de l'enterrement de sa mère, assise au premier rang, elle avait senti cette pitié qui irradiait dans sa direction, accompagnée d'une colère sourde que les gens trop polis n'osaient pas exprimer, même si elle en éprouvait des picotements de chaleur sur la nuque. « Qui a le droit de condamner ? Dieu et personne d'autre », avait dit le pasteur en introduction de son éloge funéraire. Mais le fait qu'il ait commencé par ce passage des Écritures signifiait que les fidèles avaient déjà condamné sa mère, ou pire encore : il estimait que sa mère avait commis une chose condamnable. Au cours du repas, sœur Willis lui avait glissé, en la serrant dans ses bras : « Je n'arrive pas à croire qu'elle ait pu te faire ça », comme si c'était elle que sa mère avait tuée.

Les dimanches matin qui suivirent, son père s'obstina à venir frapper à la porte de sa chambre, mais Nadia se retournait dans son lit, en feignant de dormir. Il ne l'obligeait pas à aller à l'église avec lui. Il ne l'obligeait jamais à faire quoi que ce soit. Demander exigeait beaucoup trop d'énergie. Parfois, elle se disait qu'elle devrait l'accompagner, ça le rendrait heureux. Puis elle entendait sœur Willis murmurant à son oreille et son ventre se glaçait. Comment quiconque à l'église osait-il juger sa mère ? Personne ne savait pourquoi elle avait voulu mourir. Le plus terrible, c'était que le jugement du Cénacle avait incité Nadia à juger sa mère, elle aussi. Quand elle entendait la voix de sœur Willis dans sa tête, une partie d'elle-même pensait : je n'arrive pas à croire qu'elle ait pu me faire ça, moi non plus.

Au Cénacle, Nadia s'efforçait de ne pas penser à l'enterrement. Elle se concentrait sur les petites tâches. Et c'était toujours de petites tâches car Mme Sheppard, sèche et pragmatique, était le genre de personne qui préférait exécuter une chose elle-même plutôt que de vous montrer comment la faire. (Le genre de personne qui préfère donner un poisson à un homme, non seulement parce qu'elle pouvait en attraper un plus beau que lui, mais parce qu'il lui paraissait important d'être l'unique élément entre cet homme et la faim.) Nadia détestait tout ce temps passé à étudier Mme Sheppard et à anticiper ses désirs. Le matin, plantée devant son armoire, elle cherchait une tenue qui pourrait plaire à la femme du pasteur. Pas de jean, pas de short, pas de débardeur. Uniquement des pantalons habillés, des chemisiers et des robes discrètes. Jeune Californienne habituée à montrer ses jambes ou ses épaules, Nadia possédait peu de tenues susceptibles de satisfaire les exigences de Mme Sheppard. Mais elle n'avait pas encore été payée et elle ne pouvait se résoudre à réclamer de l'argent à son père, alors, plusieurs soirs par semaine, penchée au-dessus du lavabo de la salle de bains, elle tamponnait les auréoles de déodorant sous les aisselles avec une serviette mouillée. Si Mme Sheppard avait remarqué que Nadia portait souvent les mêmes affaires, elle ne fit aucun commentaire. D'ailleurs, la plupart du temps, elle faisait à peine attention à elle, et Nadia ne savait pas ce qui était le plus terrible, des critiques ou de l'indifférence. Elle voyait bien la façon dont la femme du pasteur observait Aubrey Evans, avec douceur, comme si un regard un peu trop dur risquait de la casser. Qu'avait-elle donc de si particulier ?

Un matin, Nadia était tombée sur Aubrey, à la sortie des toilettes. L'une et l'autre avaient sursauté. « Salut, avait dit Aubrey. Qu'est-ce que tu fais ici ? » Elle portait encore ce chapeau mou et ce bermuda à poches qui la faisaient ressembler à un facteur.

« Je travaille. Pour Mme Sheppard. Je fais tout son boulot de merde, en gros. »

« Oh. » Aubrey avait souri, mais elle paraissait nerveuse, tel un oisillon qui se pose sur votre genou. Un mouvement trop brusque, un geste trop violent et elle repartirait à tire-d'aile. Ses tongs jaunes s'ornaient de tournesols, qui semblaient éclore entre ses orteils. En la regardant marcher de manière théâtrale avec ces chaussures, Nadia avait envie d'arracher les fleurs. Comment pouvait-elle porter un truc aussi grotesque ? Elle imaginait Aubrey Evans dans le magasin de chaussures, passant devant des rangées de sandales noires, confortables, et choisissant cette paire de tournesols à la place. Comme si elle estimait mériter toutes les fioritures.

Un après-midi, alors que les campeurs étaient rentrés chez eux, Mme Sheppard étreignit Aubrey et l'entraîna dans son bureau pour prendre le thé. Qu'est-ce que ça ferait de s'asseoir là ? D'entrer et de s'asseoir, au lieu de simplement déposer des enveloppes sur le bureau ou passer la tête par l'entrebâillement de la porte ? Les rideaux roses paraissaient-ils plus violets ? Les photos de Luke étaient-elles orientées de façon à ce qu'elle voie son sourire du canapé ? Nadia essaya de se reconcentrer sur les enveloppes qu'elle remplissait, mais c'était trop tard. Son esprit était submergé. Luke, le garçon, coincé entre ses parents au premier rang de l'église, tirant sur son nœud de cravate, ou assis devant elle en classe à l'école du dimanche, quand elle l'étudiait au lieu d'étudier la Bible et mémorisait le mouvement de ses cheveux frisés. Luke qui marchait d'un pas lourd avec ses chaussures à crampons après l'entraînement de football, ou qui traversait à toute allure le parking de l'église, musique à fond dans la voiture, obligeant les vieux à se boucher les oreilles. Son estomac fit un bond, comme si elle avait loupé une marche. Le chagrin n'était pas une corde qui vous entraînait de plus en plus loin de la perte. Vous ne saviez jamais à quel moment il allait vous ramener dans son emprise, comme un élastique.

Ce soir-là, avant de s'endormir, Nadia ouvrit le tiroir de sa table de chevet et chercha à tâtons les pieds de bébé. Un cadeau, si on pouvait appeler ça ainsi, du centre d'information sur la grossesse, quand elle avait appris que le test était positif. Dolores, la conseillère, lui avait remis un sachet en plastique rempli de brochures aux titres du genre « S'occuper de son futur bébé », « Les secrets de l'industrie de l'avortement » et « La pilule peut-elle vous tuer ? ». À l'intérieur d'une plaquette intitulée « L'amour véritable attend », une carte expliquait les stades de développement du bébé, semaine après semaine. Un pin's était attaché à la carte : deux minuscules pieds de bébé, dorés, de la forme et de la taille exactes de son bébé de huit semaines, avait précisé Dolores.

Avant de quitter le centre, Nadia avait vomi dans les toilettes, discrètement. Puis elle avait fourré les brochures dans la poubelle, une par une, jusqu'à ce qu'elle arrive à la carte au fond du sac, avec les pieds de bébé. Elle n'avait jamais vu une chose pareille – une paire de pieds sans corps – et peut-être était-ce cette bizarrerie qui l'avait poussée à conserver le pin's. Ou peut-être savait-elle déjà qu'elle allait avorter. Un rien pouvait faire basculer son choix, et quand elle n'avait pas réussi à jeter le pin's, elle avait compris qu'il n'y aurait pas de bébé, il ne resterait que cet objet. Elle l'avait caché au fond de son tiroir, derrière de vieux carnets, des élastiques à cheveux et une boîte à bijoux vide que son père lui avait achetée il y a longtemps. Chaque soir avant de dormir, elle fouillait dans le tiroir à la recherche du pin's et le tenait dans sa paume, caressant le dessous des pieds dorés qui scintillaient encore dans le noir.

À la fin du printemps, Oceanside se retrouvait enveloppé d'une brume si épaisse que les habitants appelaient cette période le Gris Mai. Puis venait le Sombre Juin. Le Juillet Noir. Et l'Août Mazout. Ce printemps, il y avait tellement de brouillard que les plages restaient désertes jusqu'à midi ; les surfeurs, qui ne voyaient pas à trois mètres, abandonnaient la côte. Les volutes épaisses se déversaient sous formes de grosses vagues paresseuses qui obligeaient les dames du Cénacle à mettre des chapeaux et des foulards sur leurs têtes pour protéger leurs permanentes en allant à l'église. Le brouillard avait charrié la nouvelle : la femme du pasteur venait d'engager une nouvelle assistante, et celle-ci s'appelait Nadia Turner.

Latrice Sheppard n'avait jamais eu d'assistante, et tout le monde doutait qu'elle puisse la garder. C'était une femme grande et exigeante, pas une épouse docile qui s'asseyait sur le premier banc, muette et souriante. Quand les doyens, et parfois son mari, suggéraient qu'elle avait trop de choses à faire, elle répondait qu'elle n'avait pas pour mission de rester assise, mais de servir. Et elle s'occupait des sans-abri, des enfants, des malades et des invalides, des drogués en cure de désintoxication et des femmes, apportant personnellement son aide au foyer pour femmes battues. Elle s'était habituée au chaos de sa vie ; elle courait dans tout le Cénacle, de réunion en réunion, elle bourrait son coffre de voiture d'habits pour les sans-abri, elle prenait l'autoroute pour apporter des jouets à l'hôpital pour enfants. Elle se rendait au foyer pour femmes battues, au centre de détention pour mineurs, partout où elle devait se rendre, avant de rentrer chez elle afin de préparer le dîner pour son mari. Mais elle n'avait jamais eu d'assistante, et elle n'en voulait pas.

« Je n'aime pas son apparence, confia-t-elle à son mari un matin.

— C'est fréquent chez toi.

— Ai-je tort ?

— Ce n'est pas une raison pour renvoyer quelqu'un. »

Assis derrière son bureau, le pasteur John but une gorgée de café et Latrice soupira, en se servant une autre tasse. Par la fenêtre, elle voyait les nappes de brouillard envahir le parking. De quoi la rendre malade, ou presque. Elle venait de Macon, en Géorgie. Elle connaissait la pluie et l'humidité, mais elle détestait cet étrange entre-deux, surtout qu'en Géorgie, le printemps était l'époque des azalées, des pêchers et des magnolias en fleur, un temps idéal pour faire des barbecues, s'asseoir sur le porche et conduire avec les vitres baissées. Mais ici, elle voyait à peine la route. De quoi attiser sa frustration.

« Chéri, se risqua-t-elle, tout le monde apprécie frère Turner, mais je n'ai pas besoin qu'une jeune dévergondée qui ne connaît rien à rien me suive partout pendant tout l'été !

— Latrice, l'Évangile dit que le bon berger laisse les quatre-vingt-dix-neuf…

— Je sais ce que dit l'Évangile. Ne me fais pas un sermon, je ne suis pas une de tes petites fidèles. »

Le pasteur John ôta ses lunettes, comme chaque fois qu'il voulait faire une remarque importante. Peut-être trouvait-il plus facile d'expliquer certaines choses quand sa femme était floue.

« On a une dette envers elle », lâcha-t-il.

Latrice ricana et se tourna vers la fenêtre. Elle refusait d'avoir une dette envers quiconque, et surtout pas envers une fille qu'elle n'avait cessé d'aider. Elle avait été la seule à réagir suffisamment vite. Ce matin-là, son fils était affalé à la table de la cuisine et se tenait la tête à deux mains, pendant que son mari marchait de long en large. L'immobilité de l'un et les mouvements incessants de l'autre l'horripilaient. Elle venait à peine de se lever, elle n'avait même pas eu le temps d'ôter ses bigoudis. Une fille enceinte, avant même son café du matin.

« Tu ne pouvais pas trouver une fille qui ne fréquente pas le Cénacle ? avait-elle fini par demander.

— Maman…

— Non, garde tes "maman". Tu es sûr que c'est le tien ? Qui sait avec combien d'autres garçons elle a couché ?

— C'est le mien. J'en suis sûr.

— Une lycéenne. Elle a dix-huit ans, au moins ?

— Presque.

— Après tout ce que nous t'avons enseigné, avait lancé son père. Toi qui as été élevé selon l'Évangile, à qui nous avons parlé de la vie du pécheur, voilà que tu fais une chose aussi stupide ! »

Elle avait assisté à cette scène des dizaines de fois : son mari qui criait après Luke. Parce qu'il avait fait une virée dans une voiture volée avec des copains, resquillé au cinéma, bu de la bière cachée dans des bouteilles de Coca sur la plage, fumé des joints dans Buddy Todd Park et provoqué des *marines* pour se battre. Ce n'était pas un méchant garçon, mais il était intrépide. Les jeunes Noirs ne pouvaient pas se permettre d'être intrépides, avait-elle essayé de lui expliquer. Les jeunes Blancs intrépides finissaient politiciens ou banquiers, les jeunes Noirs finissaient à la morgue. Tant de fois elle lui avait recommandé la prudence… Et malgré cela, il avait couché avec une fille qui n'était même pas encore majeure. Robert serait en colère, évidemment, mais dans quelle mesure ? Assez pour traîner Luke au poste de police ?

« Elle ne veut pas le garder », avait murmuré Luke.

Il semblait abattu, il séchait ses larmes au coin des yeux. Elle ne l'avait pas vu pleurer depuis des années. Son garçon, comme tous les garçons, était devenu trop grand pour son amour maternel. Elle avait vu sa croissance s'accélérer, et apparaître les vergetures sur ses épaules après les étés passés à soulever de la fonte ; et plus il devenait un homme, moins il ressemblait à son fils. Désormais, il était quelqu'un d'autre, une personne furtive et évasive qui disparaissait derrière des portes fermées et cessait de parler au téléphone quand elle entrait dans la pièce. À l'école primaire, il chahutait gentiment avec ses copains sur le tapis du salon, mais au lycée, elle l'avait vu pousser un autre garçon contre un mur si violemment qu'un tableau s'était décroché. Quand elle lui avait crié d'arrêter, l'air surpris de son fils l'avait marquée, comme si la brutalité était si naturelle chez lui qu'elle ne pouvait pas être un problème.

En vieillissant, une fille se rapproche de sa mère, jusqu'à ce qu'elle se fonde peu à peu en elle, comme un patron de couture. Mais un fils devient irrémédiablement autre chose. Alors, même si elle détestait le voir pleurer, elle se réjouissait de pouvoir le materner encore une fois. Elle l'attira contre elle et lui caressa les cheveux.

« Chut. Maman va arranger ça. »

À la banque, elle avait retiré six cents dollars et glissé les billets dans une enveloppe. Son mari n'avait pas dormi cette nuit-là. Il avait tourné et viré dans le lit, avant de faire les cent pas dans la chambre.

« Nous n'aurions pas dû faire ça. Mon être spirituel est affligé. »

Mais Latrice avait refusé de se sentir coupable. Ils n'avaient obligé cette fille en rien. Une fille qui ne voulait pas d'enfant trouvait toujours un moyen de s'en débarrasser. La meilleure solution, la solution chrétienne, c'était de lui faciliter les choses. Ensuite, elle pourrait partir à l'université et sortir de leurs vies. Ce n'était pas une issue parfaite, mais, Dieu soit loué, le drame avait été évité.

Toutefois, John était affligé. Le dimanche matin, en voyant Robert Turner arriver à l'église dans son pick-up accidenté, il avait pris ça comme un jugement divin. Alors il s'était déplacé jusqu'à chez Robert et avait offert un travail à cette Nadia, sans en parler au préalable à sa femme. Résultat : cette fille allait lui coller aux basques tout l'été, uniquement parce que son mari voulait expier une faute dont il n'était pas coupable.

« Je ne lui dois rien, répéta-t-elle. J'ai déjà payé. »

Quatre

À l'enterrement d'Elise Turner, tous les fidèles étaient arrivés tôt. Il n'y avait pas assez de place sur les bancs.

Nous avions déjà connu des morts brutales. Sammy Watkins, poignardé devant un bar, le corps recroquevillé et coincé entre deux poubelles. Moses Brewer, retrouvé dans Buddy Todd Park, battu à mort. Kayla Dean, une fille de quatorze ans assassinée par des Mexican Blood parce qu'elle portait le blouson bleu électrique de son frère. Durant une semaine, des bagarres avaient éclaté entre Noirs et Mexicains dans son lycée, jusqu'à ce que la police débarque en tenue antiémeute, accompagnée des hélicoptères du shérif. Pendant tout ce temps, le Cénacle était resté une oasis de calme, le pasteur Sheppard insufflant de la raison dans une situation insensée. Se faire tuer pour un blouson. Une enfant qui attendait un taco au poisson devant chez Alberto, qui avait emprunté un blouson parce qu'elle avait froid, parce que sa mère lui avait reproché d'être rentrée à la maison non couverte et de risquer de tomber malade. Lors de l'enterrement de Kayla Dean, le Cénacle avait entouré la mère en pleurs pour la soutenir, sans rien dire, car les morts brutales résistent aux mots. Une mort douce peut être engloutie dans un *Rappelée auprès du Seigneur* ou un *Nous la reverrons auréolée de gloire,* mais les morts brutales restent coincées entre les dents comme des morceaux de nerf.

Nous avions connu des morts brutales, oui, mais la différence, c'était qu'Elise Turner l'avait voulu. Pas une poignée de cachets pour prolonger le sommeil, pas un moteur de voiture qui tourne dans un garage fermé, mais un pistolet contre la tempe. Comment avait-elle pu décider de se détruire aussi violemment ? Nous nous étions serrées sur les bancs, sans savoir à quoi nous attendre. Qu'allait dire le pasteur ? Les Saintes Écritures habituelles ne conviendraient pas pour ces funérailles. Nous ne la reverrions pas auréolée de gloire, car quelle gloire attend une femme qui s'est tiré une balle dans la tête ? Elle n'avait pas été rappelée auprès du Seigneur, elle avait choisi de partir, tout simplement. Imaginez un peu, avoir le courage de choisir, quand tant de personnes se voyaient privées de ce choix. Comment osait-elle opter pour une mort brutale, alors que nous autres essayions de faire face aux vies tout aussi brutales que l'on nous avait octroyées ?

Nous n'avons jamais compris, mais peut-être aurions-nous pu. Après tout, nous sommes les dernières à avoir vu Elise Turner vivante. Le matin du jour où elle s'est suicidée, nous étions arrivées tôt au Cénacle pour commencer à prier.

En jetant un coup d'œil par la porte entrouverte du sanctuaire, nous avions aperçu une personne enveloppée dans une doudoune, avachie devant l'autel, comme si elle priait ou dormait. Un clochard, probablement. Nous en trouvions parfois le matin, endormis sur les bancs.

« Vous ne pouvez pas rester là, avait dit Betty. On ne dira rien à personne, mais vous devez vous en aller. »

Pas de réponse. Sans doute un clochard ivre. Seigneur, ceux-là, nous ne savions pas comment les gérer. Ils s'évanouissaient après avoir trop bu, confondaient la corbeille des dons avec des toilettes et jetaient des tessons de bouteilles de bière sur lesquels les enfants risquaient de se couper.

« Allez, levez-vous maintenant, avait insisté Hattie. Ne nous obligez pas à appeler la police. »

En nous approchant, nous avions remarqué, au-dessus du col en fourrure, les longs cheveux noirs rabattus sur le côté qui laissaient voir un cou fin et ambré. Un cou trop propre pour un clochard, trop délicat pour un homme. Agnes avait posé la main dans le dos de cette femme étrange.

« Elise ! Qu'est-ce que vous faites ici ?

— Je... Je suis venue ici hier soir et... »

Elise semblait hébétée pendant que Flora l'aidait à se relever.

« Le jour va bientôt se lever, avait dit Agnes. Vous devriez rentrer chez vous pour vous occuper de votre enfant.

— Mon enfant ?

— Oui, ma jolie. Qu'est-ce qui vous a pris de passer la nuit ici ?

— Robert doit se faire un sang d'encre, avait ajouté Hattie. Rentrez vite. Allez. »

Sur le coup, nous avions ri en regardant Elise traverser le brouillard matinal pour regagner sa voiture. Oh, attendez un peu qu'on raconte ça aux dames du bingo. Elise Turner, endormie dans l'église comme une vulgaire clocharde ! Elles s'en donneraient à cœur joie. Nous l'avions toujours trouvée un peu bizarre, d'ailleurs. Rêveuse, comme si son esprit était un ballon accroché au bout d'une ficelle, qu'elle oubliait de ramener parfois.

Pendant des années, nous avons été obnubilées par cette dernière conversation. Elise avait hésité avant de partir, une pause dont la durée variait dans nos souvenirs : un long moment pour Betty, un simple temps d'arrêt pour Flora. Aurions-nous pu savoir qu'Elise allait se suicider ? Y avait-il un moyen de le deviner ? Non, si même Robert ne se doutait de rien, alors personne n'aurait pu le prévoir. Elise Turner était belle. Elle avait un enfant et un mari qui avait un bon poste de fonctionnaire. Après avoir commencé en nettoyant les toilettes des Blancs, elle était devenue coiffeuse dans le salon de la base militaire. Une jolie Noire qui vivait aussi bien que n'importe quelle Blanche. De quoi se plaignait-elle ?

Cet été-là, Nadia Turner nous hanta.

Elle ressemblait tellement à sa mère que les fidèles du Cénacle avaient de plus en plus l'impression de revoir Elise. Comme si son âme tourmentée – et nul doute qu'elle l'était – errait dans le lieu où elle avait été vue pour la dernière fois. Cette fille, qui marchait dans les couloirs de l'église avec sa beauté et sa morosité, remarquait à peine les regards, jusqu'à ce qu'un soir John Numéro Deux propose de la ramener chez elle après le travail, dans la fourgonnette de l'église. Au moment où il démarrait, leurs yeux s'étaient croisés dans le rétroviseur, très brièvement.

« Tu ressembles beaucoup à ta maman, avait-il dit. J'en ai des frissons quand je te regarde. »

Il avait détourné le regard, presque honteux, comme s'il avait dit une chose qu'il ne fallait pas. Ce soir-là, au dîner, Nadia avait rapporté ce commentaire à son père et celui-ci avait levé la tête, à croire qu'il avait besoin de se rappeler à quoi ressemblait son visage.

« C'est vrai », avait-il dit en coupant sa viande, mâchoire serrée, comme chaque fois qu'elle essayait de parler de sa mère. Peut-être était-ce pour cette raison qu'il trouvait refuge au Cénacle et qu'il ne pouvait pas supporter la présence de sa fille. Peut-être qu'il détestait la regarder car elle lui rappelait tout ce qu'il avait perdu.

La veille de la mort de sa mère, Nadia l'avait surprise en train de regarder par la fenêtre de la cuisine, les bras plongés dans l'eau de vaisselle, à ce point absorbée par ses pensées qu'elle ne voyait pas que l'évier allait déborder. Elle avait eu un petit rire quand Nadia avait fermé le robinet.

« J'étais encore en train de rêvasser. »

À quoi pensait-elle à cet instant ? Vos dernières heures n'étaient-elles pas censées être dramatiques et éloquentes ? Leur ultime conversation n'aurait-elle pas dû être chargée d'émotion, même si Nadia n'en avait pas eu conscience sur le coup ? Mais cet ultime instant n'avait rien eu de particulier. Nadia avait ri elle aussi, et elle avait frôlé sa mère pour atteindre le réfrigérateur. Le lendemain matin, au réveil, elle avait découvert son père au bord de son lit, le visage enfoui dans ses mains ; elle ne l'avait même pas entendu s'asseoir, en apesanteur dans son chagrin.

Elle cherchait encore des indices, des choses étranges que sa mère aurait dites ou faites, des signes qu'elle aurait dû remarquer. Au moins, sa mort aurait ainsi un sens. Mais elle ne trouvait aucun élément indiquant que sa mère voulait mourir. Peut-être ne l'avait-elle jamais connue réellement ? Et si vous ne connaissiez pas la personne dont le corps avait été votre première maison, comment pouviez-vous connaître les autres ?

Nadia se sentait seule. Comment pourrait-il en être autrement ? Chaque matin, son père la déposait au Cénacle et chaque après-midi, elle s'asseyait sur les marches de l'église en attendant qu'il vienne la chercher. Après son travail, elle passait des heures dans son lit, à regarder de vieux épisodes de *New York police judiciaire*, à attendre le lendemain matin quand elle se réveillerait et retrouverait son train-train. Parfois, elle songeait qu'elle pourrait passer le temps de cette façon, chaque jour succédant à un autre, jusqu'à l'automne. Les vents chauds arriveraient et ils l'emporteraient vers une nouvelle école, dans un autre État, où elle commencerait une nouvelle vie. À d'autres moments, elle se sentait si triste qu'elle avait envie d'appeler ses anciens amis. Mais que leur dirait-elle ? Elle avait eu une mère et maintenant elle n'en avait plus ; elle avait été enceinte, mais elle ne l'était plus. Elle avait cru qu'avec le temps la distance entre elle et ses amis se réduirait, mais le fossé s'était creusé, et elle n'avait pas l'énergie de faire comme si de rien n'était. Alors, elle restait seule, elle travaillait en silence dans le bureau de Mme Sheppard toute la matinée, puis, à midi, elle sortait en traînant les pieds pour déjeuner sur les marches de l'église. Un après-midi, alors qu'elle picorait son sandwich au beurre de cacahuète, elle vit Aubrey Evans venir dans sa direction. Elle souriait et serrait contre elle un panier repas bleu ciel, assorti à sa robe bain de soleil. Nadia aurait dû se douter qu'Aubrey ne pouvait se contenter d'un sac en papier comme tout le monde.

« Je peux m'asseoir ? »

Nadia haussa les épaules. Elle n'avait pas envie de l'inviter à se joindre à elle mais elle pouvait difficilement refuser. Aubrey plissa les yeux dans la lumière du soleil et s'assit. Elle ouvrit la fermeture Éclair de son sac et en sortit des petites boîtes en plastique qu'elle aligna soigneusement à côté d'elle. Nadia regarda les barquettes remplies de gratin de macaroni, de tranches de rosbeef et de salade de pommes de terre.

« C'est ça, ton déjeuner, sérieusement ? » demanda-t-elle.

Évidemment. Évidemment que les parents d'Aubrey Evans lui confectionnaient des festins élaborés pour le déjeuner, car elle n'allait quand même pas manger une chose aussi banale qu'un sandwich !

« Tu en veux ? » proposa Aubrey.

Nadia hésita, avant de prendre le brownie dont elle arracha un coin. Elle mâcha lentement, presque déçue de constater que c'était délicieux.

« Ouah. C'est ta mère qui a fait ça ? »

Aubrey referma son sac.

« Je ne vis pas avec ma mère, dit-elle.

— Ton père, alors ?

— Non. Je vis avec ma sœur, Mo. Et Kasey.

— Qui est Kasey ?

— La petite amie de Mo. Elle cuisine très bien.

— Ta sœur est homo ?

— Et alors ? rétorqua Aubrey. C'est pas un drame. »

Mais elle était devenue irritable, et Nadia conclut qu'il s'agissait d'un drame. Elle se souvenait encore que, des années plus tôt, les fidèles avaient été persuadés que la fille de sœur Janice était lesbienne parce qu'elle avait joué au rugby à l'université. Pendant des semaines, les plus âgés avaient répété, à voix basse, qu'aucune fille ne devait jouer à des jeux de balles, ce n'était pas *bien*, jusqu'à ce qu'elle apparaisse le dimanche de Pâques en tenant par la main un garçon timide, et le sujet fut clos. Au Cénacle, une sœur homo, c'était un drame, et Nadia se demandait pourquoi elle n'avait jamais entendu parler de cette histoire. Peut-être parce que Aubrey ne voulait pas que ça se sache. Nadia était surprise, malgré elle. La vie d'Aubrey telle qu'elle l'avait imaginée – une mère au foyer, un père aimant – se fondait dans une réalité plus trouble. Pourquoi vivait-elle avec sa sœur, et non pas avec ses parents ? Leur était-il arrivé une chose affreuse ? Elle se sentait proche soudain de cette fille qui vivait elle aussi sans mère. Une fille qui avait des secrets. Aubrey lui tendit le brownie et Nadia en prit un autre morceau, sans rien dire.

Voici ce qu'elle savait sur Aubrey Evans :

Elle était apparue un dimanche matin, fille étrange entrée dans le Cénacle avec juste un petit sac à main, et pas même une Bible. Elle s'était effondrée avant que le pasteur demande qui avait besoin de prières, et elle avait pleuré de plus belle en se levant pour marcher jusqu'à l'autel. Elle avait trouvé le salut à seize ans, et depuis, elle assistait aux offices toutes les semaines, elle se portait volontaire pour s'occuper des enfants, des sans-abri et des personnes endeuillées. Les bébés, les clochards, le chagrin. Une piste pour comprendre d'où elle venait, peut-être, même si Nadia n'en savait pas plus que la plupart des gens : Aubrey avait débarqué au Cénacle un beau jour, et moins d'un an plus tard, elle donnait l'impression d'en avoir toujours fait partie.

Désormais, les deux filles déjeunaient ensemble sur les marches de l'église. Et chaque après-midi, Nadia en apprenait un peu plus sur Aubrey, comme le fait qu'elle avait décidé de se rendre au Cénacle après l'avoir vu à la télé. Elle venait d'arriver en Californie à l'époque, et elle campait devant la télé pour regarder les reportages sur les feux de forêt. Elle n'avait jamais entendu parler d'une saison des incendies ; elle avait vécu partout pourtant et elle croyait avoir tout entendu. Elle avait passé deux ans sous la pluie à Portland, où elle était obligée d'essorer ses chaussettes, puis trois ans à se geler à Milwaukee, plus une autre année de moiteur à Tallahassee. Elle s'était desséchée à Phoenix, avant de se geler de nouveau à Boston. Elle avait l'impression d'être allée partout et nulle part, comme si elle avait atterri dans des milliers d'aéroports sans jamais s'aventurer hors du terminal.

« Pourquoi tu as déménagé aussi souvent ? lui avait demandé Nadia. C'était un truc de l'armée ? »

Elle-même avait toujours vécu à Oceanside, contrairement à tous les enfants de militaire, à l'école, qui avaient suivi un parent de base en base, pour finalement échouer à Camp Pendleton. Elle n'avait jamais été en dehors de la Californie, elle n'avait jamais connu des vacances excitantes, elle n'avait jamais quitté le pays. Sa vie lui semblait déjà très singulière, fade et ennuyeuse, et pour se réconforter elle pouvait uniquement se dire que le meilleur était à venir.

« Non, avait répondu Aubrey. Ma mère rencontrait un homme. Et quand il partait vivre ailleurs, on y allait aussi. »

Elle suivait ses petits amis d'un État à l'autre. Un mécanicien à Cincinnati, un gérant d'épicerie à Jackson, un camionneur à Dallas. Elle ne s'était jamais mariée, bien qu'elle en ait eu envie. À Denver, sa mère était sortie pendant trois ans avec un policier prénommé Paul. À Noël, il lui avait donné une petite boîte en velours, qu'elle avait ouverte avec des mains tremblantes. Ce n'était qu'un bracelet, et même si elle avait pleuré dans la salle de bains ensuite, elle le portait encore au poignet. Aubrey ne parlait jamais de son père. Elle racontait une ou deux histoires sur sa mère, mais elles s'étaient toutes déroulées des années auparavant, et Nadia commençait à se demander si elle était toujours vivante.

« Est-ce que... ta mère, elle est... »

Nadia n'avait pu achever se phrase. Elle connaissait à peine cette fille. Elle ne pouvait pas lui demander cela. Mais Aubrey avait compris la question et s'était empressée de secouer la tête.

« Non, non, pas du tout. C'est juste que... on ne s'entend pas très bien. »

Était-ce possible, de quitter sa mère parce qu'on se disputait avec elle de temps en temps ? Qui ne se disputait pas avec sa mère ? Mais Aubrey ne dit rien de plus et cette réserve ne fit qu'accroître la curiosité de Nadia. Elle imaginait cette mère éperdue d'amour qui poursuivait des hommes d'un État à l'autre, et qui, chaque fois qu'une histoire s'achevait, devait pester et pleurer, en jetant des affaires dans une valise ; et Aubrey et sa sœur savaient que lorsque l'amour s'enfuyait, elles devraient s'enfuir elles aussi.

« Tu étais comment, avait un jour demandé Nadia, quand tu étais petite ? »

Assise dans la Jeep d'Aubrey, elle chauffait ses pieds nus sur le tableau de bord. Elles étaient coincées dans la queue perpétuelle du In-N-Out, derrière un minivan marron rempli de gamins turbulents. Aubrey avait suggéré qu'elles aillent déjeuner quelque part, au Del Taco ou chez Carl's Jr, ou même chez Fat Charlie. Luke Sheppard y travaillait, peut-être qu'il les reconnaîtrait comme membres de l'église et qu'il leur ferait un prix. Mais Nadia avait secoué la tête en prétextant qu'elle détestait les fruits de mer.

« Comment j'étais ? » Aubrey avait souri, ses doigts dansaient sur le volant. Elle faisait toujours ça : elle répétait la question. Comme si elle passait un entretien d'embauche et cherchait à gagner du temps.

« En fait, gamine, j'étais une sale gosse. J'écoutais personne. Étonnant, hein ? »

Nadia s'était esclafffée, alors Aubrey aussi. Encore une de ses manies : elle attendait que quelqu'un d'autre rie pour en faire autant.

« J'étais… comment dire ? Je jouais au football. J'avais un tas d'amis. Ma meilleure amie avait un trampoline. On sautait dessus pendant des heures. Ma mère ne voulait pas, elle disait que j'allais me rompre le cou. Alors je lui mentais.

— Une vraie rebelle.

— Un jour, on avait super faim, on a acheté un pain de maïs invendu. Il était friable, mais on a continué à sauter sur le trampoline en mangeant, et les miettes s'envolaient en même temps que nous, on ne pouvait plus s'arrêter de rire. »

Aubrey avait souri, comme si elle était fière de cette petite rébellion enfantine, mais son sourire n'égayait pas son visage. Encore une chose qu'elle faisait tout le temps : sourire sans en avoir envie.

Quand la saison des incendies avait repris, Aubrey vivait en Californie depuis trois mois. Elle ignorait jusqu'alors que les feux de forêt pouvaient faire partie du calendrier, que c'était une chose attendue, comme la neige ou la pluie, et cette idée la terrifiait. Sa sœur lui avait assuré qu'elle ne devait pas s'inquiéter, pas à Oceanside en tout cas. Le long de la côte, on était à l'abri, autant que possible. Malgré cela, Aubrey regardait les journaux télévisés et des reporters qui toussaient dans des champs devant les flammes, avec des hélicoptères qui survolaient des terrains calcinés, et c'était ainsi qu'elle avait découvert le Cénacle. L'église servait de site d'évacuation temporaire et un journaliste interviewait le pasteur, un homme imposant, à la peau sombre, nommé John Sheppard.

« Nous sommes heureux de pouvoir apporter notre aide », déclarait-il. II avait une voix grave et claire, comme ces lecteurs qui enregistrent les audio-livres. « Nous remercions Dieu de nous permettre de rendre à notre communauté ce qu'elle nous a donné. Si vous avez été obligés de quitter votre maison, venez au Cénacle, nous serons votre foyer. »

Plus tard, avait-elle confié à Nadia, elle avait compris qu'elle avait succombé à l'appel du pasteur. Elle était entre deux maisons à cette époque – comme elle l'avait été toute sa vie – et elle se sentait encore comme une invitée chez Mo et Kasey. Chaque fois qu'elle faisait une lessive, elle pliait ses affaires et les rangeait dans sa valise, n'osant pas remplir les tiroirs. Mais personne ne l'obligeait à quitter Oceanside, alors elle s'était rendue au Cénacle ce dimanche, et voilà.

Cette année-là avait été la pire saison des incendies de forêt dans le souvenir de Nadia. Aux infos, des graphiques alarmants qualifiaient ce mois d'octobre de « Siège du feu », et même une fois passé le pic, quinze feux avaient ravagé le sud de la Californie durant l'hiver. Si vous deviez évacuer votre maison, le bureau du shérif vous envoyait un message automatique sur votre téléphone, mais Elise affirmait que quand vous receviez cette alerte il était déjà trop tard. Ça ne vous laissait qu'un quart d'heure. Alors, ce dernier automne, elle avait préparé leurs bagages à l'avance et les avait déposés à côté de la porte.

« Tu trouves ça idiot, avait-elle dit à Nadia, mais il faut toujours être prêt. Même pour les choses qu'on ne voit pas. »

Elle avait grandi au Texas, entre les tornades et les ouragans, alors elle savait se préparer en vue d'un désastre. « Contrairement à vous, les filles de Californie, disait-elle à Nadia, qui ne pensez jamais aux séismes jusqu'à ce que le monde se mette à trembler sous vos pieds. »

Cet hiver-là, la mort de sa mère serait un tremblement de terre qui l'arracherait à son sommeil. Mais avant cela, en septembre, Nadia l'avait regardée entasser des vêtements, des bidons d'eau et des albums photos dans des sacs. Puis elles s'étaient rendues à l'église, où une fille en pleurs était apparue dans une robe bleue qui la moulait trop à la taille, comme si elle avait grossi récemment. Ses cheveux bouclés étaient réunis en queue-de-cheval et elle portait des baskets blanches usées au bout. Elle était habillée comme une personne qui n'est jamais allée à l'église imagine qu'il faut s'habiller. Cette fille était en deuil, et des mois plus tard, chaque fois que Nadia, plongée dans son propre chagrin, verrait Aubrey, elle envierait la facilité avec laquelle cette fille avait montré sa tristesse, et la manière dont l'église l'avait accueillie, sans retenue. Suffisait-il de s'agenouiller devant l'autel et de réclamer de l'aide ? Ou bien fallait-il inviter tout le monde dans sa tristesse intime pour être sauvé ?

Plus tard, dans la lumière déclinante du soir, les deux filles se balançaient doucement dans le vieux hamac usé, suspendu dans le jardin de Nadia, derrière la maison. Son père ne l'utilisait plus jamais – elle ne se souvenait pas de la dernière fois où elle l'avait vu suffisamment détendu pour en profiter –, mais Aubrey avait voulu s'y allonger dès qu'elle avait suivi Nadia dehors.

« C'est tellement californien », avait-elle dit, et dès lors, chaque soir de la semaine, elles s'étaient balancées dans le hamac pour bavarder, au soleil couchant.

Nadia regarda son père à travers la porte vitrée. Il avait préparé le dîner tous les soirs de la semaine, sans se plaindre de devoir cuisiner pour Aubrey. Il semblait presque le faire avec plaisir. Il souriait et racontait des plaisanteries sur sa journée à la base, plaisanteries qui auraient été englouties avec les bouchées de nourriture si sa fille et lui avaient été seuls. Peut-être se réjouissait-il d'avoir de la compagnie, ou peut-être qu'Aubrey avait quelque chose de spécial qui l'incitait à s'ouvrir.

Assise en face d'elle, Aubrey, léchant un peu de glace sur son pouce, lui avait demandé à quoi ressemblait son père.

« Comment ça ? Tu le sais bien. Tu le vois souvent.

— En tant que personne, je veux dire. Il est gentil, mais il ne parle pas beaucoup.

— Oui, il est gentil, sûrement. Je ne sais pas. Il est sérieux. Il aime rester seul dans son coin. Pourquoi ? Et toi, ton père, il est comment ?

— Je ne sais pas. Il est parti quand j'étais petite.

— OK. Ta mère, alors ? »

Aubrey s'était mise à ronger l'ongle de son pouce.

« On ne s'est pas parlé depuis un moment.

— Combien de temps ?
— Presque un an. »

À force, Nadia s'était habituée au flux et au reflux de leurs conversations, cette succession d'ouvertures et de fermetures, d'avancées et de reculs, alors elle s'était contentée de hocher la tête et de faire semblant de comprendre, comme elle le ferait toute sa vie quand des amies se plaindraient de leurs mères. Elle lèverait les yeux au ciel avec elles en les écoutant râler contre ces mères qui critiquaient leur travail ou leur petit ami ; elle compatirait, elle sourirait, même si elle leur en voulait de se plaindre. Elle comprenait encore moins Aubrey. Qu'est-ce que ça faisait, se demandait-elle, d'être celle qui était partie ?

Si vous rouliez vers l'est en quittant la plage, si vous laissiez derrière vous les petites cabanes de surf, les boutiques d'appâts et les glaciers, les surfeurs sveltes et les agents de sécurité qui allaient et venaient sur le port, vous atteigniez Back Gate. L'entrée de Camp Pendleton était gardée par des marines armés, mais à la périphérie, on trouvait un quartier ni sûr ni malfamé. Voici comment on pouvait le savoir : les palissades étaient plus hautes qu'ailleurs, mais il n'y avait pas de barreaux aux fenêtres des habitations, le Pizza Hut se cachait derrière des vitres blindées, mais il restait ouvert tard le soir, et les flics patrouillaient encore dans les rues, davantage que dans les bons quartiers, mais davantage également que dans les mauvais quartiers déjà abandonnés à leur chaos. C'était dans ce quartier, ni bon ni mauvais, qu'Aubrey vivait avec sa sœur et la copine de celle-ci, dans une petite maison blanche. La maison était toute simple, mais la chambre d'Aubrey étonnamment surchargée. Les murs d'un vert pâle s'ornaient de fleurs argentées et des guirlandes lumineuses blanches parcouraient le plafond. Des rideaux argentés ondulaient devant les fenêtres et des bandes de dentelle étaient étendues sur le lit, tel un voile de mariée. Lors de sa première visite, Nadia s'était promenée lentement dans cette pièce, les mains dans le dos, n'osant toucher à rien, comme dans un musée.

« Quand je suis arrivée ici, je n'arrivais pas à dormir, avait expliqué Aubrey en montrant un attrape-rêves qui pendait au plafond. Kasey a pensé que ça pourrait m'aider. »

Kasey était maigre comme un chat de gouttière et avait de longs cheveux châtain clair qu'elle avait l'habitude d'ébouriffer pendant une conversation, comme pour prouver qu'elle se moquait de leur aspect. Elle était barmaid au Flying Bridge, en ville, et aimait raconter des anecdotes sur les habitués. Un homme qui détestait toucher les verres secs. Une femme qui avait une peur panique des cornichons.

« Vous savez, les gros qu'ils mettent dans les sandwiches ? Ça lui fout une trouille bleue. Elle hurle et détale aussitôt dès qu'elle en voit un, même dans un bocal. Dément, hein ? »

Kasey avait émigré vers l'ouest huit ans plus tôt, avec son grand frère, affecté à Camp Pendleton. Éperdument amoureuse d'une hétéro, elle s'était enfuie en Californie pour l'oublier. Au cours du long trajet depuis le Tennessee, elle avait pris cet attrape-rêves sur le présentoir d'un relais-routier, pour la simple et bonne raison qu'il s'offrait à elle. Maintenant, il se balançait au plafond d'une chambre presque désagréable à force d'efforts. Aubrey avait précisé que sa sœur l'avait aidée à décorer la pièce lors de son arrivée.

« Mo pensait qu'on avait besoin de faire un truc ensemble. On ne s'était pas vues depuis plusieurs années.

— Comment ça se fait ? avait demandé Nadia.

— Elle est partie à l'université

— Et elle n'est pas revenue ?

Aubrey se balançait d'un pied sur l'autre, lentement.

« Elle n'aimait pas Paul.

— Pourquoi ?

— Il frappait ma mère.

— Oh. » Nadia s'était arrêtée devant la bibliothèque. « Il te frappait, toi aussi ?

— Des fois. »

Nadia ne pouvait s'imaginer frappée par un adulte. Même lorsqu'elle se comportait mal quand elle était petite, son père la conduisait auprès de sa mère, pour que celle-ci lui donne une fessée, comme si la discipline était une affaire de femmes.

« Et ta mère, elle disait quoi ? avait-elle demandé.

— Elle est toujours avec lui. » Aubrey avait haussé les épaules et sauté du lit. « Viens, on va dehors. »

Nadia comprenait enfin pourquoi Aubrey était partie de chez elle, et pourquoi sa mère l'avait laissée faire, pourquoi sa sœur l'avait aidée à créer une chambre tout droit sortie d'un film de Walt Disney, et pourquoi Mme Sheppard la dorlotait. En un sens, Nadia s'estimait presque chanceuse. Au moins, sa mère était malade, elle s'était fait du mal à elle-même. Jamais elle n'aurait laissé un homme frapper son enfant. Sa mère était morte, mais y avait-il quelque chose de pire que de savoir que votre mère était vivante, quelque part, mais qu'elle préférait à vous un homme qui la battait ?

Le Quatre-Juillet, Nadia, assise sur le porche de la maison d'Aubrey, regardait les voisins allumer des fusées dans la rue. La municipalité avait organisé un feu d'artifice sur la jetée, mais une fête nationale sans fusées interdites, ce n'était pas un Quatre-Juillet, disait Kasey. Effarée par la sévérité des lois californiennes dans ce domaine, elle encourageait les gens qui introduisaient en douce des fusées venant de Tijuana pour les allumer dans le quartier. Quel mal y avait-il ? Ce n'était pas comme s'ils faisaient sauter des bombes. Elle but une gorgée de bière et passa son bras autour des épaules de Monique, qui regardait les voisins dans la rue en secouant la tête.

« Quelqu'un va avoir la main arrachée, dit-elle. Je le sais. »

Elle n'était pas mère, mais elle possédait le don d'une mère pour imaginer tout de suite le pire. Infirmière en traumatologie au Scripps Mercy Hospital, elle voyait chaque jour les drames qui pouvaient arriver. Mais, même si elle n'avait pas été infirmière, elle était du genre à s'inquiéter. Quand elle rentrait du travail, elle demandait toujours à Aubrey et à Kasey si elles avaient mangé. Elle rappelait à sa jeune sœur qu'elle devait prendre ses vitamines et insistait pour qu'elle mette une veste : il fait froid maintenant en ville, oh, ne me regarde pas avec cet air-là, tu sais bien que tu attrapes froid facilement. Un homme qui se trouvait au milieu de la rue poussa un cri quand une voiture faillit le renverser en contournant l'étalage de fusées. Monique secoua la tête de nouveau.

« Tu n'as pas froid, ma chérie ? » demanda-t-elle.

Aubrey était assise sous une couverture avec Nadia. Elle leva les yeux au ciel.

« Je ne suis plus un bébé, Mo.

— Si. Tu es *mon* bébé. »

Kasey rit et Aubrey leva les yeux au ciel encore une fois, mais elle ne semblait pas énervée, pas réellement. Elle avait ce regard faussement agacé que vous adressez à quelqu'un qui ne pourra jamais vous enquiquiner pour de bon. Parfois, Nadia enviait Aubrey, même si elle se sentait coupable de penser cela. Aubrey avait perdu sa mère elle aussi, mais elle était aimée par sa sœur, par la petite amie de sa sœur, et même par la femme du pasteur, trois femmes attachées à elle uniquement parce qu'elles en avaient envie. Toutes les deux avaient été abandonnées dans le sable. Mais seule Aubrey avait été trouvée. Seule Aubrey avait été choisie.

L'amour que Monique et Kasey vouaient à Aubrey se voyait dans leurs yeux, et même s'il ne lui était pas destiné, Nadia s'en rapprocha un peu et tendit les mains vers la chaleur. Dans la rue, les voisins rassemblés en petits groupes donnaient des indications en *spanglish*. Des adolescentes promenaient des bébés dans l'herbe, tandis que de vieux bonhommes en chemise de flanelle détournaient la circulation et que des gamins montés sur des skates guettaient la police. Du reggaeton et du rap jaillissaient par les fenêtres et retentissaient à l'intérieur des voitures garées dans les allées. Bientôt, le feu d'artifice allait illuminer la jetée, mais Nadia ne voulait pas être ailleurs qu'ici, dans une maison où tout le monde était désiré, dans une famille où quiconque pouvait partir, mais où personne ne le faisait. Une fusée éclaira le ciel et Nadia sursauta, émerveillée et un peu surprise par le premier éclair.

Latrice Sheppard avait des yeux de fantôme. Un marron et un bleu, ce qui voulait dire, lui avait expliqué son grand-père, qu'elle pouvait voir la terre et le paradis en même temps. Sa mère avait laissé échapper un petit cri de surprise la première fois qu'elle l'avait tenue dans ses bras – il y avait forcément un problème, l'œil bleu était peut-être aveugle, déjà rendu opaque par la maladie –, mais le médecin lui avait répondu qu'il était trop tôt pour le savoir. « Les yeux d'un bébé mettent du temps à s'habituer au monde. Soyez attentive. Si ses yeux louchent ou s'obscurcissent, il faudra peut-être s'inquiéter. » Alors, elle avait passé les premières années de sa vie avec le visage de sa mère à quelques centimètres du sien, en train d'examiner ses yeux. Peut-être était-ce pour cette raison qu'elle avait toujours eu le sentiment qu'ils avaient un problème, même si elle voyait très bien. L'œil marron semblait laid à côté du bleu, et inversement, et elle avait appris qu'il valait mieux être une seule chose, se fondre dans la chose la plus simple possible. Elle avait déjà entamé sa poussée de croissance sans fin – au CE1, elle était toujours la première à s'installer pour la photo de classe – et le midi, elle mangeait seule dans la cour de récréation, pendant que les autres filles sautaient à la corde au rythme d'une chanson qu'elles avaient composée sur elle :

Latrice, la monstruosité
Fera de toi son déjeuner
Avec ses yeux bizarres et ses grands pieds

Sa taille, elle ne pouvait pas la cacher, mais ses yeux bizarres, si. Elle avait commencé à porter des lunettes noires dès qu'elle le pouvait : à l'épicerie, dans sa chambre et même en salle de classe après avoir remis à son professeur un faux certificat médical qui décrivait sa sensibilité à la lumière. Plus tard, elle considérerait ses yeux bizarres comme une bénédiction. Ce n'étaient pas des yeux de fantôme, mais elle possédait malgré tout un don de seconde vue : en regardant une femme, elle savait si celle-ci avait déjà été battue. Oubliez les bleus et les cicatrices, les femmes battues savaient les masquer ou les expliquer. Elle n'avait pas besoin d'entendre des histoires de poignées de porte ou de chutes dans les escaliers ; il lui suffisait de plonger ses yeux bizarres dans ceux de ces femmes pour faire la différence entre celles qui étaient étonnées ou scandalisées par la douleur et celles qui avaient appris à l'attendre. Elle voyait, au-delà des peaux parfaites, les brûlures en forme de losange, les balafres dues aux boucles de ceinturon, les cous entaillés par les couteaux à steak, les lèvres fendues par les bagues de confréries d'étudiants, les visages qui viraient au violet et au bleu foncé. Elle l'avait confié à Aubrey la troisième fois qu'elle l'avait invitée à prendre le thé, et après cela, Aubrey s'était regardée dans le miroir en se demandant ce que la femme du pasteur voyait d'autre. Tout son passé était-il inscrit sur sa peau ? Mme Sheppard voyait-elle tout ce que lui avait fait Paul ? Au moins, maintenant, elle savait pourquoi Mme Sheppard se montrait si gentille avec elle. Pourquoi, après qu'elle s'était présentée devant l'autel, Mme Sheppard l'avait rejointe dans le hall de l'église pour la prendre dans ses bras ; et pourquoi, le dimanche suivant, elle lui avait fait cadeau d'une petite Bible à la couverture ornée de fleurs ; et pourquoi, le dimanche suivant encore, elle l'avait invitée à prendre le thé dans son bureau. Aubrey ne buvait pas de thé, mais pendant des mois, elle s'était assise à l'autre bout de ce sofa gris à rayures et avait déposé des morceaux de sucre dans sa tasse. Elle aimait le thé sucré : sucre, miel et crème.

« Ici, dans ce bureau, ce n'est pas grave, lui avait dit un jour Mme Sheppard, mais dehors, en public, les gens pourraient trouver ça enfantin, une jeune femme qui trafique le goût de son thé avec tout ce sucre. » Elle avait corrigé Aubrey gentiment, mais celle-ci avait eu tellement honte que, quelques semaines plus tard, elle n'avait mis qu'un seul morceau de sucre dans sa tasse.

Un après-midi, alors qu'elle sirotait son thé amer, elle avait demandé à Mme Sheppard ce qui était arrivé à Elise Turner. Elle avait lancé cette question avec désinvolture, comme si elle ne s'interrogeait pas depuis des semaines – non, des mois –, depuis que le pasteur avait annoncé la nouvelle aux fidèles, d'un air sombre. Il n'avait pas fourni la cause du décès, ce qui avait éveillé les soupçons, comme seule peut le faire une mort brutale et inattendue. Une femme de l'âge d'Elise Turner ne mourait pas de cause naturelle ; elle ne semblait pas malade, et si elle n'avait pas été victime d'un terrible accident, que lui était-il arrivé, alors ?

« Je ne sais pas, avait dit sœur Willis dans les toilettes pour dames après l'office. Je trouve qu'il y a quelque chose de bizarre. » Et même si les autres femmes rassemblées autour du lavabo avaient hoché la tête, aucune ne s'attendait à la nouvelle qui avait filtré quelques jours plus tard : Elise Turner s'était tiré une balle dans la tête. Les fidèles avaient déjà imaginé diverses tragédies honteuses : une mort par overdose, un accident de voiture en état d'ivresse et même un meurtre commis dans des circonstances que le pasteur avait préféré cacher. Elise avait peut-être un amant (elle pouvait trouver mieux que Robert, non ?) et celui-ci l'avait tuée dans la chambre de motel miteuse où ils se donnaient rendez-vous pour copuler.

En dépit de toutes ces spéculations choquantes, personne n'était préparé à la réalité de la mort d'Elise Turner, surtout pas Aubrey. Elle n'avait jamais connu Mme Turner, mais elle avait l'impression de la cerner un peu malgré tout, comme on pouvait connaître quelqu'un que l'on apercevait seulement de loin. Le dimanche, elle voyait les Turner entrer au Cénacle : le mari raide comme un piquet dans son costume, la femme qui souriait aux gens dans le hall, et la fille portrait craché de sa mère. Ils lui faisaient penser à ces familles que l'on voit à la télévision. Le père fort et viril, la jolie mère et la fille qui a reçu en cadeau la beauté et l'intelligence. En cours d'éducation civique, Aubrey s'asseyait au fond et regardait Nadia entrer en classe avec ses amies, d'un air indifférent ; et chaque fois qu'elle se faufilait dans la salle après la sonnerie, elle amadouait M. Thomas d'un sourire avant qu'il l'envoie en retenue. Comment aurait-il pu la punir ? Semaine après semaine, quand il dressait la liste des dix meilleurs élèves, le nom de Nadia Turner figurait sur le tableau blanc, comme écrit au feutre indélébile. Un jour, elle entrerait dans une grande université, tout le monde le savait, alors qu'Aubrey irait au *community college*, en traînant les pieds, pareille à tous les autres élèves de la classe. Le dimanche matin, à l'église, elle regardait cette fille, cette Nadia Turner, se glisser sur le banc à côté de sa mère et de son père, et elle se demandait ce qu'on pouvait ressentir quand on assistait à l'office avec ses parents. Mo ne croyait pas en Dieu. Kasey si, de manière abstraite, comme elle croyait dans la capacité de l'univers à se sauver lui-même. Ni l'une ni l'autre ne se réjouissaient de la voir aller à l'église, même si elles ne le lui avaient pas dit directement.

« Tu es sûre que tu as envie de passer autant de temps là-bas ? lui demandait Mo. Je veux dire... tu ne penses pas que c'est un peu trop tôt ? »

Trop tôt pour quoi ? Mo n'avait jamais précisé, mais ce n'était pas la peine. Elle craignait qu'Aubrey ne devienne une fanatique. Qu'elle ne commence à distinguer des images de Jésus sur des toasts brûlés, ne se mette à « parler en langue » en pleine conversation ou à manifester contre les mariages gays. Quand Aubrey voyait les Turner le dimanche, elle essayait d'imaginer ce que serait sa vie si elle était leur enfant, intelligente et belle, si elle avait un père et une mère qui lui tenaient la main pendant les prières. Elle pensait surtout à la mère, qui semblait très différente de la sienne. Elise Turner, jeune, énergique et belle, qui riait dans le hall avant l'office, toujours accueillie dès qu'elle entrait, et qui lui avait parlé un jour, quand elles s'étaient croisées, avant la pièce de théâtre de Noël.

« Tu as perdu quelque chose, ma chérie », lui avait-elle dit en montrant le programme qu'Aubrey avait laissé échapper. Sa voix était fraîche et soyeuse, comme du lait.

Comment une telle femme avait-elle pu se suicider ? Aubrey savait que c'était une question stupide : n'importe qui pouvait mettre fin à ses jours s'il le désirait suffisamment fort. Mo disait que c'était physiologique. Des synapses défectueuses, un déséquilibre chimique dans le cerveau ; le corps était une machine dont quelques fils débranchés pouvaient entraîner l'autodestruction. Mais les individus n'étaient pas uniquement des corps, si ? Passer à l'acte était plus compliqué que ça. À l'autre extrémité du canapé, la femme du pasteur haussa un sourcil et se pencha en avant pour remplir la tasse d'Aubrey.

« Que veux-tu dire ? Tu sais bien ce qui lui est arrivé.

— Je sais juste qu'elle s'est suicidée avec une arme à feu.

— Il n'y a rien de plus à savoir, ma chérie.

— Mais pourquoi ?

— Le diable s'attaque à nous tous, répondit Mme Sheppard. Certaines personnes ne sont pas assez fortes pour le repousser.

Mme Sheppard paraissait froide et distante pendant qu'elle remuait lentement son thé en faisant tinter sa cuillère contre la tasse. Elle ne ressemblait pas du tout à la mère d'Aubrey, elle était trop sûre d'elle et solide. Sa mère faisait partie des femmes faibles. Mme Sheppard éprouverait pour elle de la pitié ou du mépris, en fonction de ce qu'elle savait. Pour l'instant, elle ne savait pas grand-chose. Uniquement qu'Aubrey était venue vivre avec sa sœur car elle ne s'entendait pas avec sa mère. Aubrey ne lui avait pas parlé de Paul, qui buvait plusieurs bouteilles de whisky le week-end et qui les frappait parfois, mais qui pleurait toujours après car il regrettait son geste, il avait un boulot si stressant, elles ne savaient pas ce que c'était de passer son temps dans les rues sans savoir si vous alliez rentrer le soir. Il avait emménagé avec elles un an avant qu'Aubrey s'en aille, et pendant un an, il s'était rendu dans sa chambre la nuit, il ouvrait la porte, puis il lui écartait les cuisses ; et pendant un an, elle n'en avait parlé à personne, ou presque. Elle l'avait dit à sa mère la première fois où ça s'était passé, mais celle-ci avait secoué la tête, fermement, en disant « Non », comme si elle pouvait nier la vérité par un effort de volonté.

Mme Sheppard prit un biscuit.

« Pourquoi veux-tu savoir tout ça ?

— Nadia n'en parle jamais. »

Elle pouvait difficilement poser la question à son amie, même si elle y pensait souvent quand elles étaient ensemble. Nadia savait-elle pourquoi sa mère s'était suicidée ? Était-ce mieux de savoir ?

« Je vous vois tout le temps déjeuner ensemble, dit Mme Sheppard en brossant un peu de sucre collé au bout de ses doigts, au-dessus d'une serviette. J'ignorais que vous vous entendiez aussi bien.

— Elle est gentille. » Aubrey s'interrompit pour boire une gorgée de thé. « Elle est… drôle. Elle me fait rire. Et elle ne se laisse pas marcher sur les pieds. Elle n'a peur de rien.

— Si j'étais toi, je ne m'attacherais pas trop à elle. »

Aubrey fronça les sourcils.

« Pourquoi ?

— Ne me regarde pas comme ça. Tu sais bien qu'elle va fiche le camp à l'université à la rentrée. Elle se fera de nouvelles amies dans sa résidence. Les gens changent, voilà tout. Je ne veux pas que tu souffres, ma chérie. »

Mme Sheppard lui tendit l'assiette de sablés et Aubrey en prit un, sans rien dire. La première fois qu'elle était allée chez Nadia, elle avait remarqué sur une étagère une figurine en argile représentant l'Arche de Noé, si petite qu'elle aurait pu tenir dans sa paume. Un Noé aux cheveux blancs était sur le pont, de minuscules têtes de girafe, de chimpanzé et d'éléphant sortaient par les hublots. Elle avait voulu la prendre, mais Nadia l'avait arrêtée dans son geste.

« N'y touche pas. C'est ma mère qui me l'a donnée. »

Aubrey avait retiré sa main, gênée d'avoir violé une règle dont elle ignorait l'existence. Puis elle avait compris que son amie ne parlait pas de sa mère parce qu'elle voulait la préserver, la garder pour elle seule. Aubrey, elle, ne parlait pas de sa mère parce qu'elle voulait oublier qu'elle en avait une. Et c'était plus facile de l'oublier en présence de son amie.

Elle ne voulait pas penser à son départ prochain. Elle se sentait chez elle dans le monde orphelin de Nadia. Plus tard, ce soir-là, elle la ramena en voiture. Elles sortirent dans le jardin et se balancèrent dans le hamac de M. Turner jusqu'à ce que le ciel vire au noir. Nadia étendit une longue jambe sur le côté et enfonça ses orteils nus dans l'herbe, en prenant soin de ne pas briser leur équilibre fragile.

Cinq

Nous aussi avons été des jeunes filles. Même si c'est difficile à croire.

Oh, ça ne se voit plus : nos corps se sont distendus et avachis, nos visages et nos cous pendent. C'est ce qui arrive quand on vieillit. Chaque partie de votre corps s'affaisse, comme s'il se rapprochait de l'endroit d'où il vient et où il va retourner. Mais nous avons été des jeunes filles, ce qui veut dire que nous avons toutes aimé un salopard. Il n'y a pas de façon plus courtoise de les nommer. Il existe deux types d'hommes dans le monde, les salopards et les autres. Quand nous étions jeunes, nous avons vécu un peu partout. Nous avons travaillé dans les champs de coton de Louisiane jusqu'à ce que l'humidité plaque notre chemise sur notre dos. Nous avons grelotté dans des cuisines glaciales en préparant le déjeuner de nos papas qui partaient travailler dans les usines Ford. Nous avons marché prudemment sur les trottoirs gelés de Harlem, fourré des morceaux de tissu dans les trous de nos poches de manteau. Puis nous avons grandi et rencontré des hommes qui voulaient nous emmener en Californie. Des militaires, stationnés à Camp Pendleton, qui nous promettaient le mariage, des bébés et toutes ces merveilles. Mais avant de nous réveiller sous des nuages roses flottant le long de la côte, avant de trouver le Cénacle et de faire la connaissance des autres, avant de devenir des épouses et des mères, nous avons été des jeunes filles et nous avons aimé des salopards.

Autrefois, il était beaucoup plus facile de repérer un salopard. Dans les salles de billard, les *juke joints*[1], les bars et les *rent parties*, et parfois même à l'église, en train de ronfler sur le banc du fond. Le genre d'hommes contre lesquels nos frères nous mettaient en garde car ils n'allaient nulle part et nous maltraiteraient, d'une manière ou d'une autre. Mais de nos jours ? La plupart de ces jeunes gens sont des salopards à nos yeux. Ils roulent des mécaniques en ville, ils boivent, jurent, se battent devant les boîtes de nuit, fument des joints dans les sous-sols de leurs mamans. Quand nous étions des jeunes filles, un homme qui voulait nous courtiser prenait d'abord le café avec nos parents dans le salon. De nos jours, un jeune homme couche avec n'importe quelle fille consentante, et s'il a des ennuis... Eh bien, demandez donc à Luke Sheppard ce que font ces jeunes hommes ensuite.

---

1. Établissements rudimentaires, tenus initialement par des Afro-américains, où l'on allait écouter de la musique, danser, jouer et boire. *(N.d.T.)*

De nos jours, une fille doit s'approcher tout près pour savoir si son homme est un salopard, et à ce moment-là, ce sera peut-être trop tard. Nous avons été des jeunes filles. C'est excitant d'aimer quelqu'un qui ne pourra jamais vous aimer en retour. C'est une libération, en un sens. Il n'y a aucune honte à aimer un salopard, à condition de tirer un trait dessus, rapide et définitif. Une femme perdue s'accroche à un salopard, ou pire, elle le laisse s'accrocher à elle. Il l'épuisera jusqu'à ce qu'il se fatigue. Il grimpera sur ses épaules et elle ploiera sous le poids de son amour pour lui.

Ce sont ces femmes qui nous inquiètent.

Depuis qu'il avait vu Nadia Turner pour la dernière fois, Luke avait cassé sept assiettes, deux bols et six verres. « Un record personnel », avait annoncé son patron devant tous les employés réunis comme chaque matin. « Non, rectification : un record tout court. Des applaudissements pour Sheppard, les gars. Il entre dans l'histoire connerie après connerie. » Avant, Luke ne faisait jamais tomber ses plats. Pendant des années il avait saisi des ballons en l'air, il les avait protégés des défenseurs et rattrapés juste avant qu'ils atterrissent dans l'herbe. De fait, il était célèbre dans tout le restaurant pour ses sauvetages miraculeux. La Dream Team, si une telle chose existait, aurait été composée uniquement de Luke Sheppard : Luke qui rattrapait des gobelets avant qu'ils tombent par terre, Luke qui retenait des bols renversés par un coup de coude, Luke qui redressait des plateaux sur le point de basculer sous les applaudissements des clients, tandis que ses collègues lui tapaient dans le dos. Mais depuis cette soirée chez Cody Richardson, plus de prouesses, plus de sauvetages à l'ultime seconde, plus de réflexes ni de démonstrations de nature divine. Les commentateurs de *SportsCenter*, si cette émission s'était intéressée aux exploits sportifs sur les lieux de travail, auraient pris un air abattu en disant : « Dommage, ce jeune Sheppard avait montré un talent prometteur. » Maintenant, les verres glissaient entre ses mains ou tombaient de son plateau, et Luke, qui idolâtrait les sauvetages et les plongeons gracieux dans la zone d'en-but, se retrouvait, au lieu de ça, agenouillé sur le sol collant, le pantalon mouillé de Sprite.

« Oh, bordel de merde ! pesta Charlie, penché au-dessus de lui.

— Je sais, je sais.

— Tu essaies de bousiller toute ma vaisselle ?

— J'ai dit que j'étais désolé. Qu'est-ce que vous voulez que je fasse de plus ? Je nettoie.

— Je veux que tu apprennes à tenir une tasse. Un singe sait tenir une tasse, Sheppard. Un putain de singe ! »

Luke frôla Charlie pour atteindre la poubelle et ce petit contact de l'épaule – qui avait obligé Charlie à céder un centimètre de terrain – ressemblait à cet instant juste après que le médecin lui avait fait une injection contre la douleur. Un pincement, puis le soulagement.

Il devait se concentrer, voilà ce qu'il devait faire. Se concentrer sur une seule chose à la fois. Le mouvement fluide de son bras quand il prenait la tasse, la sensation du verre contre sa paume lorsqu'il refermait la main. Et il arrivait à se concentrer, de temps en temps. Il affrontait tout un service sans rien laisser tomber. Puis Nadia revenait dans son esprit, une douleur soudaine et vive, semblable à la faim. Il l'embrassait sous la douche à la plage, il posait ses mains encore couvertes de sable sur son ventre, ses lèvres pressées contre sa nuque bronzée. Et plus tard, agenouillé au bord du lit, chez lui, il faisait glisser ses doigts sous le bas de son bikini, sa peau qui bouillonnait sous ses mains. Elle sentait l'océan. Elle était l'océan quand il était en elle, et qu'elle se balançait, encore, encore, avant le calme. Lorsque c'était terminé, il embrassait le côté de son visage, la peau douce près des oreilles, les cheveux de bébé tout fins, bouclés par leur sueur. Sa bouche n'avait jamais rien touché d'aussi délicat.

Il passa sa pause à fumer dans la ruelle derrière le restaurant, en compagnie de CJ. Ils avaient joué ensemble au football, à l'époque du lycée. CJ était un Samoan baraqué avec de longs cheveux frisés, un bon *nose tackle* qui avait été contacté par quelques centres de formation de Division III, mais rien à voir avec les offres de recrutement et les visites personnelles reçues par Luke. Et pourtant, ils avaient tous les deux échoué là, dans cette ruelle qui sentait les poubelles mouillées, l'air marin et la pisse de chat. Adossé au mur, Luke passa le joint.

« Ça va, *uso*[1] ? demanda CJ. Tu fais une drôle de tête.

— Des emmerdes avec cette fille.

— Laquelle ? La petite avec ses bouquins ? »

Luke hésita, mais il avait besoin d'en parler à quelqu'un.

« Elle m'a annoncé qu'elle était enceinte. »

CJ émit un drôle de rire sifflant.

« Oh, pas de problème, dit-il. C'est très simple : tu lui files rien tant que t'es pas sûr que c'est ton gamin. On s'en fout de savoir si elle est mignonne ou pas. Lui achète même pas un paquet de couches avant d'avoir fait des examens pour...

— Elle a couché avec personne d'autre », dit Luke.

Il savait qu'il avait été le premier. Nadia ne lui avait pas avoué qu'elle était vierge, mais il l'avait senti, car elle était serrée et elle avait poussé un petit cri quand il l'avait pénétrée ; elle avait fermé les yeux en grimaçant, alors qu'il bougeait à peine. Trois fois, il lui avait demandé si elle voulait qu'il arrête. Trois fois, elle avait secoué la tête. C'était le genre de fille qui ne voulait jamais reconnaître qu'elle souffrait, comme si cela la rendait plus forte. Sa mère était morte trois mois plus tôt et il savait que c'était pour cette raison qu'elle couchait avec lui. Pour cette raison qu'elle n'avait pas évoqué son boitillement, qu'elle lui avait ôté

1. *Frère* en samoan. *(N.d.T.)*

son tee-shirt Fat Charlie, alors qu'il sentait la sueur et le graillon. Elle avait dix-sept ans, elle n'avait plus de mère et elle voulait qu'il chasse sa tristesse en la baisant. Chaque fois qu'il culpabilisait parce qu'il lui faisait mal, elle resserrait ses cuisses autour de son dos pour qu'il s'enfonce plus profondément, en remuant le plus lentement qu'il le pouvait, jusqu'à ce qu'il termine dans un petit frémissement. Par la suite, il avait fait semblant de ne pas remarquer le sang sur les draps. Il avait roulé vers elle et dormi sur les taches irrégulières.

CJ souffla la fumée vers le toit de tuiles qui s'écroulait.

« N'empêche, dit-il, tu ferais bien de faire un test sur ce gamin. Si tu te comportes comme si c'était le tien, rien que ça, l'État te prendra tout ton fric. C'est arrivé à un gars que je connais. Les lois, c'est la merde.

— Elle ne l'a pas gardé, dit Luke.

— Ah, putain, répondit CJ en lui tapant dans le dos. C'est encore plus facile, alors. T'es un veinard, mon pote. »

Luke ne s'estimait pas chanceux. Quand Nadia lui avait annoncé la nouvelle, il s'était senti électrisé, comme quand il venait de soulever de la fonte, des petites étincelles couraient sous sa peau. Imaginez un peu : le matin même, son principal souci était d'arriver à l'heure au travail pour ne pas perdre ce boulot de merde. Et maintenant, un bébé ! Un bébé, bordel ! Il se sentait super-mal – Nadia paraissait abattue, elle ne mangeait presque rien –, mais une infime partie de lui-même était stupéfaite par ce qu'ils avaient fait. Il avait aidé à créer une toute nouvelle personne, qui n'avait jamais existé avant sur terre. Généralement, son plus gros exploit consistait à réciter de tête la liste des plats du jour. Il s'imaginait déjà se précipitant dans la salle de pause, après le départ de Nadia, pour aller sur Google avec l'ordinateur du boulot et savoir à partir de quel moment une grossesse se voyait, comment lutter contre les nausées, combien ça coûtait d'élever un enfant. Puis Nadia lui avait annoncé qu'elle voulait avorter. Alors, il avait promis de trouver l'argent, bien qu'il ait économisé seulement deux cents dollars pour son studio : quelques rouleaux de billets cachés dans une boîte à chaussures Nike orange sous son lit. Il avait claqué son salaire en bières et en baskets, et il s'était senti idiot en sortant de cette boîte ses économies de toute une vie. Comment avait-il pu croire qu'il serait capable d'élever un enfant ?

Il n'avait pas prévu d'abandonner Nadia à la clinique. Mais, le jour du rendez-vous, quand il avait rangé son portable dans son casier au restaurant, comme chaque jour, il s'était rendu compte qu'il serait très facile de se défiler. Il avait tenu son rôle, elle avait tenu le sien, et il ne serait plus obligé de la revoir. Il ne serait pas obligé d'imaginer sa tête après l'opération – accablée de chagrin et de douleur – ni de trouver les mots justes pour la réconforter. Il ne serait pas obligé de lui dire qu'elle avait fait le bon choix, ni qu'il avait le sentiment de n'avoir pris aucune décision. Il pouvait enfermer son téléphone dans son casier et passer à autre chose. C'était son cadeau, un corps sans liens avec quiconque.

Mais il avait vu Nadia à la fête de Cody Richardson. Et elle ne lui avait pas semblé « avortée ». Il n'avait rencontré cette expression qu'une seule fois, des années plus tôt, quand les fidèles de son père avaient participé à une manifestation devant la clinique d'avortement. Il n'était encore qu'un enfant, accroché à sa mère car les manifestants lui faisaient peur. Un homme au visage rougeaud, vêtu d'un épais gilet camouflage, marchait d'un pas lourd en scandant : « C'est la guerre, mon gars, et on est en première ligne. » Un vieux Noir brandissait une pancarte sur laquelle on pouvait lire : L'AVORTEMENT EST UN GÉNOCIDE NOIR. Une bonne sœur tenait une photo représentant une tête de bébé ensanglantée, comprimée par des forceps. *Une femme avortée, ça n'existe pas*, disait la pancarte, *il n'y a que la mère d'un bébé mort*. Des années plus tard, Luke se souvenait encore de ce message. L'expression l'avait frappé, davantage que la photo choquante, son caractère irrévocable, son étrangeté, ce n'était pas une femme « non enceinte », c'était une catégorie de femmes à part. Et il avait toujours cru qu'une femme avortée afficherait sa « non-grossesse » aussi ouvertement que le faisaient les femmes enceintes. Mais quand Nadia Turner avait fait son apparition dans cette soirée, elle n'était pas différente de la dernière fois où il l'avait vue. Tout en jambes avec ses chaussures à talons hauts, un chemisier rouge qui soulignait sa poitrine, d'une beauté douloureuse. Elle ne pleurait même pas. C'était lui le plus faible des deux, qui n'osait même pas la regarder en face.

Et maintenant, il n'arrêtait pas de casser des choses. Si vous laissiez échapper un plat pendant le service, Charlie vous humiliait devant tout le personnel, le lendemain. Deux plats lâchés vous expédiaient en cuisine jusqu'à la fin de la soirée. Luke comptait l'argent des pourboires dans ses poches : quinze dollars en billets d'un dollar froissés, et quelques pièces de cinq *cents*. Même pas de quoi payer l'essence. Il se tourna vers CJ, qui continuait à le regarder avec un grand sourire, impressionné par sa bonne fortune.

« Ouais, t'as raison, je suis un veinard », dit-il en soufflant la fumée dans l'air aigre.

Cet été-là, Nadia passa plus de nuits dans le lit d'Aubrey Evans que dans le sien.

Elle dormait du côté droit, le plus éloigné des toilettes, car Aubrey se levait plus souvent la nuit. Le matin, après s'être brossé les dents, elle laissait sa brosse dans le gobelet près du lavabo. Elle prenait son petit déjeuner sur la chaise la plus proche de la fenêtre, genoux relevés, les pieds calés au bord du siège. Elle buvait son jus d'orange dans le mug d'Aubrey, aux couleurs des Vols[1]. Elle laissait des affaires dans la chambre d'Aubrey, accidentellement

1. Équipe de football de l'Université du Tennessee. *(N.d.T.)*

tout d'abord – un sweat-shirt oublié sur le dossier d'une chaise, un maillot de bain resté dans le tambour de la machine à laver –, puis délibérément. Maintenant, quand Monique renversait un panier de linge sur le lit, les affaires des deux filles formaient un nœud où tout se mélangeait.

Il n'était pas difficile de pénétrer dans la vie de quelqu'un d'autre si ça se faisait petit à petit. Aubrey ne demandait plus à Nadia si elle voulait passer la soirée chez elle : après le travail, quand elles marchaient jusqu'au parking, Aubrey ouvrait la portière du passager et attendait que Nadia monte en voiture. Aubrey se sentait seule, elle aussi. Elle ne s'était pas fait beaucoup d'amis à l'école. Elle avait passé plus de temps à travailler comme bénévole qu'à aller voir des matchs de football ou danser. C'était étrange d'appréhender les contours de la solitude de quelqu'un d'autre. Vous ne pouviez pas la découvrir d'un seul coup ; c'était comme pénétrer à l'intérieur d'une caverne sombre : vous avanciez à tâtons, vous vous cogniez contre les bords irréguliers.

« Tu es sûre que tu n'abuses pas de leur hospitalité ? lui demanda son père un soir.

— Non. Aubrey m'a invitée.

— Oui, mais tu passes tout ton temps là-bas.

— Tu te soucies de ce que je fais maintenant ? »

Son père s'arrêta sur le seuil de la chambre. « Ne joue pas au plus malin avec moi. »

Elle se rendit chez Aubrey malgré tout, même si les deux filles passaient leurs soirées, généralement, à ne rien faire. Affalées dans le canapé, elles regardaient de médiocres émissions de téléréalité et se vernissaient mutuellement les ongles des pieds. Parfois, elles sortaient en ville et s'engouffraient dans les petites boutiques du port. L'été précédent, Nadia avait travaillé là, chez Jojo's Juicery, souriant plaintivement pendant que les clients déchiffraient le menu arc-en-ciel accroché au-dessus de sa tête. Elle rêvassait tout en suivant les recettes de smoothies sur les fiches plastifiées fixées sur le comptoir. Elle servait essentiellement de riches Blancs qui déambulaient avec des pulls pastel noués sur les épaules, comme si c'était trop dur de les porter. Elle n'avait jamais mis les pieds dans aucun restaurant du port comme Dominic's ou le Lighthouse Oysters, des endroits chics qu'elle ne pourrait jamais s'offrir, mais elle plaisantait avec les serveurs et les serveuses, parfois, quand ils venaient chez Jojo's. Une serveuse de chez D'Vino lui avait raconté qu'un producteur de Hollywood avait renvoyé trois fois son plat de pâtes en lui criant « *Al dente ! Al dente !* », jusqu'à ce qu'elles soient suffisamment fermes à son goût. Il faisait le beau devant la blonde au visage buriné qui l'accompagnait et demeurait indifférente, et c'était pitoyable : à quoi bon être un producteur de Hollywood si vous deviez crier après une serveuse pour exister ? Au moins, chez Jojo's, personne n'essayait d'impressionner son rancard. Pendant ses heures de travail, Nadia aimait regarder, à travers la vitre, les bateaux amarrés dans le port, avec leurs voiles colorées, mais parfois cette vue l'emplissait de tristesse. Elle n'était jamais rentrée à l'intérieur d'un bateau, et pourtant ils mouillaient à moins de dix mètres d'elle. Elle n'était jamais allée nulle part.

Certains jours, elle passait à l'église après le travail pour aider Aubrey dans ses tâches de bénévolat. Elles préparaient des paniers-repas pour les sans-abri, nettoyaient la salle de classe de sœur Willis, effaçaient les tableaux noirs, grattaient la pâte à modeler sur les tables. Le vendredi soir, elles animaient le bingo du troisième âge : elles traînaient des empilements de chaises métalliques, disposaient les collations et tiraient au sort les numéros que des personnes âgées les obligeaient à répéter au moins trois fois. D'autres fois, elles sirotaient des smoothies sur le port et faisaient du lèche-vitrines. Dans l'obscurité naissante, les bateaux tanguaient. Quand Nadia se glissait dans le lit d'Aubrey, elle avait l'impression de tanguer, elle aussi. Dans quinze jours, elle partirait pour l'université. Elle errait entre deux existences et, malgré l'excitation, elle ne se sentait pas encore prête à perdre la vie qu'elle avait découverte cet été.

Parfois, Kasey préparait un barbecue et elles mangeaient toutes dans le jardin, puis elles allaient acheter des granités au bout de la rue. Monique leur racontait des anecdotes de son travail : un homme hallucinant avait sorti son œil de son orbite, une femme s'était endormie au volant, avait percuté une clôture et failli s'empaler sur le poteau. Un soir, elle leur parla d'une fille qui avait avalé des pilules abortives illégales achetées au Mexique et n'avait pas voulu l'avouer, jusqu'à ce qu'elle se vide de son sang aux urgences.

« Cette fille, qu'est-ce qu'elle est devenue ? demanda Nadia, plus tard, pendant qu'elles faisaient la vaisselle.

— Qui ça ? répondit Monique en lui tendant une assiette à essuyer.

— Cette fille, celle qui a pris ces pilules du Mexique. »

Elle n'arrivait toujours pas à prononcer le mot « avorter ». Peut-être qu'il sonnerait différemment dans sa bouche.

« Elle a fait une terrible infection. Mais elle s'en est tirée. Ces filles ont peur d'avouer qu'elles sont enceintes, alors elles achètent sur Internet ces pilules bon marché dont tout le monde ignore la composition. Elle serait morte si elle n'avait pas eu le réflexe d'appeler à l'aide. Surtout, ne faites pas ça. Venez m'en parler, OK ? Moi ou Kasey. On vous conduira chez le médecin. N'essayez pas de faire pareil dans votre coin.

— Tu crois que c'est grave ? demanda Nadia à Aubrey, peu après. Ce que cette fille a fait ?

— Ben oui. Mo dit qu'elle a failli mourir.

— Non, pas dans ce sens-là. Est-ce que tu penses que c'est mal ?

— Oh. » Aubrey éteignit la lumière et l'autre moitié du lit ploya sous son poids. « Pourquoi ?

— Comme ça. »

Dans l'obscurité de la chambre, elle distinguait à peine la silhouette d'Aubrey, encore moins son visage. Dans l'obscurité, elle pouvait parler sans risque. Allongée sur le dos, elle contemplait le plafond.

« Des fois, je me dis que... » Elle s'interrompit. « Si ma mère s'était débarrassée de moi, est-ce qu'elle serait toujours en vie ? Peut-être qu'elle aurait été plus heureuse. Peut-être qu'elle aurait pu avoir une vraie vie. »

Ses amis auraient poussé un cri de surprise, l'auraient regardée avec des yeux écarquillés. « Comment peux-tu penser une chose pareille ? » auraient-ils dit en lui reprochant de nourrir des idées aussi noires. Mais Aubrey se contenta de serrer sa main dans la sienne. Elle comprenait le sentiment de perte ; elle savait qu'il vous poussait à imaginer tous les scénarios. Nadia avait dans sa tête différentes versions de la vie de sa mère, des versions qui ne s'achevaient pas par une balle qui lui explosait la cervelle. Dans sa tête, Elise ne berçait plus un corps minuscule et fripé dans un lit d'hôpital, avec un sourire épuisé. Elle avait dix-sept ans et elle avait peur, elle attendait qu'on appelle son nom, dans une clinique d'avortement. Elise, qui n'était plus sa mère alors, quittait le lycée, entrait à l'université, étudiait jusqu'en troisième cycle. Elle écoutait des conférences, ou elle en donnait, debout derrière un pupitre, se grattant le mollet avec un orteil. Elle voyageait à travers le monde, posait sur les falaises de Santorin, les bras tendus vers le ciel bleu. Elle était toujours sa mère, mais dans cette version de la réalité, Nadia n'existait pas. Au moment où sa vie à elle s'arrêtait, celle de sa mère débutait.

Cet été-là, les filles se rendirent à Los Angeles pour visiter différentes plages. Curieusement, le soleil, le sable et l'eau salée étaient plus attirants, plus glamour même, à l'ombre de Hollywood. Elles déambulèrent à Venice Beach, devant les sportifs qui soulevaient de la fonte et les dispensaires qui vendaient de l'herbe, les boutiques de tee-shirts, les stands de churros et les percussionnistes qui tapaient sur des seaux. Elles se baignèrent à Santa Monica Beach et roulèrent à travers les collines sinueuses jusqu'à Malibu. Elles explorèrent d'autres endroits : elles traversèrent le centre de San Diego en tramway, firent du lèche-vitrines à Horton Plaza, se promenèrent à Seaport Village et parvinrent à se faufiler dans des boîtes de nuit du quartier de Gaslamp. Nadia embobina un videur qui les laissa entrer dans un club souterrain où des petits verres étaient éclairés en rouge au-dessus du bar et d'énormes ventilateurs industriels tournaient paresseusement au plafond. Nadia devait hurler dans l'oreille d'Aubrey pour se faire entendre. Elles rencontrèrent des garçons. Des garçons qui se lançaient des ballons de football sur la plage, des garçons penchés aux vitres de leurs voitures, des garçons qui fumaient des cigarettes devant des fontaines à eau, des garçons qui n'étaient presque plus des garçons, qui voulaient leur payer un verre dans des clubs. Des garçons qui s'agglutinaient autour d'elles au bar. Pendant que Nadia flirtait, Aubrey semblait se replier sur elle-même, les bras fermement croisés sur la poitrine. Elle n'avait jamais eu de petit ami, mais comment pouvait-elle espérer en trouver un si elle ne se lâchait pas ? Alors, pour une de ses dernières soirées à Oceanside, Nadia sut exactement où elle devait emmener Aubrey : chez Cody Richardson. Aubrey n'y avait jamais mis les pieds, et maintenant que ses jours en ville étaient comptés, Nadia se sentait assez nostalgique pour y retourner. En outre, pour être honnête, elle espérait y croiser Luke. Elle avait imaginé leurs adieux : rien de théâtral, ce n'était pas leur genre, mais une ultime conversation au cours de laquelle elle verrait, dans ses yeux, qu'il savait qu'il lui avait fait du mal. Elle voulait sentir qu'il regrettait de l'avoir quittée, de ne pas l'avoir aimée comme il aurait dû le faire. Elle voulait qu'une fois dans sa vie une chose se finisse proprement.

Le soir de la fête, elle s'assit au bord du lit d'Aubrey pour l'aider à se maquiller. Elle renversa la tête de son amie vers elle et lui appliqua délicatement du fard à paupières doré.

« Tu dois mettre cette robe, dit-elle.

— Je te l'ai dit, elle est trop courte.

— Fais-moi confiance. Tous les mecs voudront sortir avec toi ce soir. »

Aubrey ricana. « Et alors ? J'ai pas dit que j'avais envie de sortir avec eux.

— Tu veux pas savoir à quoi ça ressemble ?

— Quoi donc ?

— Le sexe. » Nadia gloussa. « Ne t'attends pas à quelque chose de beau et de romantique. Ce sera affreusement gênant.

— Pourquoi gênant ?

— Parce que… Est-ce qu'un garçon t'a déjà vue nue ? »

Aubrey ouvrit les yeux.

« Hein ?

— Jusqu'où t'es déjà allée ?

— Je ne sais pas… Un baiser ?

— Bon sang. Tu t'es jamais fait peloter ? »

Aubrey referma les yeux.

« On pourrait parler d'autre chose, s'il te plaît ?

— T'es trop mignonne, fit Nadia en riant. Je n'ai jamais été comme toi. J'ai perdu ma virginité et… » Elle haussa les épaules. « Maintenant je ne lui adresse même plus la parole. »

Nadia n'avait jamais parlé de Luke à Aubrey. Elle ne savait pas comment expliquer leur histoire, et elle aurait trop honte de s'y risquer, car tout ce qui s'était passé entre eux montrait qu'elle avait fait des choix stupides. C'était elle qui s'était rendue chez Fat Charlie, jour après jour, pour le voir. Elle qui était tombée amoureuse d'un garçon qui ne voulait pas que l'on sache qu'il sortait avec elle. Elle qui avait commencé à coucher avec lui sans insister pour qu'il mette chaque fois un préservatif. Elle s'était comportée comme ces idiotes contre lesquelles sa mère la mettait en garde. L'idée qu'Aubrey le découvre lui était intolérable.

Aubrey ouvrit les yeux de nouveau. Ils larmoyaient. En prenant soin de ne pas étaler l'eye-liner, Nadia les tamponna avec un mouchoir.

« J'aimerais être comme toi, soupira Aubrey.

— Crois-moi, tu ne veux pas me ressembler. »

Ce soir-là, la plage était déserte, à l'exception d'un feu de camp qui tremblotait au-delà de la chaise haute des surveillants de baignade. C'était un peu leur île privée. Nadia prit la main d'Aubrey, tandis qu'elle tirait sur sa minirobe noire.

« Empêche-moi de trop boire, dit Aubrey.

— Justement... on va te décoincer ce soir.

— Non, sérieusement, Nadia. Je tiens pas l'alcool.

— Oh, pas à ce point-là quand même.

— Détrompe-toi. »

La cuisine de Cody Richardson était encore plus bondée que d'habitude. Des skaters aux jeans déchirés braillaient autour d'une partie de *beer-pong*, pendant qu'à côté d'eux trois grosses blondes comptaient à voix haute avant d'avaler cul-sec des shots de tequila. Par terre, une fille au teint pâle, avec des taches de rousseur, tendait un joint à deux garçons maigrelets, trop occupés à se rouler des pelles pour s'en apercevoir. Nadia prépara un cocktail à Aubrey, qui secoua la tête.

« C'est trop, dit-elle en repoussant le gobelet.

— Il y a juste deux petits verres d'alcool !

— Tu n'as même pas mesuré.

— J'ai versé pendant deux secondes. C'est pareil. »

Après le premier verre, Aubrey commença à se détendre. Après le deuxième, elle souriait et se moquait de savoir que sa robe laissait presque voir son cul. Après le troisième, elle dansait avec un garçon qui lui ne s'en moquait pas. Nadia vint la chercher avant que le garçon n'ait les mains trop baladeuses. Aubrey était adorable quand elle avait bu. Elle noua ses bras autour du cou de Nadia et joua avec ses cheveux. Elle lui dit qu'elle l'aimait, encore et encore. Chaque fois, Nadia répondit par un petit rire.

« Si, si, dit Aubrey. Je t'aime vraiment. »

Quand Nadia avait-elle entendu ces paroles ? Elle avait honte de ne pas s'en souvenir, alors elle fit semblant de ne pas avoir entendu. Elle tendit une bouteille d'eau à Aubrey.

« Tiens, bois avant de vomir. »

Faire la fête chez Cody tout en restant sobre était une étrange expérience. Nadia avait l'impression de se trouver dans un musée et de se faufiler sous les barrières pour examiner les œuvres de plus près. Elle remarquait les détails, la tristesse derrière les sourires, les visages fatigués, tendus par un bonheur feint. Elle se sentait réconfortée, d'une certaine façon, en constatant qu'elle n'était pas la seule qui jouait la comédie. Elle finit sa bière, à peine grisée, tandis qu'Aubrey l'incitait à boire plus.

« Je ne peux pas. Je conduis.

— T'es pas drôle !

— Si... »

Aubrey fit la moue. « Non !

— Si. Et toi, tu t'amuses. C'est le but.

— Tu restes assise !

— Je m'amuse quand même », répondit Nadia.

Et curieusement, c'était vrai, même si elle n'était pas ivre, même si elle était déçue de ne pas avoir vu Luke. Elle se réjouissait, presque, de voir Aubrey faire la fête, étourdie comme quelqu'un qui vient de se libérer de son corps.

« La vache, Aubrey, dit Nadia en la prenant par la taille pour l'aider à avancer dans l'allée de Monique et de Kasey. Tu tiens vraiment pas l'alcool.

— Je suis pas ivre à ce point.

— Oh, si.

— Non...

— Je te dis que si. » Elle chercha la clé dorée de la maison dans le sac à main d'Aubrey. « Maintenant, ferme-la, OK ? Tout le monde doit dormir. »

Elle plaqua sa main sur la bouche de son amie tandis qu'elle la poussait à l'intérieur de la maison plongée dans l'obscurité. Le plancher craquait sous leurs pieds ; elle entraîna Aubrey dans le couloir, en marchant tout doucement, la paume mouillée par le souffle de son amie. Dans la chambre, Aubrey se laissa tomber sur le lit, bras et jambes en croix comme une étoile de mer. Nadia se trémoussa pour ôter sa robe.

Elle jeta un coup d'œil dans le miroir. Derrière elle, Aubrey s'était dressée sur les coudes et elle la regardait se déshabiller.

« Tu es si jolie. »

Nadia rit, en fouillant dans le tiroir à la recherche d'un tee-shirt pour dormir. Elle était gênée de savoir qu'Aubrey l'observait. Elle n'avait jamais aimé que quelqu'un la regarde se déshabiller, pas même Luke. Elle enfila un tee-shirt des Chargers délavé et attacha ses cheveux en un chignon négligé.

« C'est vrai, ajouta Aubrey. Tu es tellement jolie que c'est injuste.

— Allez, au lit.

— Je suis pas fatiguée.

— Tu veux mettre un short ? Tu vas pas dormir avec ta robe, si ?

— On se parlera encore, hein ? Quand tu seras à la fac. »

La gorge de Nadia se serra, mais elle ne dit rien, protégée par l'obscurité et le silence.

« Bien sûr », répondit-elle finalement, sans savoir qui, d'Aubrey ou d'elle-même, elle essayait de rassurer.

Au bout du couloir, le climatiseur bourdonnait bruyamment, mais son esprit refusait de se calmer, même lorsque Aubrey, couchée sur le ventre comme un bébé, devint silencieuse à côté d'elle. Nadia posa une main sur son dos ; elle le sentait se soulever et retomber.

« Tu te souviens du trampoline ? dit Aubrey à voix basse. Je t'en ai parlé. Dans le jardin de ma voisine.

— Oui. Eh bien ? »

Aubrey ferma les yeux, sa voix se mua en un murmure. « C'était mon tout premier secret. »

Le matin, la jambe éclopée de Luke l'élançait. C'était une douleur inhabituelle. Les autres types de douleur, il connaissait : conséquences d'une jeunesse intrépide. Un bras cassé après avoir été mis au défi de se balancer dans la cage aux écureuils avec les yeux bandés ; des chevilles foulées et des doigts tordus à cause de parties de basket improvisées prises trop au sérieux ; des côtes fêlées par des bagarres d'ivrognes avec des copains. À l'université, il avait entretenu des relations intimes avec la douleur : les muscles raides, les efforts fiévreux au-delà de toute limite raisonnable, le poids de cinquante kilos dans le dos, qui s'enfonce dans vos épaules et vous coupe la respiration. La douleur qui faisait dire : « Je suis trop fatigué, je ne peux pas me lever, je ne réfléchis plus, je survis simplement. » Après le football, il pensait qu'il ne pourrait jamais oublier la douleur. Il sentait encore cette violence dans son corps, elle résonnait contre ses os.

Mais sa jambe le faisait souffrir différemment, ce n'était pas la douleur cinglante ni le gonflement qu'il connaissait, juste une douleur sourde, aguerrie, qui s'enflammait quand il marchait, surtout le matin après une nuit d'immobilité. Alors, quand sa mère frappa à sa porte un dimanche matin, tôt, il lui fallut une minute pour se dépêtrer de ses draps et traverser la chambre en traînant la patte, pieds nus.

Des fragments de lumière dorée filtraient entre les lamelles des stores et se répandaient sur la moquette. Il ouvrit la porte avec précaution et passa la tête dans le couloir. Sa mère se tenait devant lui, vêtue de son tailleur pêche, son sac à main sous le bras. Il plissa les yeux à cause du soleil et se racla la gorge.

« Qu'est-ce que tu veux, maman ?

— Bonjour, maman. Comment ça va, maman ? Je suis content de te voir, maman...

— Pardon, je viens de me réveiller.

— Laisse-moi te faire un câlin, puisque je vais passer la journée à travailler et à me terrer dans mon bureau... »

Luke avança légèrement et étreignit brièvement sa mère.

« Je ne t'ai pas conseillé d'aller voir un médecin ? demanda-t-elle.

— C'est pas si douloureux.

— Il peut à peine marcher et il n'écoute pas les conseils qu'on lui donne ! » Sa mère secoua la tête. « Pourquoi tu restes planté devant la porte comme ça ?

— Pour que tu ne rentres pas. C'est le bazar.

— Tu crois que je ne le sais pas ?

— Qu'est-ce qu'il y a, maman ?

— Rien. Je voulais juste voir mon fils.

— J'ai eu un tas de choses à faire. »

Elle ricana. « Des choses à faire. Je sais que tu penses encore à la fille Turner. Tu es comme ton père : incapable de tirer un trait sur le passé. » Elle lui caressa la joue. « Écoute... ce qui est fait est fait. Tu t'es fourré dans le pétrin et tu devrais être à genoux, en train de remercier Dieu, de t'en être sorti. Tout le monde n'a pas droit à une seconde chance, tu sais.

— Oui, je sais.

— Il faut que tu viennes à l'église. Si tu écoutais un peu plus les Évangiles, peut-être que tout cela ne serait pas arrivé. »

Luke n'avait pas eu l'intention d'impliquer ses parents dans cette histoire, mais il avait un besoin pressant d'argent, et une partie de lui-même avait espéré qu'ils le réprimanderaient pour avoir seulement songé à supprimer ce bébé et qu'ils refuseraient de lui donner le moindre dollar. Il serait retourné voir Nadia, avec un air de chien battu, en levant les mains au ciel, pour lui expliquer qu'il avait fait tout son possible, mais n'avait pas réussi à trouver l'argent, alors peut-être qu'ils devraient prendre le temps de réfléchir à tout ça. Mais ses parents, qui ne buvaient pas d'alcool, ne juraient pas et ne regardaient même pas des films interdits aux moins de dix-huit ans, avaient aidé Nadia à tuer *son* bébé. Il le leur avait demandé.

« OK, dit-il. J'essaierai. »

À Oceanside, les saisons se fondaient dans le soleil permanent, d'un bout à l'autre de l'année, mais l'automne arrivait quand même : de joyeux messages de bienvenue s'inscrivaient maintenant sur le panneau lumineux du lycée ; les sacs à dos et les classeurs trônaient à l'entrée du Walmart. Nadia avait reçu des mails de l'Université du Michigan à propos de son programme d'orientation. Elle s'efforçait de ravaler son angoisse devant les photos clichées de la rentrée, décorées de feuilles rouges et orange. À Oceanside, les feuilles n'offraient pas une explosion rouge et orange, elles se flétrissaient et prenaient une couleur vert pâle qui emplissait les caniveaux et bordait les rues. Mais pour la première fois de sa vie, lorsque les arbres seraient nus, elle vivrait ailleurs.

Le dimanche précédant son départ pour le Michigan, le Cénacle organisa une collecte d'adieu. Nadia était la première parmi les fidèles à décrocher une bourse pour étudier dans une grande université, mais cela ne couvrait pas tous les frais. Elle aurait besoin de petites choses – un vrai manteau d'hiver, par exemple –, c'est pourquoi le pasteur demanda à Nadia et à son père de se tenir devant l'autel, un pot de peinture vide à leurs pieds. John Numéro Deux y déposa l'argent de ses cigarettes ; de toute façon, il avait promis à sa femme d'arrêter de fumer. Sœur Willis donna ce qu'elle avait mis de côté pour son billet de loterie, et murmura à Magdalena Price qu'elle espérait que ses numéros ne sortiraient pas cette semaine. Les Mères elles-mêmes lancèrent quelques dollars dans le pot de peinture, habituées depuis longtemps à faire durer les chèques de l'aide sociale, à l'instar du produit à vaisselle dilué. Distraite par tous ces fidèles qui se levaient l'un après l'autre pour effectuer un don, Nadia faillit ne pas remarquer Luke, assis sur le banc du fond. Il portait un costume gris qui lui cisaillait les épaules et quand Nadia croisa son regard, le bras de son père sembla se resserrer autour d'elle.

Après l'office, tandis que son père faisait la queue pour remercier le pasteur, elle sentit Luke se glisser contre elle dans le hall.

« On peut parler ? » demanda-t-il.

Elle hocha la tête et le suivit vers la sortie. Ils contournèrent les fidèles rassemblés dans le hall et firent le tour de l'église jusque dans le petit jardin de derrière. Des gerberas violets formaient des grappes autour de la fontaine et une vernonia se déployait au-dessus du banc de pierre sur lequel s'assit Luke en tendant sa jambe éclopée. Nadia s'accroupit près de lui.

« Il paraît que tu as eu un accident de voiture, dit-il.

— Il y a plusieurs mois déjà.

— Ça va ? »

Elle détestait cette fausse sollicitude. Elle se releva.

« Je n'ai pas l'argent, annonça-t-elle.

— Hein ?

— La collecte. C'est mon père qui l'a. Mais je te rembourserai.

— Nadia...

— Six cents dollars, c'est bien ça ? Je ne voudrais surtout pas que tu aies le sentiment de m'avoir rendu service.

— Je suis désolé. » Luke jeta un coup d'œil par-dessus son épaule, puis se pencha en avant et baissa la voix. « Je ne pouvais pas aller à la clinique. Si quelqu'un m'avait vu...

— Mais tu n'en avais rien à foutre qu'on me voie ?

— C'est pas pareil. Tu n'es pas la fille du pasteur.

— J'avais besoin de toi. Et tu m'as lâchée.

— Désolé, répéta-t-il, plus bas. Je ne voulais pas.

— Mais tu l'as fait...

— Non, pas ça. Je ne voulais pas tuer notre bébé. »

Plus tard, elle imaginerait leur bébé qui grandissait. Bébé fait ses premiers pas. Bébé lance son biberon à travers la pièce. Bébé apprend à sauter. Toujours « Bébé », même si, parfois, elle se demandait comment elle l'aurait appelé. Luke, comme son père, ou Robert comme le sien ? Elle pensait même à des prénoms plus lointains, comme celui du père de sa mère, Israel, mais elle ne pouvait pas imaginer un bébé portant le poids de ce nom, sa sévérité biblique. Alors, ça restait Bébé, même si, dans son esprit, c'était un garçon, puis un adolescent et un homme. À partir du jour où Luke avait dit « notre bébé », et non pas « le bébé » ou « il », elle ne put s'empêcher de se demander ce que serait devenu Bébé.

Ce soir-là, le Flying Bridge était quasiment désert, à l'exception des pêcheurs qui partageaient une tournée au bar, leurs dos larges voûtés sous les chemises en flanelle. Dans le box du fond, Aubrey l'attendait. Parfois, Nadia envisageait de tout lui raconter : Luke, l'avortement. Elle s'imaginait avec elle dans une pièce sombre ; elle prendrait une inspiration tremblante et se confesserait, et Aubrey lui dirait qu'elle était pardonnée. Parfois, elle se demandait si c'était cela qui l'avait attirée vers elle. Peut-être qu'une petite partie d'elle-même songeait que, en étant proche d'Aubrey, de sa bague de virginité et de sa bonté d'âme, elle serait absoute d'une certaine manière. Elle fermerait les yeux, sentirait la main d'Aubrey sur son front, et tous ses péchés quitteraient son corps.

« Qu'est-ce qui ne va pas ? » demanda Aubrey, dès que Nadia se fut assise.

Elle pourrait peut-être lui avouer qu'elle n'était pas prête à avoir un enfant, à renoncer à son avenir, qu'elle ne pouvait imaginer vivre plus longtemps prisonnière d'une maison qui lui rappelait sa mère. Qu'elle avait cru que Luke et elle étaient d'accord pour dire que ce serait la meilleure solution, mais elle s'en fichait en réalité, car elle avait bien le droit d'être égoïste pour une fois. C'était elle qui partagerait son corps avec une toute nouvelle personne, alors elle pouvait décider, pas vrai ? Mais le visage de Luke aujourd'hui, quand il lui avait avoué qu'il voulait ce bébé, pas *le* bébé, *notre* bébé, l'avait détruite. Elle n'aurait jamais imaginé qu'il réagisse de cette façon. Il aurait dû être soulagé d'être libéré de ses responsabilités ; elle avait géré la partie la plus difficile et résolu le problème. Mais peut-être que Luke était horrifié par ce qu'elle avait fait. Peut-être qu'il l'avait laissée à la clinique parce qu'il n'aurait pas supporté de croiser son regard.

Elle pourrait dire tout cela à Aubrey, et celle-ci comprendrait. Ou pas. Son visage se décomposerait, comme celui de Luke – sous l'effet de l'horreur, du dégoût – et elle quitterait le box, incapable de comprendre comment on pouvait tuer un pauvre bébé sans défense. Ou alors, elle dirait qu'elle comprenait, mais avec un maigre sourire crispé, et elle lui téléphonerait de moins en moins, jusqu'à ce qu'elles ne se parlent plus. Elle la quitterait, comme tout le monde, tôt ou tard.

Nadia s'extirpa du box ; elle se sentait soudain prise au piège. Elle se dirigea vers la table de billard et fit courir sa main sur le feutre vert. Son père lui avait appris à jouer. Une année, au réveillon de Noël, il l'avait emmenée chez son commandant, et pendant que ses collègues buvaient de l'*eggnog* corsé, il avait passé la soirée, dans un coin, à l'initier au billard. Puis ils étaient rentrés à la maison sans se presser, en faisant le tour des quartiers pour regarder les décorations. Malgré ses supplications, son père n'installait jamais de guirlandes chez eux, mais il aimait l'emmener faire un tour en voiture pour lui montrer les magnifiques créations des voisins.

« Tu sais jouer ? » demanda Aubrey. Comme Nadia secouait la tête, elle ajouta : « Tu veux apprendre ?

— Tu joues au billard ?

— Kasey m'a appris. » Elle prit une queue et en tendit une à Nadia. « T'inquiète pas, je vais te montrer. »

Elle lui enseigna patiemment les rudiments, puis se plaça derrière elle pour corriger sa posture. Ses cheveux lui chatouillaient la nuque pendant qu'elle guidait sa main pour le premier coup. Nadia avait envie de sentir cette pression douce, constante, ce contact d'une autre personne. Elle voulait qu'Aubrey la tienne dans ses bras, même si ce n'était qu'une drôle d'étreinte.

« Tu peux me montrer encore une fois ? » demanda-t-elle.

Six

Nous avons quitté le monde.

Chacune à un moment différent et d'une manière différente. Betty l'a quitté quand son mari est mort. Au cours d'un voyage d'affaires, il s'est endormi un soir et ne s'est jamais réveillé. Elle ne trouvait pas normal que quiconque meure dans un motel, seul, jusqu'à ce qu'une femme de chambre entre avec un chariot de serviettes propres. Elle pensait souvent à cet instant : la femme de chambre avait certainement poussé un grand cri, elle avait renversé son chariot en reculant, les serviettes s'étaient envolées. Betty s'imaginait en train d'envelopper son mari dans une de ces serviettes blanches duveteuses, en le tenant sur ses genoux. Mais il avait déjà quitté ce monde, alors elle l'avait quitté avec lui. Flora avait quitté le monde quand ses enfants s'étaient disputés pour savoir qui allait devoir s'occuper d'elle. Elle avait encore fait sur elle, et les avait écoutés discuter, souillée de sa propre urine. Agnes avait quitté le monde il y a longtemps, le jour où elle était allée dans une boutique avec ses enfants et que le Blanc derrière le comptoir avait dit : « Montre-moi d'abord si tu as de l'argent. » Il l'avait obligée à vider son porte-monnaie devant lui, et ses quelques pièces avaient roulé sur le comptoir, pendant qu'il riait, sous le regard de ses enfants.

Mes sœurs, dit-elle, cette terre n'a rien de bon à m'offrir. Pas ce que je veux, en tout cas.

Nous avons essayé d'aimer ce monde. Nous avons nettoyé derrière lui, nous avons récuré ses sols d'hôpital et repassé ses chemises, transpiré dans ses cuisines et servi les repas de cantine, nous nous sommes occupées de ses malades et de ses bébés. Mais le monde ne voulait pas de nous, alors nous l'avons quitté et nous avons offert notre amour au Cénacle. Maintenant, nous avons peur. Un soir, un garçon a arraché son sac à Hattie, et depuis, aucune de nous ne sort à la nuit tombée. Nous n'allons quasiment nulle part, sauf au Cénacle. Nous avons vu ce que ce monde a à offrir. Nous avons peur de ce qu'il veut.

Dans le Michigan, Nadia Turner apprit à avoir froid.

À porter des gants, même si ça l'empêchait d'envoyer des textos. À ne jamais envoyer de textos en marchant car vous risquiez de glisser sur une plaque de verglas. Elle apprit à porter une écharpe, en permanence ; ce n'était pas uniquement un élément décoratif comme celles qu'elle portait en Californie avec ses débardeurs. À toujours se faire vacciner contre la grippe, au dispensaire. Elle prit l'habitude d'avaler des gélules d'huile de foie de morue car son petit copain, Shadi, ne jurait que par ça ; ou plutôt, sa mère soudanaise ne jurait que par ça et elle lui en envoyait des boîtes entières. Il avait grandi à Minneapolis, alors il connaissait le froid. Il lui conseilla de glisser des chaufferettes dans ses poches, lui apprit qu'il valait mieux utiliser du sable que du sel pour faire fondre la glace et lui recommanda de prendre de la vitamine D parce qu'elle était noire.

« Tu crois que je plaisante, dit-il. Mais ce n'est pas naturel pour une personne de couleur de vivre dans ces températures. »

Elle fit des recherches avec son téléphone. Shadi avait raison : les gens à la peau foncée avaient besoin de plus de vitamine D, et il avait raison également en disant que ce n'était pas naturel pour elle de vivre dans le Michigan, à Ann Arbor. Jamais elle n'avait vécu dans un endroit aussi blanc. Il lui était arrivé d'être la seule Noire – dans des restaurants, des cours de perfectionnement, mais il y avait toujours des Philippins, des Samoans et des Mexicains autour d'elle. Là, elle découvrait des amphis remplis de jeunes Blancs venant des petites villes alentour, et dans les groupes de discussion, elle écoutait ses camarades de classe blancs vanter la diversité de leur école, qualifiée de progressiste et de tolérante ; et peut-être que si vous veniez d'un milieu rural, vous pouviez avoir cette impression, en effet. Elle ressentait une forme sournoise de racisme : une attente plus longue pour qu'on vous dirige vers une table au restaurant, des jeunes Blanches qui ne déviaient pas de leur chemin, afin qu'elle marche sur la partie boueuse du trottoir, et un garçon ivre devant un club de salsa qui lui lançait qu'elle était « jolie pour une Noire ». En un sens, ce racisme subtil était pire car il vous rendait fou. Vous passiez votre temps à vous demander : est-ce vraiment du racisme ? Ou bien un effet de mon imagination ?

Nadia avait rencontré Shadi au cours d'une réunion du Syndicat des étudiants noirs à laquelle l'avait traînée son amie Ekua, au début de sa première année. Barack Obama venait d'être élu Président, et le syndicat avait organisé, avec l'Alliance Gays-Hétéros, un forum pour savoir si la forte participation des Noirs à l'élection avait entraîné l'interdiction du mariage gay en Californie. À cette époque, Nadia s'était déjà lassée de ces réunions, mais elle y était allée car elle avait le mal du pays. Demeurée au fond de la salle, elle remplissait son assiette de poulet gratuit de chez Boston Market, quand elle avait remarqué Shadi parmi les intervenants. Il avait la peau très foncée et un sourire qui fendait son visage en deux et transformait en croissants de lune ses yeux déjà un peu bridés. Avec ses grosses lunettes d'écaille, il avait une tête d'intello coincé, mais son corps paraissait svelte et athlétique, même sous son pull. Plus jeune, il avait fait de la boxe, apprendrait-elle plus tard, ce qui ne lui correspondait pas : c'était une activité inutilement dangereuse pour quelqu'un qui avalait encore des gélules d'huile de foie de morue parce que sa mère l'exigeait. Il ne ressemblait pas du tout aux garçons qui lui plaisaient habituellement, des garçons effrontés et frimeurs qui venaient à l'école sans cartable, avec juste un classeur sous le bras, le plus fin possible, pour bien montrer qu'ils s'en foutaient. Shadi, lui, avait un objectif, elle le devinait. Il avait écrasé tout le monde au cours de ce débat, en abordant tellement de points de vue différents que, très souvent, elle n'aurait su dire dans quel camp il se situait. Il remettait même en question l'existence de camps.

« C'est quoi, cette connerie de Noirs contre homos ? avait-il demandé à un moment en se penchant au-dessus de la table. Je vous signale qu'il existe des Noirs gays. »

Pendant une seconde, Nadia avait senti son cœur se serrer. Parlait-il de lui ? Mais, une fois le débat terminé, il l'avait rejointe au fond de la salle pour lui demander ce qu'elle pensait. Il gardait les mains dans les poches et la tête baissée, et elle avait compris qu'il l'avait remarquée de loin, depuis le début, et que son petit numéro lui était destiné. Alors, peut-être qu'il ressemblait aux garçons qui lui plaisaient habituellement, au moins un peu.

Shadi se passionnait pour les droits de l'homme et, au cours de leur deuxième année de fac, il créa sur le campus un journal consacré aux mouvements politiques en Palestine, au Soudan et en Corée du Nord. Nadia se surprit à lire des articles sur des endroits qui lui avaient toujours paru flous et lointains. Quand elle lui annonça qu'elle avait reçu un mail lui proposant d'aller étudier à l'étranger, il l'encouragea à accepter, et cet hiver-là, alors qu'il s'envolait pour Pékin, elle partit pour Oxford.

« Ce n'est pas dangereux ? demanda son père quand elle l'appela pour lui annoncer la nouvelle.

— C'est l'Angleterre, pas l'Afghanistan.

— Combien ça va coûter ?

— Ma bourse couvre les frais, répondit-elle, sans préciser qu'elle avait trouvé par ailleurs un job chez Nouilles & Co pour payer ce voyage.

— Tu as tous les documents nécessaires ? Ton passeport et le reste ? »

Shadi l'avait conduite au service des passeports pour qu'elle se fasse photographier. Il avait déjà des tampons français, sud-africains et kenyans dans le sien et, alors que Nadia attendait dans un petit bureau, elle avait pris conscience que sa mère n'avait jamais quitté les États-Unis. Voilà ce que serait sa vie désormais : accomplir les choses que sa mère n'avait pas faites. Elle ne s'en glorifiait jamais, contrairement à ses amis, très fiers d'être les premiers dans leur famille à aller à l'université ou à décrocher un stage prestigieux. Comment pourrait-elle être fière de dépasser sa mère, alors qu'elle l'avait ralentie au départ ?

L'hiver en Angleterre fut gris et morne, mais c'était mieux qu'un hiver dans le Michigan. Tout valait mieux qu'un hiver dans le Michigan. Elle avait l'impression que chaque nouvel hiver allait la tuer, et quand arrivaient les mois de février sans ciel et les mois de mars lugubres, elle se promettait de prendre une place dans le premier avion pour la Californie. Puis le printemps revenait, toujours à l'improviste, et Ann Arbor se coulait dans un été paisible et humide ; Nadia avait alors l'impression de redevenir normale, elle faisait bronzer ses jambes aux terrasses des restaurants, se prélassait sur les toits et suppliait le soleil de s'attarder au-dessus d'elle encore un peu. C'était ce qui l'avait le plus étonnée à Ann Arbor : elle pouvait se sentir normale. Elle n'était plus la fille dont la mère s'était suicidée d'une balle dans la tête. C'était juste une adolescente de Californie, la petite amie d'un garçon ambitieux, une étudiante qui aimait faire la fête, mais ne loupait jamais les cours. Chez elle, la perte était omniprésente, elle avait du mal à voir au-delà, c'était comme essayer de regarder par une fenêtre couverte d'empreintes de doigts. Elle se sentirait toujours prisonnière derrière cette vitre placée entre elle et le reste du monde. Au moins, à Ann Arbor, la vitre était plus propre.

Chaque fois qu'elles communiquaient par Skype, par SMS ou au téléphone, Aubrey lui demandait quand elle allait revenir. « Bientôt », répondait toujours Nadia, mais elle trouvait d'innombrables raisons de ne pas rentrer : des stages d'été dans le Wisconsin et le Minnesota, un projet éduco-associatif à Detroit pour Thanksgiving, Noël chez Shadi, où il n'y avait ni petit Jésus ni crèche, mais où sa mère avait installé un sapin, un traîneau et un renne pour faire américain, si bien que toute la maison ressemblait à une publicité Coca-Cola. Nadia se demandait s'ils faisaient cela uniquement pour la mettre à l'aise et si, au cas où elle aurait annulé au dernier moment, ils auraient remballé toutes les décorations comme un décor de théâtre et commandé des plats asiatiques. Elle essayait de ne pas penser à son père, seul pour Noël une fois de plus, et elle se tourna dans le lit de Shadi, vers la fenêtre et les maisons recouvertes de neige.

Deux ans après la disparition de Nadia Turner, Luke Sheppard commença à se rendre au parc Martin Luther King Jr pour observer le jeu des Cobras. Il ignorait l'existence de cette équipe de football semi-professionnelle avant sa blessure. Puis il s'était mis à chercher du foot partout, il téléchargeait les podcasts de la NFL, il regardait les matchs d'enfants par la fenêtre de son pick-up, il écoutait les bêlements joyeux du sifflet de l'arbitre, tandis que les gamins, chancelants sous leurs casques et leurs protections, se rentraient dedans. Les parents, assis sur des chaises de jardin, les acclamaient : quand ils plaquaient, quand ils chutaient, quand le ballon leur échappait, quoi qu'ils fassent. Luke était tombé par hasard sur les Cobras cet hiver-là, un mois après son installation dans son studio. Ce jour-là, il s'était rendu au Parc MLK pour faire des tractions car il ne pouvait pas se payer un abonnement dans une salle de sport en plus de son loyer et, alors qu'il était au milieu de son entraînement, un car s'était arrêté, noir et bronze, décoré d'un serpent enroulé sur lui-même qui dardait la langue. Il avait fait semblant d'exécuter des pompes pendant que les joueurs de l'équipe descendaient du car et se mettaient en formation pour l'entraînement. Les *receivers* – dégingandés, minces et sûrs d'eux, il les repérait à tous les coups – se regroupèrent avant d'attaquer leurs courses. Luke avait repris ses pompes. L'herbe venait à sa rencontre, puis s'éloignait quand il tendait les bras. Il sentait ses ischio-jambiers se contracter ; ses doigts réclamaient le contact rugueux et ferme d'un ballon.

C'était il y a trois mois. Depuis, il avait effectué des recherches sur chaque joueur de l'équipe, sur Internet. Il avait appris les noms des attaquants titulaires, il connaissait leurs métiers et leurs surnoms, et quand il les croisait en ville, en train de faire une vidange ou de pousser un chariot au supermarché, il récitait à voix basse : Jim Fenson, *tackle* droit, plombier, surnommé « Tôle froissée ». Le samedi matin, il se rendait au parc de bonne heure pour assister à l'entraînement. Ça lui manquait de ne pas faire partie de ces alignements parfaits. Il avait envie de retrouver la forme, ne plus manger de trucs frits entre deux services, ne plus boire de bière, ne plus fumer d'herbe et recommencer à traiter son corps comme une machine, une chose qui ne sentait rien, qui ne voulait rien. Il venait de plonger vers le sol pour faire une nouvelle pompe quand il vit le coach venir vers lui.

« Je savais bien que je connaissais cette tête-là », dit le coach Wagner. Il lui sourit et lui tendit la main. « Je me souviens de toi. San Diego State. Tu étais rapide. Mais ta jambe…

— Ça va mieux maintenant, dit Luke.

— Ah bon ? »

Il effectua un sprint, avec arrêt brusque et changement de direction. Sa jambe droite lui semblait lourde à cause du manque d'exercice, la gauche l'élança dès qu'il repiqua vers l'intérieur. Quand il revint en trottinant, le coach Wagner fronçait les sourcils.

« Y a du mieux, commenta-t-il. Tu sais quoi ? Appelle-moi quand tu seras complètement rétabli. Tu pourrais nous être utile. »

Les Cobras ne payaient pas leurs joueurs – l'argent gagné par l'équipe servait à payer le matériel et les transports –, mais Luke s'en fichait. Il glissa la carte de visite dans sa poche. À côté du nom du coach, un emblème en relief représentait un serpent. Luke le caressa avec son pouce pendant tout le trajet du retour.

« Tu ne crois pas que tu devrais te concentrer sur ta carrière ? lui demanda sa mère le lendemain soir.

Penché au-dessus de la table de la cuisine, il remuait son *dirty rice*[1] dans son assiette. Il détestait les dîners dominicaux chez ses parents, mais pas au point de renoncer à la possibilité de manger gratuitement et de faire laver son linge. En entrant, son père se racla la gorge et dit : « Je ne t'ai pas vu à l'église ce matin. » Comme Luke était à court d'excuses, il se contenta de hausser les épaules. Il rêvassa durant l'interminable bénédicité de son père et pendant que ses parents parlaient du Cénacle ; il mangeait, en se demandant combien de repas lui feraient les restes qu'il emporterait en repartant ce soir.

1. Plat créole à base de riz et de poulet. *(N.d.T.)*

Habituellement, il survivait à ces repas en évitant de parler, mais il avait caressé la carte de visite dans sa poche et ressenti une excitation inhabituelle. Pour la première fois, il s'était dit qu'il avait une nouvelle digne d'être partagée. Sa mère leva un sourcil, simplement, et son père soupira, en ôtant ses lunettes.

« Trouve-toi un boulot, Luke, dit-il.

— J'en ai déjà un.

— Un vrai boulot. Pas ce truc de merde au restau.

— Et ta jambe ? demanda sa mère. Qu'est-ce qui va se passer si tu reçois encore un coup ?

— Ça fait pas si mal que ça.

Sa mère secoua la tête.

— Écoute, je sais que tu adores le football, mais il faut être réaliste maintenant.

— Quand assumeras-tu enfin tes responsabilités, Luke ? demanda son père. Quand ?

Peut-être était-il irresponsable, oui, mais il s'en fichait. Il voulait redevenir bon dans un domaine, c'est tout. En juin, il irait au parc chaque jour pour s'entraîner. CJ n'était pas capable de faire une longue passe vrillée, mais il connaissait les différentes phases de jeu, les courses, les schémas techniques. Il savait où placer le ballon et il disait, en plaisantant, que si Luke pouvait attraper les ballons qu'il lui lançait, il pourrait rattraper ceux d'un vrai *quarterback*. CJ n'était pas aussi mauvais que Luke l'avait cru, ce qui le contrariait ; il enviait CJ, malgré son talent médiocre, car il avait un corps en parfait état de marche, qui obéissait aux ordres sans se plaindre, pas un corps disloqué.

« Je suis trop lent, c'est nul, souffla-t-il.

— Hé, tu t'es bousillé la jambe, normal. » CJ se laissa tomber dans l'herbe, vêtu de son short gris du lycée, qui portait encore son nom sur la cuisse, écrit au marqueur. « Ça va prendre du temps.

— J'ai pas le temps. Allez, on remet ça. »

Après l'entraînement, il payait une bière à CJ et ils la buvaient devant chez Hosie, en regardant passer les filles qui revenaient de la plage, les jambes constellées de sable.

« Tu as des nouvelles de ta nana ? » lui demanda CJ, un soir.

Luke but une gorgée de bière tiède. Il prenait toujours de petites gorgées, lentement, pour faire durer le plaisir.

« Qui ça ?

— La lycéenne que tu te tapais.

— C'est pas ma nana.

— Il paraît qu'elle vit en Russie maintenant.

— En Russie ?

— Une connerie dans le genre. Elle vit en Russie et elle s'envoie en l'air avec un putain d'Africain. »

Luke prit une autre gorgée de bière et la fit tourner dans sa bouche. Quand Nadia était partie, dans les premiers temps, il ne pensait qu'aux étudiants qu'elle côtoyait. Il les imaginait : pas des garçons athlétiques comme lui, mais des types BCBG qui portaient des pulls de la fac et cavalaient sur le campus avec des paquets de bouquins sous le bras. Maintenant, il avait un nom : Shadi Waleed, sûrement un enfoiré d'Arabe. Grâce à l'ordinateur du restaurant, dans la salle de pause, Luke se renseigna sur lui et tomba sur des articles que Shadi avait écrits pour une sorte de journal intitulé *The Blue Review*. Et un blog – c'était un bloggeur, évidemment – consacré, découvrit-il avec étonnement, au football. Le football avec un ballon rond, certes, mais il n'en revenait pas que ce Shadi s'intéresse à des choses aussi banales que le sport. Même si ce blog évoquait la Coupe du Monde et les espoirs de la France qui reposaient sur leur attaquant musulman : n'était-ce pas ironique ? demandait-il. Luke ne voyait pas ce qu'il y avait d'ironique, mais ça faisait sans doute partie des choses que Shadi Waleed connaissait et pas lui.

Finalement, il atterrit sur sa page Facebook et s'étrangla devant les photos de son profil. Shadi se prélassait sur une chaise devant un restaurant, Nadia Turner était assise sur ses genoux, vêtue d'une longue robe à fleurs, et elle souriait derrière ses lunettes de soleil, une main posée délicatement sur l'épaule de Shadi. Elle avait vieilli, son visage était plus anguleux, ses pommettes plus saillantes. Elle paraissait heureuse. Luke fit défiler les autres photos – essentiellement des affiches pour des manifestations organisées sur le campus, quelques-unes montrant Shadi penchée au-dessus d'une femme qui portait un foulard sur la tête et devait être sa mère –, mais il revenait toujours à la photo de Nadia sur les genoux de Shadi. Elle avait poursuivi sa petite vie comme si de rien n'était, alors que lui était coincé dans le passé, à se demander sans cesse ce qui serait arrivé s'ils avaient gardé le bébé. Leur bébé.

« C'est qui, lui ? demanda un serveur en désignant le visage souriant de Shadi. Ton mec ?

Il ricana, et Luke repoussa si violemment l'ordinateur que la table trembla.

En rejoignant les Cobras, Luke pensait que sa colère finirait par retomber, mais au lieu de cela, il la sentait croître en lui. Un terrain de football était un endroit pour exprimer sa rage. Chaque fois qu'il laçait ses chaussures, il la protégeait, il la mettait en lieu sûr. La première fois qu'il reçut un coup à l'entraînement, il vit un éclair blanc, la douleur submergea son cerveau, puis il se releva en prenant appui sur le sol et reprit sa place en clopinant. Ce choc lui donna le sentiment d'être redevenu lui-même. Il se mit à provoquer et à charrier des types deux fois plus costauds que lui, qui pouvaient l'estropier en un instant.

« C'est tout ce que t'as à donner, tafiole ? Allez, enfoiré, essaie de faire mieux ! »

À l'action suivante, le même *linebacker* fonça droit sur lui, mais Luke coupa vers l'intérieur et le dépassa juste au moment où le ballon arrivait entre ses mains, et il fonça dans l'en-but. Presque déçu de ne pas avoir été plaqué de nouveau. Sa colère avait trouvé un exutoire. Tous les Cobras avaient la haine. Chacun pouvait raconter une histoire de gloire tutoyée et d'occasions manquées : le coach qui les avait entubés, les dettes familiales qui les avaient obligés à laisser tomber pour trouver un boulot, le recruteur qui n'avait jamais vu leur potentiel. Et aucune colère n'était mieux accueillie que la sienne, car il accaparait toute la pitié de l'équipe. Les autres joueurs étaient bons avec lui. C'était le plus jeune, celui à qui on avait volé son avenir. Roy Tabbot l'invitait à des parties de pêche. Edgar Harris faisait sa vidange gratuitement. Jeremy Finch lui prêta un smoking pour qu'il n'ait pas à en louer un pour le mariage d'un ami.

« Fais gaffe de pas le bousiller », dit Finch en lui tendant la housse. C'était le geste le plus gentil qu'on avait fait pour lui depuis des mois.

Quand il n'y avait pas entraînement, Luke était convié à des barbecues. Il s'allongeait dans des chaises longues pendant que ses équipiers s'affairaient en discutant de la meilleure méthode pour faire mariner un steak. Finch affirmait qu'un steak n'avait pas besoin de marinade ni de tous ces trucs de gonzesse, il fallait manger la viande normalement, comme elle devait être mangée. Désolé, rétorquait Ritter, il refusait de manger un steak qui venait directement de la vache ; ça ne voulait pas dire qu'il était un putain d'homme de Neandertal, ni une gonzesse, et Gorman faisait remarquer que Finch s'y connaissait question « viande fraîche ». Les épouses apportaient des salades de pommes de terre et du gratin de macaronis, et se joignaient parfois au groupe pour se moquer des hommes. Et Luke pensait : je pourrais avoir la même vie.

Assis près de la piscine gonflable, il regardait les enfants des Cobras patauger, et quand ils sortirent de l'eau, ils lui sautèrent dessus pour essayer de le plaquer ; leurs corps étaient mouillés et froids. En s'extirpant de ce tas humain, Luke découvrit une des épouses – celle de Gorman ou de Ritter, il les confondait toujours – qui se tenait devant lui, une main devant les yeux pour se protéger du soleil. Elle lui souriait.

« Tu sais y faire avec les enfants, dit-elle.

— Merci. »

Il eut honte du sentiment de bien-être que lui procura cette remarque.

Un soir, tard, après un barbecue, une fois le calme revenu, alors qu'il finissait une bière sous la lumière déclinante d'une torche tiki, il confia à Finch qu'il avait été père autrefois, il y a longtemps.

« Tout ça, c'est un ramassis de conneries, et rien d'autre, dit Finch. Elle veut se débarrasser de ton gosse ? Tu as pas ton mot à dire. Mais suppose qu'elle veuille le garder. Devine à qui elle va taper du fric ? Et qui va se retrouver en taule s'il peut pas payer ? Je te le dis, les hommes ont plus aucun droit. »

Luke vida sa bière d'un trait en regardant la flamme vaciller au-dessus d'eux. Il se trouvait pitoyable, mais si un homme ne pouvait pas se trouver pitoyable en fin de soirée après avoir trop bu, alors quand ?

« Elle m'a quitté. Elle a foutu le camp en Europe et maintenant elle se fait sauter par un Arabe de merde. »

Finch le prit par le cou.

« Désolé, vieux. C'est des conneries tout ça, et on le sait bien tous les deux. J'aime ma femme plus que tout, mais si elle se débarrassait de mon bébé, je la tuerais. »

Il avait les yeux un peu exorbités et Luke sentit qu'il parlait sérieusement. Il eut envie de vomir soudain. Il se leva trop vite et le sol tangua sous ses pieds ; il fut pris de vertiges, comme quand il mettait les lunettes de sa mère, enfant, et courait dans la maison. Finch refusa de le laisser rentrer chez lui à pied. Sa femme étendit un drap sur le canapé, malgré les protestations de Luke qui se serait contenté d'une couverture. Il était touché par toutes ces attentions, jusqu'à ce qu'il comprenne qu'elle voulait peut-être juste éviter qu'il gerbe sur le canapé. Il espérait que ça n'arriverait pas. Il s'étira et sentit les bosses des coussins, tout son corps était tendu par la douleur. La femme de Finch revint avec une couverture et il ferma les yeux au moment où elle descendait sur lui en flottant.

Mme Finch se prénommait Cherry. Un prénom de fruit, un nom d'oiseau.[1]

« Pas Sherry avec un S, précisa-t-elle. Tout le monde veut m'appeler Sherry. Pourquoi est-ce que je voudrais avoir un nom d'alcool ?

— Au lycée, je connaissais un gars qui s'appelait Chardonnay, dit Luke.

— Tu es encore un bébé. Je parie que tu allais au lycée avec une fille qui s'appelait Pamplemousse.

Elle le traitait toujours de bébé. Ça ne le gênait pas. Elle refusait de lui avouer son âge,

---

1. *Cherry* : cerise. *Finch* : pinson. *(N.d.T.)*

mais il lui donnait dans les trente-cinq ans ; ce n'était pas vieux, mais c'était l'âge auquel les femmes commençaient à se trouver vieilles. S'il se mariait un jour, décréta-t-il, il trouverait une femme plus âgée que lui. Être le plus âgé dans une relation, c'était trop de pression. Quand vous étiez un bébé, une femme n'attendait rien de vous. Elle voulait prendre soin de vous, et il se sentait réconforté par tout ça, l'attention qu'elle lui portait, sans rien attendre en retour. Quand un acteur de plus de cinquante ans apparaissait à la télé, Cherry disait : « Je parie que tu ne sais pas qui c'est », et Luke haussait les épaules, même s'il le savait, car ça la faisait rire. Il s'asseyait devant le comptoir de la cuisine pendant qu'elle confectionnait des sandwiches pour ses enfants et, bien qu'il ne réclame jamais, elle en faisait toujours un de plus pour lui.

Il ne se sentait pas attiré par Cherry, pas comme il l'était habituellement par les femmes qu'il fréquentait. Elle était grosse. Elle avait un trop large sourire et un menton carré. Philippine, elle avait grandi dans la pauvreté à Hawaii. Luke n'aurait jamais imaginé qu'il y avait des pauvres à Hawaii.

« Je croyais que vous faisiez du surf et que vous mangiez du cochon rôti, avec des jupes en paille et tout ça, plaisanta-t-il. »

Cherry ne lui adressa pas la parole pendant deux jours.

« Il faut que tu éteignes cette télé et que tu voies du pays, Luke, lui dit-elle plus tard. Le paradis, c'est pas toujours le paradis pour tout le monde. »

Elle avait connu Finch quand il était en poste à Kaneohe Bay. Elle travaillait comme serveuse dans un boui-boui baptisé Aloha Café où les plats sur le menu portaient des noms du style Surfside Steak et Côtelettes Luau. Finch avait commandé les Brownies Beach Bum, qu'il appelait les Butt Brownies[1], ce qui la faisait rire. Elle avait dix-huit ans. À l'âge de Luke, elle s'était mariée, elle avait émigré sur le continent et donné naissance à trois enfants. Luke aimait ses enfants, mais il se demandait s'ils n'étaient pas l'unique raison pour laquelle Cherry et Finch étaient encore ensemble. Quand il venait voir un match à la télé avec Finch, il les observait tous les deux, en pensant repérer un lien invisible entre eux. Mais Finch faisait à peine attention à sa femme et celle-ci restait discrète en sa présence, comme s'ils s'étaient partagé l'espace dans la maison, découpé à la manière d'un territoire convoité par deux pays en guerre. Cherry plantée derrière le comptoir de la cuisine, traversant le salon en touriste, Finch qui n'avait jamais touché une casserole de sa vie, affalé dans le canapé.

Lors des fêtes des Cobras, Cherry sirotait du pinot grigio avec les autres épouses et donnait toujours un peu l'impression de s'ennuyer. Un jour, Luke avait entendu les femmes la traiter

---

1. Plaisanterie inspirée de la proximité entre « Beach Bum » désignant un individu, souvent inactif, qui passe son temps sur les plages, et « butt », signifiant « fesses ». *(N.d.T.)*

de snob, et il avait repensé à ce qu'elle lui avait raconté : elle mangeait des sandwiches au sucre en guise de dîner, elle voyait rarement ses parents, qui travaillaient dans une conserverie, et elle avait grandi en croyant que pour tout le monde, les parents étaient une chose vague, des ombres la nuit, des souvenirs flous de baisers sur le front. Elle s'était mariée, elle avait grossi et elle ressentait encore le besoin de faire des réserves – elle cachait des barres chocolatées dans des tiroirs, elle gardait de vieux vêtements dans des sacs-poubelles, au fond de son armoire –, de peur de manquer. La pauvreté ne vous quitte jamais, lui avait-elle dit. C'est une faim qui s'implante dans vos os. Et même quand vous avez le ventre plein, elle vous tiraille.

« Demain, je commence un nouveau régime, annonça-t-elle en ôtant l'emballage d'une barre de Reese qu'elle avait sortie du tiroir qui contenait ses coupons de réduction.

— Lequel ? demanda Luke.

— Celui où tu as le droit de manger uniquement ce que mangeaient les dinosaures.

— Ils ne sont pas tous morts ? »

Elle rit. « C'est pour ça que je t'aime bien, Luke.

— Pourquoi ?

— Parce que tu es sincère. Tu ne me dis pas : "Allons, Cherry, tu n'as pas besoin de faire un régime." Quelle connerie. Ceux qui te disent ça sont les mêmes qui te traitent de gros cul dès que tu sors de la pièce. »

Il était content qu'elle le voie ainsi : sincère, malin, ne faisant pas de sentiment. Il se surprit à passer plus de temps avec elle, tout en sachant qu'il ne devrait pas. Il n'était pas habitué à avoir des amis mariés, mais il comprenait qu'il fallait respecter certaines limites. Pourtant, même s'il savait qu'il ne devrait pas venir quand Finch n'était pas là, il passait voir Cherry dans l'après-midi, avant de prendre son service. Généralement, il inventait un prétexte : il rapportait une clé à douille que lui avait prêtée Finch, il avait perdu son manuel de tactique, il pensait avoir laissé sa bouteille d'eau sur la table basse. En réalité, il avait juste envie de parler avec Cherry, qui semblait toujours s'intéresser à sa vie. Elle le conseillait pour trouver un travail mieux payé, elle l'encourageait à reprendre ses études et affirmait qu'il devrait arrêter d'espionner le compte Facebook de Nadia.

« C'est ta première erreur, disait-elle. Il ne faut jamais aller renifler autour d'une ex. Ça te sert à quoi, de voir qu'elle est heureuse sans toi ? »

Cherry avait raison. Elle avait raison sur un tas de choses et Luke aimait bien lui demander conseil. Il ne pouvait pas s'adresser à sa propre mère, depuis le matin où il lui avait parlé de la grossesse et où elle était revenue avec de l'argent. Il ne lui reprochait pas de l'avoir aidé, mais il savait que quelque chose avait changé entre eux à cet instant : sa mère avait fait une chose dont il la croyait incapable, et les frontières de leurs relations s'étaient déplacées subitement ; il s'était retrouvé désorienté, comme si, en entrant dans une pièce, il avait cherché les murs à tâtons et n'avait touché que le vide.

« Encore en train de jacasser tous les deux ? De quoi vous parlez ? » demandait Finch quand il les surprenait en pleine conversation dans la cuisine. « De rien », répondait Cherry, et elle redevenait muette. Luke était stupéfait par ce changement rapide. Peut-être que toutes les femmes étaient des métamorphes qui se transformaient instantanément en fonction de leur entourage. Qui était Nadia maintenant, avec Shadi Waleed ?

« J'ai vu ta vidéo, lui dit Cherry, un jour où Luke était venu rapporter un livre qu'elle lui avait prêté, intitulé *Blu's Hanging*. Tiens, avait-elle dit en lui tendant le roman. Les voilà, tes Hawaiiens pauvres. » Il avait failli lui répondre qu'il n'avait pas besoin de lire cette histoire pour la croire, mais il l'avait lue malgré tout car Cherry semblait y attacher de l'importance. Et ça lui avait plu, même s'il avait vu sur Internet que le traitement des personnages philippins était peut-être un peu raciste. Il voulait lui demander si c'était vrai. Était-ce exact qu'à Hawaii les Philippins étaient traités comme des Noirs ?

« Quelle vidéo ? demanda-t-il distraitement, en essayant de trouver l'emplacement du livre dans la bibliothèque.

— Pourquoi ? répondit-elle. Il y en a d'autres ?

— Oh, cette vidéo.

— Finch a invité des gars de l'équipe. Ils la regardaient en boucle. »

Soudain, Luke vit très nettement les Cobras regroupés autour de l'ordinateur de Finch ; ils se repassaient l'enregistrement de sa blessure, en riant. « Ah, nom de Dieu, regardez Sheppard ! Allez, encore une fois. Attendez, attendez, c'est là... Oh, putain ! L'os et tout ! » Il avait cru qu'il était un Cobra, mais non. Il n'était qu'une funeste plaisanterie.

« Je peux la voir ? demanda Cherry.

— Tu l'as déjà vue. »

Il se sentait étrangement trahi par elle aussi, comme si, plus que n'importe qui, Cherry aurait dû s'abstenir de visionner cette vidéo.

« Non, ta jambe. »

Elle avait dit cela de manière si naturelle qu'il mit un certain temps à prendre conscience de ce qu'elle lui demandait.

« Pourquoi ?

— J'ai envie. Je n'arrive même pas à comprendre comment tu peux marcher avec cette jambe estropiée, et encore moins jouer au football. »

Cherry était curieuse, mais pas de la même manière que les Cobras tels qu'il les imaginait, pas pour rigoler. Elle ressemblait à une personne qui descend d'une voiture accidentée, impatiente d'examiner les dégâts pour se convaincre que ce n'est pas pire que ce qu'elle redoute. Il s'assit dans le gros fauteuil inclinable, près de la bibliothèque, et remonta la jambe de son pantalon de jogging, jusqu'au genou. Sa mère avait pleuré quand elle l'avait vu sur son lit d'hôpital, avec sa jambe fracassée levée devant lui. Ne voulant pas l'inquiéter, il avait souri et dit : « C'est rien. Ça fait même pas mal. » Son père l'avait appelé dans l'après-midi, d'Atlanta où il devait prononcer un discours inaugural dans une conférence de pasteurs le soir même, mais il lui avait envoyé une étoffe de prière. Lorsque sa mère l'avait placée sur sa jambe foutue, Luke n'avait pas ressenti le pouvoir guérisseur de Dieu. Il n'avait rien ressenti, et peut-être que c'était la même chose.

Il frissonna quand la main de Cherry glissa le long de la vilaine cicatrice marron qui s'étendait jusqu'à la cheville. Elle se pencha pour y déposer un baiser, et il ferma les yeux, convaincu, comme un enfant, que ce baiser mettrait fin à la douleur. Avec quelle facilité il y avait cru autrefois, combien cela lui avait paru simple : un baiser de sa mère et un corps qui, toujours, guérissait.

Le soir suivant, alors qu'il sortait les poubelles dans la ruelle derrière chez Fat Charlie, il pensait encore au baiser de Cherry. Il était parti juste après ; sa fille cadette venait d'apparaître dans le couloir pour réclamer du jus de fruit, et Cherry s'était relevée, sans le regarder. Elle était gênée, et comment ne l'aurait-elle pas été ? Elle était avare de son affection, même avec Finch, comme si l'un et l'autre livraient un duel pour être le plus indifférent des deux. Mais Luke lui était reconnaissant de sa gentillesse. Il avait envie de l'appeler après son travail. Peut-être qu'il pourrait l'inviter à boire un verre. Non, pas un verre, un café peut-être. Il n'aimait pas ça, mais il avait l'impression qu'on invitait une fille à boire un café pour montrer qu'on n'essayait pas seulement de la baiser. Il traîna un énorme sac-poubelle et le balança à l'intérieur de la benne verte. Le soleil se couchait sur la jetée, le ciel orange flamboyait. Parfois, Oceanside était une belle ville, même au fond d'une ruelle crasseuse.

Il allait retourner à l'intérieur du restaurant quand il vit les Cobras. Finch, Ritter, Gorman et cinq autres, qui s'engageaient dans la ruelle.

« Salut, bande de nazes, dit-il. Je peux pas tous vous offrir une bière, c'est même pas la peine de demander. »

Il comprit qu'il y avait un problème quand personne ne rit ou ne répondit.

Quelques années plus tôt, Luke aurait été assez rapide pour se réfugier à l'intérieur du restaurant. Plus maintenant. Sans même avoir eu le temps de se retourner, il reçut le crochet du droit de Finch. Il perdit connaissance avant que les Cobras commencent à piétiner sa jambe.

Sept

En rééducation, Luke réapprit à marcher.

Pas d'un seul coup, mais lentement. Il passa les deux premières semaines à pousser un déambulateur dans les quatre couloirs de son étage. Il finit par les connaître par cœur, comme un policier mémorise le trajet de sa ronde : le linoléum vert à carreaux, le bureau des infirmières, le coin où des vieilles dames tricotaient et échangeaient des ragots. Il se traînait dans les couloirs, stupéfait de découvrir chaque matin combien une action simple – placer un pied devant l'autre – pouvait se révéler difficile. Il avait maintenant une tige en titane vissée dans la jambe, du genou à la cheville, et elle y resterait jusqu'à la fin de sa vie. Il déclencherait un tas de portiques de détection, lui avait dit le chirurgien, mais un jour, il pourrait marcher de nouveau. Dans l'immédiat, il devait travailler pour fortifier sa cheville, plier son genou enflé, développer ses quadriceps et ses ischio-jambiers. Il fit glisser son pied vers l'avant, en s'efforçant de poser le talon au sol, puis les orteils, pendant que son rééducateur,

Carlos, le suivait, au cas où il tomberait. Le père de Carlos était colombien et sa mère nicaraguayenne, mais pour tout le monde, il était mexicain.

« Je suis toujours le Mexicain, confia-t-il. Ils me disent : "Hé, Carlos, pourquoi tu nous fais pas des tacos ?" J'y connais rien à ces putains de tacos, moi. Vous avez qu'à m'en faire, vous, des tacos, si vous aimez tellement ça. »

C'était exact. Quand Luke était arrivé dans le service, une nurse lui avait annoncé qu'il ferait sa rééducation avec « Carlos, le Mexicain ».

« Il vous plaira, avait-elle ajouté. Il est très drôle. Petit, mais costaud. Ce sont toujours les plus forts, les petits. »

Carlos mesurait à peine un mètre soixante-cinq, mais il était large d'épaules et solide. Il avait été coach sportif dans une salle de gym. Dans l'esprit de Luke, les entraîneurs avaient toujours été des types baraqués avec des paquets de muscles qui dépassaient de leur débardeur, mais Carlos ressemblait davantage au genre de type à qui s'adresserait une femme au foyer obèse désireuse de perdre quelques kilos. Il était dur, mais il vous encourageait. Il faisait la leçon à Luke pour qu'il prenne bien ses médicaments : les antibiotiques pour éviter une infection, l'aspirine pour empêcher le sang de coaguler, les antalgiques contre la douleur. Il aidait Luke à s'étendre sur la table et commençait par lui masser la jambe avec une lotion à l'aloe vera. Luke était habitué à ce que des entraîneurs massent ses muscles endoloris, fassent passer les crampes ou bandent des chevilles foulées, mais ça se passait dans un vestiaire. Il se sentait mal à l'aise couché sur cette table dans une salle d'exercices, pendant qu'un autre homme le frictionnait avec une lotion. Carlos était peut-être homo. Sinon, pourquoi choisir un boulot où il devait masser d'autres hommes ? Mais Luke ne faisait jamais aucune remarque car les massages étaient agréables. Les tissus étaient endommagés en profondeur.

« La vache, ces types te détestaient vraiment, commenta Carlos. Ils voulaient que tu puisses pas remarcher. »

Luke n'avait jamais dit à ses parents que les Cobras l'avaient agressé. S'il avait couché avec Cherry, il aurait accepté cette punition, en homme, mais se faire agresser parce qu'il avait recherché l'amitié de cette femme lui paraissait trop honteux pour qu'il l'avoue. En outre, ses parents lui auraient répondu qu'ils avaient vu juste au sujet de cette équipe depuis le début. Alors, il leur avait raconté que des types avaient voulu le dépouiller. Non, il n'avait pas vu leurs visages.

Carlos regardait des matchs de *fútbol* sur la télé fixée au mur pendant que Luke effectuait ses exercices quotidiens. Haletant, appuyé contre le mur, il suivait le déplacement de la balle minuscule au milieu de cet océan d'herbe. Ce sport l'avait toujours ennuyé, mais il commençait à apprécier le rythme soutenu, les déplacements permanents et les démonstrations de joie excessives. Peut-être aurait-il été doué pour le *fútbol*. Peut-être aurait-il pu aimer un sport qui ne détruise pas son corps.

« Tu étais un costaud, lui dit Carlos. Plus maintenant. Faut l'accepter. C'est pas grave de ne pas être un costaud. Être un homme bien, ça suffit. »

Peu importait ce que vous aviez été à l'extérieur. En centre de rééducation, vous étiez comme tous les autres, vous vous battiez pour reprendre le contrôle de votre corps. Luke était le plus jeune. La plupart des patients étaient des personnes âgées : en fauteuil roulant, elles avançaient dans les couloirs en frottant les pieds, comme des enfants devenus trop grands pour leur poussette. Entre deux séances, Luke aimait s'asseoir dans le couloir et jouer aux cartes avec les vieux. Victimes d'infarctus pour la plupart. Son préféré était Bill, un ancien gardien de prison de Los Angeles.

« J'ai grandi à Ladera Heights, lui avait confié Bill. Quand c'était un quartier noir. Maintenant, on peut plus y mettre les pieds. Il a été envahi par tous ces... » Il avait baissé la voix et montré Carlos qui passait dans le couloir. Ces Mexicains.

Bill avait combattu en Corée, mais il s'était retrouvé en centre de rééducation après s'être brisé la hanche en trébuchant sur le trottoir. Ce type avait survécu à la guerre et aux émeutes de prisonniers, pour finalement se faire avoir par un trottoir surélevé. Il n'était pas marié. Il l'avait été – trois fois, même, il était donc du genre à se marier, mais pas à le rester. Il avait toujours été un homme à femmes. Luke le voyait flirter avec les infirmières, il les tenait par la main quand elles poussaient son fauteuil dans le couloir, il les baratinait pour obtenir un biscuit supplémentaire après le dîner. Luke pensait qu'il pourrait être ce genre d'homme, le genre qui ne se casait jamais, mais ça vous avançait à quoi quand vous aviez quatre-vingts ans et que vous étiez seul dans un centre de rééducation ?

« Tu as le béguin pour quelqu'un ? lui demanda Bill, un jour. Un footballeur baraqué comme toi, les filles doivent te courir après. »

Luke haussa les épaules, en battant les cartes. Une ou deux fois, il avait envisagé d'appeler Nadia, mais que lui dirait-il ? Qu'il passait ses journées à réapprendre à marcher ? Que de simples exercices comme lever les genoux ou plier la jambe le faisaient grogner de douleur ? Qu'il restait assis dans un fauteuil roulant pendant des heures, à jouer aux cartes avec des vieux pour tuer le temps ? Un soir, alors qu'ils allaient commencer une nouvelle partie, la porte de l'ascenseur s'ouvrit et Aubrey Evans apparut.

« Salut, dit-elle. Les Mères m'ont demandé de t'apporter ça. »

Elle brandit une couverture tricotée main, un paquet rose, vert et argenté qui contrastait violemment avec la blancheur des murs. Il conduisit Aubrey dans sa chambre. Elle ne dit rien pendant qu'il poussait son déambulateur dans le couloir, en titubant à chaque pas. Il se laissa tomber sur son lit, gêné d'être essoufflé. Aubrey replia soigneusement la couverture et la déposa au bout du lit. Jamais il ne s'était retrouvé seul avec elle. Il la connaissait vaguement pour l'avoir vue à l'église ; elle paraissait gentille et très croyante, d'une manière qui l'avait toujours ennuyé. Mais les gens semblaient l'apprécier. Sa mère. Et Nadia, à en juger pour toutes les photos d'elles qu'il avait vues sur Facebook.

« Je ne savais pas que tu habitais toujours ici, dit-il.

— Je suis des cours. À Palomar. Et je travaille.

— Où ça ?

— Au Donut Touch[1]. » Elle fronça les sourcils en l'entendant ricaner. « Quoi ?

— Rien. C'est un nom débile. »

Elle sourit. « Si tu avais vraiment envie d'un donut, dit-elle, tu t'en ficherais, du nom. »

Il ne se souvenait pas de la dernière fois où il avait mangé un donut. Avant de survivre grâce à la nourriture aseptisée de l'hôpital, il avait repris un régime de sportif : il consommait des aliments sains, comme du poulet grillé, et des légumes à chaque repas. Voyez comme ça lui avait réussi ! Il se remit debout en prenant appui sur le déambulateur.

— Tu es encore en contact avec Nadia Turner ? demanda-t-il.

— Oui, tout le temps.

— Elle est toujours en Russie ?

1. Jeu de mots sur « Do Not Touch » : Ne pas toucher. *(N.d.T.)*

— Hein ? » Aubrey éclata de rire, ce qui fit plisser son nez. « Elle n'est jamais allée en Russie.

— Ah bon ?

— En Angleterre, oui. Et en France, quelque temps... Tu veux voir des photos ? »

Il en avait envie, mais il secoua la tête, en regardant le sol.

« Non. Je ne connais personne qui soit allé en Russie, c'est tout.

— Moi non plus. Mais Nadia va partout. Si elle veut aller quelque part, elle y va. »

Luke se trouvait idiot d'avoir imaginé Nadia en Russie, pendant tout ce temps, coiffée d'une toque en fourrure devant des bâtiments colorés en forme de toupie. Mais si quelqu'un de son entourage allait là-bas un jour, ce serait elle. Comment avait-il pu croire qu'elle resterait ici avec lui, pour élever leur enfant ?

Aubrey chercha ses clés de voiture dans son sac. Elle allait repartir et il éprouva soudain le besoin de la retenir.

« On prie pour toi tous les dimanches, dit-elle. Si tu as besoin de quelque chose, fais-le-moi savoir.

— Tu pourrais m'apporter un donut. »

Le lendemain, Aubrey lui apporta un donut *red velvet* suffisamment moelleux et sucré pour qu'il pardonne ce nom idiot. Elle lui apporta d'autres choses par la suite : un nouveau jeu de cartes, des chewing-gums, un livre intitulé : *Pourquoi les chrétiens souffrent ?* qu'il ne lut pas, mais laissa posé sur sa table de chevet pour qu'elle le voie quand elle lui rendait visite, un agenda dans lequel il pouvait noter ses progrès, un paquet de cartes de prompt rétablissement provenant du Cénacle et un débardeur portant l'inscription Beast Mode, qu'il portait pendant ses exercices. Aubrey avait une beauté discrète qu'il apprit à apprécier. La beauté de Nadia l'avait pulvérisé, mais celle d'Aubrey ressemblait à une bougie chauffe-plat, une lueur de chaleur. Quand elle venait le voir après son travail, elle était mignonne dans son uniforme : un polo noir frappé d'un donut rose. Elle tripotait la visière assortie en sortant de l'ascenseur et sa queue-de-cheval frisée tressautait. Elle sentait bon : une odeur de sucre.

« J'avais une bague comme ça dans le temps, lui confia-t-il un jour en montrant la bague de virginité d'Aubrey.

— Ah bon ?

— Je devais avoir treize ans. Mais mes doigts ont grossi, et mon père a été obligé de la scier.

— Tu te fiches de moi. »

Il leva la main droite : il avait une légère cicatrice brune à l'annulaire.

« C'est pas grave, dit-il. Finalement, j'ai couché avec une fille un an plus tard. Je l'aurais fait de toute façon, et cette bague m'aurait donné mauvaise conscience.

— Ce n'est pas une question de bonne ou de mauvaise conscience, dit Aubrey. Pas pour moi, du moins.

— C'est quoi, alors ? Un truc du style "Je suis mariée avec Jésus" ?

— Ça m'aide à me rappeler.

— Quoi donc ?

— Que je peux être pure. »

Aubrey était une fille bien, bonne. Plus il passait de temps avec elle, plus il s'apercevait qu'il pouvait rarement en dire autant de la plupart des gens. Ils étaient gentils, peut-être, mais n'importe qui pouvait être gentil, volontairement ou pas. La bonté, c'était très différent. Au début, il était méfiant, désarmé face à cette qualité. Qu'attendait-elle de lui ? Tout le monde voulait quelque chose, mais que pouvait-elle bien espérer d'un homme dont le monde s'était réduit à quatre couloirs ? Parfois, ils jouaient aux cartes dans sa chambre, en plongeant la main dans un sac en papier rempli de donuts. À d'autres moments, Aubrey poussait son fauteuil roulant dehors et ils regardaient les voitures entrer sur le parking et repartir. Il ne l'interrogeait jamais sur Nadia, bien qu'il en meure d'envie : rien qu'en prononçant son nom, il se sentirait exposé. En outre, comme l'avait dit Cherry, à quoi bon s'entendre dire et répéter que Nadia était heureuse ? Qu'elle menait une vie excitante et épanouissante ? Ce n'était plus un gars costaud. Il ne deviendrait jamais célèbre, comme il en avait rêvé enfant, quand il s'entraînait à signer son nom d'une belle écriture penchée pour être prêt à dédicacer des ballons de football. Il mènerait une vie modeste, et au lieu de le déprimer, cette pensée était devenue réconfortante. Pour la première fois, il ne se sentait plus pris au piège. Au contraire, il se sentait protégé.

Il apprit à Aubrey à jouer au poker, puis au black jack. Elle comprit avec une rapidité surprenante, et il lui dit qu'ils devraient aller à Las Vegas, un jour, pour jouer dans un casino. Elle rit. Elle n'y était jamais allée.

« Pourquoi je voudrais aller à Vegas ? demanda-t-elle. Je n'aime pas faire la fête. Ni jouer.

— Parce que c'est amusant. Il y a des restaurants. Des spectacles. Tu aimes le théâtre, non ? On pourrait y aller. Quand je sortirai. »

Elle esquissa un sourire et prit une carte dans son jeu.

« Oui. Bonne idée. »

Elle disait cela par politesse, mais Luke s'accrocha à ses paroles, et il le nota dans son agenda ce soir-là.

« Qu'est-ce que tu vas faire en sortant d'ici ? » lui demanda Bill.

Luke venait juste de passer aux béquilles et il boitillait dans le couloir, pris de vertiges, pataud. Il avait progressé plus vite que quiconque l'avait espéré, lui confia Carlos. Il lui avait donné un mini- podomètre qu'il devait porter quand il marchait dans les couloirs, et en moins d'un mois, il avait déjà fait 50 000 pas. Carlos lui imprima un certificat sur lequel on pouvait lire : Meilleur marcheur de la saison. Aubrey l'aida à l'accrocher au mur de sa chambre.

« Je ne sais pas », répondit-il. Fat Charlie ne proposait pas de congés maladie et ils l'avaient remplacé depuis plusieurs semaines. Il devait trouver un boulot s'il ne voulait pas être obligé de retourner chez ses parents, qui avaient déjà mis la main à la poche pour payer son dernier mois de rééducation. Il boitillait dans le couloir en calculant combien cela avait dû coûter, et il fut effaré. Une dette de plus envers eux. Il devrait trouver un travail rapidement, dans un autre restaurant du port peut-être. Que savait-il faire d'autre ?

« Non, non, dit Bill. Il faut que tu sois plus ambitieux que ça.

— Comme quoi ? répondit Luke en riant. Devenir Président, ou un truc comme ça ?

— C'est ça le problème avec vous, les frères, dit Bill. Vous êtes devenus paresseux. Et tu sais pourquoi ? Parce que vous savez qu'il y aura toujours une jeune sœur pour faire le boulot à votre place. Des adultes qui vivent chez leur maman, au milieu d'une marmaille qui court partout, ils n'ont pas de boulot. Quelque part, à un moment donné, on est devenu une race qui se laisse entretenir par les femmes. »

Luke avait grandi en entendant les vieux du Cénacle tenir des discours similaires : ils avaient lutté durement, tout ça pour voir les jeunes de sa génération foutre en l'air toutes les avancées. Comme s'il leur était redevable d'être jeune et devait les rembourser personnellement pour les humiliations subies. Malgré cela, il aimait bien traîner avec les vieux du centre, dans le hall ; il écoutait leurs histoires et imaginait leurs vies. Bill n'écoutait jamais les rééducateurs qui essayaient de le guider dans ses exercices. Il était trop têtu, trop ramolli, depuis des années, pour se donner cette peine. Et comment lui en vouloir ? Il était vieux et personne ne l'attendait dehors. Tout ce qu'il voulait, c'était raconter des conneries avec ses copains et reluquer les jolies infirmières. Luke était le seul qui réussissait à l'arracher à son fauteuil roulant.

« Tu as un don pour ça », lui dit Carlos.

Luke avait convaincu Bill de finir ses étirements de quadriceps, en l'encourageant jusqu'à ce que le vieil homme se laisse retomber dans son fauteuil, à bout de souffle. Sur le seuil, Carlos semblait impressionné.

« Tu devrais chercher un boulot dans ce domaine, lui conseilla-t-il. Avec tout le temps que tu as passé ici. »

Luke le répéta à Aubrey et, dès le lendemain, elle imprima la liste des qualifications requises pour devenir kinésithérapeute assistant. Les deux ans d'école le découragèrent, mais Aubrey lui fit remarquer que le temps passerait, dans tous les cas, alors pourquoi ne pas l'occuper en poursuivant un objectif qui lui plaisait ? Elle lui pinça l'épaule, affectueusement, et il sentit qu'il se détendait. Elle avait raison, et par ailleurs, s'il avait appris une chose pendant sa rééducation, c'était la patience. Il avait passé ces derniers mois à réapprendre à marcher. Maintenant, il sentait qu'il pouvait attendre n'importe quoi.

Quand il put enfin quitter le centre, assez fort désormais pour prendre appui sur une simple canne, le temps sembla se jeter sur lui. Il regrettait les moments d'inactivité du centre, les journées qui se fondaient les unes dans les autres, ponctuées par les repas, les exercices et les visites d'Aubrey. De retour dans le monde extérieur, il sentait que le temps le dépassait, sans qu'il puisse le rattraper. Au centre, il apprenait vite, il était agile comparé aux autres, mais chez ses parents, il avait l'impression de bouger au ralenti, comme si chaque effort pour sortir de son lit et se doucher, pour s'habiller et préparer son petit déjeuner lui prenait trois fois plus de temps. Dans la journée, il s'occupait de ses demandes d'inscription aux formations de kinésithérapeute et essayait de trouver un travail. Mais il ne possédait aucune qualification et la plupart des petits boulots exigeaient de pouvoir soulever une charge de vingt-cinq kilos. Finalement, il demanda à son père s'il n'y aurait pas un travail pour lui au Cénacle.

« Je pourrais peut-être ramasser les ordures. Je ne sais pas. N'importe quoi. »

Luke avait honte, il avait l'impression de réclamer de nouveau de l'argent de poche, mais son père posa la main sur son épaule, chaleureusement, et lui sourit. Sans doute attendait-il ce moment depuis des années. Lorsque son fils reviendrait à la maison, humblement, pour offrir son aide. Peut-être avait-il imaginé cet instant à sa naissance : un fils qui hériterait de son église. Un fils qui se tiendrait à côté de lui sur l'autel, qui dirigerait les cours d'éducation religieuse pour les adolescents et le suivrait dans les couloirs du Cénacle. Comme il avait dû être déçu de recevoir, au lieu de cela, un fils fan de football, qui restait devant la télé pendant la prière dominicale et avait été choisi par Dieu uniquement pour courir sur un terrain avec un ballon.

« L'église se développe. Les fidèles vieillissent. Nous aurions besoin de quelqu'un pour rendre visite aux malades et aux invalides.

— Je peux le faire », répondit Luke.

Il comprenait la maladie mieux que quiconque. La maladie enfouie au plus profond de vous, et qui, même si vous en guérissiez, vous rappelait toujours que vous étiez trahi par votre propre corps. Alors, quand il apportait des repas, il ne demandait pas aux malades de guérir. Il s'asseyait avec eux, simplement.

Il voyait encore Aubrey au Cénacle. Il avait craint qu'elle ne lui adresse plus la parole hors du centre de rééducation, car peut-être que leur amitié se limitait à cet espace. Mais elle semblait toujours heureuse de le voir. Elle ne venait jamais chez lui cependant, bien qu'il ait laissé entendre que ça ne poserait pas de problème. En revanche, le dimanche matin, elle se glissait à côté de lui à l'église, pas au premier rang, où il s'asseyait avec ses parents quand il était enfant, mais vers le fond, près de l'allée, pour qu'il étende sa jambe raide. Chaque dimanche, quand son père apposait les mains sur les malades, elle le regardait furtivement et Luke détournait le regard, étudiait les franges du tapis. Un jour, elle se pencha vers son oreille.

« Tu veux y aller ? proposa-t-elle. Je t'accompagnerai. »

Comment pouvait-on croire qu'il était si facile de guérir ? Et ceux qui continuaient à être malades, alors, est-ce qu'ils ne demandaient pas avec assez de force ? Elle lui prit la main et ses doigts frottèrent contre la cicatrice de sa bague de virginité. Leurs paumes s'embrassèrent et, pour la première fois, il sentit qu'il pourrait redevenir ce qu'il était.

Par une fraîche soirée de mai, Luke se fraya un passage au milieu de la foule de la buvette du stade avec son gobelet de bière au prix exorbitant. CJ piétinait dans son sillage, en essayant de ne pas renverser son gobelet. CJ n'aimait pas le base-ball, mais, maintenant que Luke ne travaillait plus au restaurant, le match des Padres avait été l'occasion de se revoir. Il avait proposé un match de football, mais Luke avait insisté. La vérité était qu'il ne supportait plus le football. Il avait déjà trop donné à ce sport. Il avait besoin d'une autre passion.

Durant le septième tour de batte, la foule se mit à chanter pendant que la mascotte des Padres, un Friar Fred animé, dansait sur le tableau d'affichage géant. CJ remua les hanches, comme Luke remuait les lèvres pendant les cantiques à l'église. Quand ils se rassirent, CJ but une gorgée de bière tiède et reposa son gobelet par terre.

« Faut que je me tire de chez Fat Charlie, mec, déclara-t-il.

— Pour faire quoi ?

— Je sais pas. N'importe quoi. Peut-être m'engager.

— Dans les marines ?

— Ouais. Qu'est-ce que je peux faire d'autre ? »

Luke n'imaginait pas CJ dans un camp ou en train d'en baver dans le désert avec un fusil attaché dans le dos. Réussirait-il les tests physiques, déjà ? Certes, il était costaud, mais il fallait courir cinq kilomètres et Luke ne l'avait jamais vu trotter sur plus de cinquante mètres.

« Et s'ils t'envoient te battre quelque part ? »

CJ haussa les épaules.

« Ce sera mieux que rien. Il faut que je fasse mon truc, comme toi. Toi, tu as un avenir. Moi, qu'est-ce que j'ai ? »

Un vieux vendeur noir gravit les gradins métalliques en braillant : « Cacahouètes ! Qui veut un gros paquet de noix bien salées ? » Les spectateurs s'esclaffèrent et Luke sirota sa bière, en s'essuyant la bouche avec une serviette maculée de taches de graisse. Il n'était pas habitué à ce que quelqu'un envie son existence. Il vivait chez ses parents et chaque semaine son père lui remettait cinquante dollars, ce qui ressemblait plus à de l'argent de poche qu'à un salaire. Il devait s'appuyer sur une canne et à l'entrée du stade il s'était fait fouiller trois fois parce que la tige de fer fixée dans sa jambe déclenchait les portiques de sécurité. Mais au moins, il construisait quelque chose. Il commencerait ses cours de kiné à l'automne. Il passait ses week-ends avec une fille qui l'apaisait, qui l'aidait à se retrouver. En voyant une jolie brune avec un maillot vintage Tony Gwynn, il eut l'idée d'inviter Aubrey à un match. Elle serait mignonne avec sa casquette, et peut-être qu'ils se feraient surprendre par la Kiss Cam ; elle se pencherait vers lui, nullement gênée par les applaudissements de la foule. Les Padres pourraient réaliser un *home run,* et il pourrait contempler son visage quand le feu d'artifice illuminerait le ciel.

Au huitième tour de batte, un petit garçon noir vêtu d'un maillot des Angels trois fois trop grand pour lui sautillait en vain sur son siège pour attirer l'attention du vendeur de barbe à papa. « Hé ! Ici ! s'exclama Luke en se levant brutalement, cisaillant sa jambe de douleur. Le vendeur s'arrêta et le garçon enjamba les spectateurs, tout en agitant ses dollars. L'homme proposa des filaments roses ou bleus, et l'enfant désigna avec joie les nuages de sucre bleu ciel. Il frétillait d'impatience tandis que le vendeur lui rendait la monnaie, puis la barbe à papa, dont il se saisit fièrement des deux mains. Les spectateurs l'aidèrent à regagner sa place, en le tenant pour l'empêcher de trébucher. Les doigts de Luke frôlèrent la peau lisse de son bras.

« Dis-moi un secret », lui demanda Aubrey, plus tard.

Luke s'étira sur son lit. La chaleur de cette fin de printemps entrait dans sa chambre, mais il ne pouvait pas ouvrir la fenêtre. Aubrey était frileuse, et il aimait bien ça ; il se disait qu'il lui incombait de la réchauffer. Elle était recroquevillée contre son torse et il se pencha pour déposer un baiser sur son front. Ses parents n'étaient pas à la maison, mais il savait qu'elle était venue simplement pour un câlin. Quand ils avaient commencé à sortir ensemble, il avait essayé d'être parfois seul avec elle. Il savait qu'elle voulait attendre avant de faire l'amour, mais pas indéfiniment. C'était juste une question de temps, se disait-il, jusqu'à ce qu'elle se sente prête. Mais des mois étaient passés, ils n'avaient toujours pas couché ensemble. Souvent, quand Aubrey venait le voir, ils n'allaient même pas dans sa chambre, ils dînaient avec ses parents au lieu d'aller s'asseoir tous les deux sur la balancelle du porche. C'était peut-être trop bizarre pour elle de sortir avec lui dans la maison de son pasteur, alors Luke avait commencé à lui rendre visite chez sa sœur, même s'il se sentait mal à l'aise dans une maison remplie de femmes. La première fois, il était entré dans une salle de bains pleine de produits de filles – des flacons de toutes les tailles et de toutes les formes, des lotions hydratantes, des crèmes pour le visage, du sérum, de l'après-shampoing sans rinçage – et il s'était lavé avec un savon rose qui lui avait laissé la peau douce et une odeur de talc. Trouvant que ça faisait trop efféminé, il avait pris l'habitude de se laver les mains dans la cuisine, avec le produit vaisselle orange.

Où qu'ils soient, ils ne couchaient pas ensemble. Il pouvait l'embrasser, et la caresser parfois, mais toujours par-dessus ses vêtements et au-dessus de la taille. Il n'était jamais sorti avec une fille sans la voir nue et il se consumait en songeant à ce qu'il ressentirait en la touchant pour de bon. Quand il lui parlait au téléphone le soir, il l'imaginait couchée dans son lit en mini-short et débardeur, sans soutien-gorge. Il se masturbait parfois pendant qu'elle lui racontait sa journée, il se représentait ses mamelons à travers le coton blanc. Mais après, il culpabilisait d'avoir sali son image. Il se trouvait impropre.

Il devinait le renflement de ses seins sous le tee-shirt fin ; il avait envie de les toucher, mais il se retenait. Aujourd'hui, elle lui réclamait un secret. Elle essayait d'être sérieuse. Luke envisagea de lui parler du jeune garçon pendant le match de base-ball. Il n'arrêtait pas de penser à la douceur de sa peau, mais ça lui paraissait louche. Aubrey ne comprendrait pas. Lui-même avait du mal.

« J'ai mis une fille enceinte une fois, confia-t-il. Elle ne l'a pas gardé. »

Aubrey ne répondit pas tout de suite.

« Qui est-ce ? demanda-t-elle finalement.

— Une fille que je connaissais. Je l'aimais, mais elle ne voulait pas du bébé.

— Qu'est-ce qu'elle est devenue ?
— C'était il y a longtemps. On ne s'est pas beaucoup parlé depuis. »

Aubrey lui prit la main. Luke se sentait soulagé, même s'il ne pouvait toujours pas se résoudre à lui dire toute la vérité.

« Dis-moi quelque chose, toi aussi. Une chose que tu n'as jamais dite à personne. »

Elle regarda le plafond. Puis elle dit :

« Quand j'étais petite, je pensais que j'avais des super-pouvoirs. »

Il rit. « Quoi ?

— Des super-sens, plutôt. Pas des super-pouvoirs, parce que je ne me sentais pas plus forte. Tu te souviens, en biologie, quand on nous parlait de la manière dont les animaux s'adaptent ? Ces poissons du fond de l'océan qui se mettent à faire des choses bizarres, du genre briller dans le noir pour attirer leurs proies et survivre ? Des trucs comme ça.

— Quel genre de super-pouvoirs ?

— Je pouvais sentir si un homme était bon ou mauvais. Ou bien, quand il me touchait, je pouvais sortir de mon corps.

— De qui parles-tu ?

— J'entendais très bien aussi, Je l'entendais se déplacer dans l'appartement, comme un rat qui cavale dans les tuyaux. Je l'entendais avant qu'il entre dans ma chambre. Et je me demandais toujours pourquoi ma mère ne l'entendait pas, puis je me disais qu'elle ne pouvait pas, parce qu'elle n'avait pas ces super-pouvoirs. »

Elle se mit à pleurer. Luke prit son visage entre ses mains maladroites et embrassa ses joues mouillées, ses pommettes, son front. Et il enfouit sa bouche dans son cou, priant qu'elle reste à l'intérieur de son corps.

Huit

Nous oubliâmes Nadia Turner, comme on oublie une personne qui n'est plus sous nos yeux. C'était une jolie fille sans mère, qui avait eu un accident avec le pick-up de son père et, ensuite, elle était sortie de nos esprits. Sauf dans ces rares moments où elle refaisait surface, comme quand quelqu'un demandait à Robert Turner des nouvelles de sa fille. Elle va bien, très bien, disait-il, elle termine sa deuxième année de fac. Ou bien : elle fait un stage dans le Wisconsin cet été, un truc gouvernemental, je crois. Robert continuait à prêter son pick-up. La femme du pasteur n'avait pas engagé d'autre assistante. Mais nous ne revîmes plus jamais Nadia Turner. Ni à Thanksgiving. Ni à Noël. Ni pendant les longues périodes d'été quand nous transpirions dans notre chapelle, pour passer en revue des cartes remplies de requêtes. C'est toujours durant les mois les plus chauds que le manque atteint son apogée.

C'est des années plus tard seulement, après avoir eu vent de la rumeur, que nous avons rassemblé les signes. N'est-ce pas bizarre, dit

Betty, qu'elle ne se soit jamais portée volontaire pour s'occuper des enfants, pas même quand elle était disponible et suivait Aubrey Evans partout ? Agnes, la plus sensible aux choses de l'esprit, raconte qu'elle l'a croisée dans le hall de l'église un jour, et elle a « vu » un bébé dans son sillage. Un petit garçon en chaussettes, et quand Agnes s'est retournée, l'enfant avait disparu. Oh, j'ai toujours su, affirme-t-elle quand on parle de Nadia Turner. J'ai compris tout de suite, dès que je l'ai vue. J'ai toujours su repérer les filles qui ont été enceintes.

Dès qu'un secret est révélé, tout le monde devient prophète.

Un hiver, puis un autre, puis encore un autre. Nadia était partie depuis si longtemps qu'elle culpabilisait à l'idée de rentrer. En dernière année, elle pensait à Oceanside comme à une plage miniature enfermée dans une boule à neige ; il lui arrivait de la descendre de l'étagère pour la contempler, mais jamais elle ne pourrait tenir à l'intérieur. À l'approche de la remise des diplômes, elle passa le LSAT[1] et déposa une demande d'inscription en droit à NYU, Duke et Georgetown, n'importe quel programme qui pouvait la maintenir éloignée de chez elle, pour accepter finalement une offre de l'université de Chicago. Elle avait projeté de travailler tout l'été à Ann Arbor, avant d'emménager à Chicago à

1. Law School Admission Test : examen permettant d'entrer dans une faculté de droit. *(N.d.T.)*

la rentrée. Mais Oceanside la rattrapa sous la forme d'un appel d'Aubrey haletante : Luke lui avait demandé sa main, ce soir, ils allaient se marier ; elle voulait que Nadia soit la première à l'apprendre.

« Où est le problème ? » demanda Shadi, quand elle raccrocha. Il se percha au bord du canapé. « Je croyais que c'était ton amie.

— Exact.

— Alors, pourquoi tu n'as pas l'air heureuse ?

— Parce que son fiancé est un connard.

— Pourquoi elle l'épouse, alors ?

— Elle ne le sait pas. »

Un autre homme, plus perspicace, lui aurait peut-être demandé comment elle, elle le savait. Mais Shadi alla faire bouillir l'eau des pâtes pour le dîner. Il ne lui posait jamais certaines questions sur sa vie d'avant, car il ne voulait pas connaître les réponses. Et Nadia se faisait un plaisir de le contenter, en évitant d'évoquer l'été qui avait précédé l'université. Elle n'arrivait pas à lui parler de Luke ni du bébé. Shadi était un garçon bien, progressiste, mais peut-être qu'il ne comprendrait pas pourquoi elle s'était rendue dans cette clinique d'avortement. L'avortement prenait peut-être un autre aspect quand c'était juste un sujet intéressant pour un article ou un débat autour d'un verre, quand vous n'imaginiez pas que cela pouvait vous atteindre. Et, puisqu'elle ne pouvait pas lui parler du bébé, elle ne pouvait pas lui expliquer pourquoi elle avait été à ce point dévastée quand Aubrey était venue la voir, deux ans plus tôt, pour lui annoncer qu'elle fréquentait Luke. Tout d'abord, Nadia ne l'avait pas entendue. Elle était tellement excitée de la retrouver ; elle avait du mal à croire qu'Aubrey était réellement là, sur le siège passager de la Corolla que Shadi lui avait gentiment prêtée pour aller chercher son amie à l'aéroport de Detroit. Durant le trajet qui les ramenait à Ann Arbor, Nadia n'avait cessé de regarder Aubrey, avec un grand sourire, imaginant déjà les bars où elle l'emmènerait et les fêtes d'étudiants à côté desquelles la maison de Cory Richardson semblerait aussi calme et silencieuse qu'une bibliothèque. Elle présenterait son petit copain étudiant et ses camarades étudiants à son amie de chez elle, et ces deux parties séparées de sa vie s'assembleraient d'une manière qui lui paraissait sophistiquée et mature. Soudain, elle avait pris conscience qu'Aubrey venait de parler de Luke.

« Hein ?

— Je disais : Luke et moi, on se voit.

— Hein ? avait répété Nadia.

— Oui, je sais. Tu ne trouves pas ça bizarre ?

— Pourquoi ça serait bizarre ?

— Je ne sais pas... On ne se fréquentait presque pas avant, et maintenant... »

Elle avait laissé sa phrase en suspens, de manière mystérieuse. Qu'est-ce que ça voulait dire, « fréquenter quelqu'un », d'abord ? Baiser ? Non. Aubrey lui aurait dit si elle avait rompu son vœu de chasteté. Alors, s'ils ne couchaient pas, qu'est-ce qu'ils faisaient ensemble ? Voilà ce qui contrariait le plus

Nadia. Luke draguait Aubrey. Il l'emmenait au zoo, où il achetait du nectar pour nourrir les oiseaux. Aubrey lui avait envoyé des photos où on les voyait poser devant la volière, Luke les bras couverts d'oiseaux tropicaux, ou bien fêter leur premier anniversaire à Disneyland, Luke coiffé d'une casquette de Dingo avec de grandes oreilles pendantes. Nadia ne pouvait imaginer Luke portant une casquette ridicule en public, encore moins organisant une sortie qui nécessite plus qu'un SMS envoyé quelques heures avant. Il était différent maintenant. Ou peut-être était-il simplement différent avec quelqu'un d'autre.

Elle n'avait jamais cru que cette relation durerait. Comment serait-ce possible ? Qu'avaient-ils en commun ? Qu'est-ce qui pouvait bien les unir ? Et pourtant, elle avait fait défiler de manière incessante des photos les montrant tous les deux assis au bord d'un quai, dînant en ville ou posant dans la cuisine des Sheppard avec le pasteur et son épouse pour Thanksgiving. Mme Sheppard rayonnait, elle tenait Aubrey par la taille, comme si elle avait choisi sa belle-fille idéale depuis longtemps. Quel soulagement que Luke soit enfin revenu à la raison.

« Alors, tu vas y aller ? demanda Shadi. Au mariage ?

— Je suis obligée, je suppose.

— Je peux t'accompagner. »

Nadia perçut le sourire dans sa voix, bien qu'il lui tourne le dos. Il évoquait souvent le fait de se rendre chez elle pour rencontrer son père. Leurs amis les taquinaient au sujet du mariage, mais Nadia évitait la question de l'engagement. En outre, la mère de Shadi l'aimait bien, mais elle voulait qu'il épouse une musulmane.

« OK, avait-elle dit quand Shadi le lui avait annoncé. Qu'est-ce que je suis censée faire ?

— Rien. Je trouve ça drôle, c'est tout.

— Mon père veut que j'épouse un chrétien. Pour certaines personnes, c'est important. »

La façon dont Shadi abordait l'avenir l'agaçait. Il venait de recevoir une proposition d'embauche de la part de Google, mais il n'avait mentionné qu'une seule fois, presque en catimini, que si elle souhaitait retourner vivre en Californie après son diplôme, il pourrait demander à être muté dans leurs bureaux de Mountain View. Nadia n'avait pu s'empêcher de rire face à cette sous-estimation des distances en Californie. Ne savait-il pas que Mountain View se trouvait à huit heures de route de San Diego ? Quoi qu'il en soit, cela l'effrayait, cette volonté de prendre sa vie sous son bras pour la suivre. Elle était tombée amoureuse de Shadi à l'époque où il voulait devenir grand reporter et se rendre en hélicoptère dans des pays déchirés par la guerre. Cet esprit d'indépendance la libérait. Maintenant, il s'apprêtait à travailler dans un bureau, et elle se sentait déjà étouffée par les espoirs qu'il plaçait en elle. À mesure que la remise des diplômes approchait, elle se surprenait à se disputer de plus en plus souvent avec lui, comme le jour où elle lui annonça qu'elle n'avait pas l'intention de défiler lors de la cérémonie. Shadi l'accusa d'égoïsme.

« La remise des diplômes, ça ne concerne pas que toi, lui dit-il. C'est fait pour tous ceux qui t'aiment. Tu ne crois pas que ton père a envie de te voir défiler ?

— Tu ne crois pas que ce ne sont pas tes oignons ? »

Elle ne voulait pas défiler puisque sa mère n'était pas là pour la voir. Sa mère n'était jamais allée à l'université, mais elle disait qu'elle irait un jour, toujours « un jour ». Quand le catalogue de Palomar College arrivait par la poste, elle s'adossait contre le comptoir de la cuisine et parcourait les intitulés, en caractères gras, des cours qu'elle ne suivrait jamais. Une fois, le père de Nadia avait jeté le catalogue avec tous les autres prospectus et sa mère avait failli fouiller dans la poubelle, avant que son père annonce qu'il l'avait déjà emportée à la benne.

« Je croyais que c'était un truc à jeter, avait-il dit.

— Non, Robert, non. Ce n'était pas un truc à jeter. »

Sa mère avait semblé désespérée, comme si elle avait perdu plus qu'un catalogue envoyé par la poste tous les six mois. À l'époque, elle était trop occupée par son travail et sa famille pour reprendre des études. Mais elle avait toujours dit à Nadia qu'elle espérait la voir entrer à l'université. Elle le lui répétait avant chacun de ses devoirs de maths, quand elle la réprimandait sur son écriture ou l'interrogeait sur ses lectures obligatoires. Nadia savait que c'était à cause d'elle que sa mère n'avait pas étudié à l'université, et elle se demandait si, une fois qu'elle aurait quitté la maison, sa mère pourrait enfin réaliser son rêve. Aujourd'hui, cette remise de diplômes lui paraissait stupide. Pourquoi enfilerait-elle une robe et une toge et transpirerait-elle sous le soleil, alors que sa mère n'était pas là pour poser avec elle sur la photo ou pour applaudir quand on citerait son nom ? Dans son esprit, elle voyait uniquement des photos qu'elles ne prendraient pas, bras dessus bras dessous avec sa mère, dont les yeux seraient remplis de joie et de fierté.

Ce soir-là, Nadia s'excusa auprès de Shadi. Elle se glissa dans son lit, nue, et il gémit en roulant vers elle, déjà dur avant même qu'elle le touche. Elle lécha le sel sur sa peau, le point chatouilleux dans son cou, pendant qu'il fouillait dans le tiroir de la table de chevet. Elle prenait la pilule, mais l'obligeait toujours à mettre un préservatif.

« À quoi tu penses ? demanda-t-il ensuite.

— Je déteste quand tu fais ça.

— Quoi donc ?

— Quand tu me demandes à quoi je pense. Dès que tu me poses la question, mon esprit se vide.

— Ce n'est pas un examen. Je veux juste te connaître mieux. »

Plus tard, dans la nuit, elle repoussa d'un mouvement d'épaules le bras de Shadi posé sur elle. Elle se sentait moite quand il l'enlaçait.

Parfois, elle se demandait si elle ne l'aimait pas uniquement quand il faisait froid, en plein hiver, quand tout était mort.

Toute la vie d'Aubrey Evans se résumait aux endroits où elle avait dormi.

Son lit d'enfant avec une tête de lit princesse rose, des canapés convertibles dans des salons de parents, la banquette arrière de la voiture de sa mère quand elles devenaient indésirables, le lit d'appoint de Mo quand elles avaient emménagé dans un nouvel appartement, le lit de sa mère parce qu'elle détestait dormir seule, son propre lit après l'installation du petit ami de sa mère, son propre lit dans lequel le petit ami de sa mère la touchait, le lit de la chambre d'amis de sa sœur où elle s'était enfuie, et maintenant le lit de Luke, où ils n'avaient jamais fait l'amour. Ce lit où on ne faisait pas l'amour était son préféré. La normalité de son couvre-lit écossais bleu, toujours un peu froissé comme si on venait de s'asseoir dessus. Il n'y avait pas grand-chose d'autre dans son studio : un panier en osier offert par sa mère, rempli maintenant d'haltères, un carton de pizza écrasé qui dépassait de la poubelle, des paires de Nike alignées près de la porte, une canne en bois appuyée contre le mur. La première fois qu'elle était venue chez lui, elle s'était figée sur le seuil, ne sachant pas quoi faire. Jamais ils ne s'étaient retrouvés aussi seuls, dans un endroit qui n'appartenait à personne d'autre, dont personne ne possédait la clé et ne risquait de les surprendre. Luke avait montré le lit.

« Désolé. Il n'y a rien d'autre pour s'asseoir. »

Alors, ils s'étaient assis sur le lit et avaient regardé un film. Ils faisaient d'autres choses dans ce lit : ils mangeaient des pizzas dans des assiettes en carton, jouaient aux cartes ou au jeu vidéo de football américain Madden, sans l'option « blessures », regardaient le Super Bowl, écoutaient de la musique avec les minuscules haut-parleurs de son ordinateur, ils se tenaient par la main, s'embrassaient, discutaient et priaient. Ils avaient couché ensemble, ou plutôt dormi ensemble. Elle s'était assoupie sur les oreillers qui sentaient légèrement l'eau de toilette de Luke et il s'était couché en chien de fusil contre elle, déposant des baisers dans sa nuque pendant qu'elle plongeait dans le sommeil. Mais elle n'avait pas eu peur. Chaque lit racontait une histoire, et celui de Luke était une histoire différente. En collant la tête contre son oreiller, elle ne percevait aucune colère. Uniquement le bruissement des draps tandis qu'il se rapprochait d'elle, et les battements sourds de son propre cœur.

« Ça va ? demanda-t-il. Tous ces préparatifs pour le mariage.

— Tout va bien.

— Si tu trouves que c'est trop, dis-lui. Une fois qu'elle est lancée, ma mère est un train qu'on ne peut plus arrêter.

— Elle veut juste aider.

— N'empêche. Une fois qu'elle est lancée... »

Ils revenaient de chez ses parents, où sa mère avait pris Aubrey par la taille pour l'entraîner dans le jardin et lui expliquer l'organisation de la fête de remise de cadeaux.

« Les serveurs seront là, avait dit Mme Sheppard en montrant le centre du jardin. Mais pas trop près, on ne veut pas qu'ils soient penchés au-dessus des gens pendant qu'ils mangent. La société de Lou n'était pas mon premier choix, mais comme tu le sais, John voulait soutenir l'affaire du diacre. Évidemment, il n'a pas eu son mot à dire durant tous les préparatifs, mais il m'a devancée pour le traiteur. J'espère que les gars de Lou m'ont bien écoutée. J'ai demandé des nappes couleur cranberry, mais je sais qu'ils vont apporter des nappes rouges. »

S'occuper de tous ces détails était épuisant, mais ça l'était encore plus de faire semblant. Aubrey culpabilisait de ne pas s'intéresser à la couleur des nappes. Mme Sheppard se démenait pour lui organiser une belle fête, elle devrait au moins partager ses préoccupations. Mais elle avait d'autres soucis. Plusieurs mois avant son mariage, elle avait cessé de dormir. À l'instar de tous les grands changements dans la vie, celui-ci s'était produit à la fois progressivement et subitement. Au début, elle rognait quelques minutes sur son temps de sommeil : elle s'endormait plus tard, se réveillait avant que le réveil sonne. Puis une heure par-ci par-là, allongée sous ses couvertures, le ventre chauffé par son ordinateur, allez, encore un épisode d'une série, qui se reflétait dans ses lunettes. Puis de grosses tranches de temps, des bonnes doses, en pleine nuit, quand elle se réveillait pour boire de l'eau, puis tournait et virait dans son lit, s'asseyait près de la fenêtre et lisait sa Bible jusqu'à ce que la lumière du jour filtre à travers les stores. En avril, elle ne dormait plus qu'une poignée d'heures par nuit, et ces quelques heures lui donnaient l'impression d'être plus fatiguée que si elle n'avait pas dormi du tout. Elle avait perdu le sommeil, et ce n'était pas à cause de la peur du mariage, comme tout le monde le lui expliquait. Elle avait invité sa mère, et celle-ci n'avait toujours pas répondu. Aubrey redoutait sa venue, mais aussi son refus.

« Tu te fous de moi ? » s'était exclamée Monique. Les deux sœurs étaient assises autour de la table de la cuisine, recouverte depuis quelques mois de catalogues de mariage envoyés par Mme Sheppard. Kasey appelait ça « Le centre des opérations ».

« Du calme, Mo. Elle ne viendra sûrement pas, de toute façon. Mais Mme Sheppard dit que je pourrais le regretter si je ne l'invite pas...

— Donc, tu as envie qu'elle vienne.

— Je ne sais pas », avait répondu Aubrey, même si elle avait déjà imaginé ces retrouvailles : sa mère descendait du train, avec une petite valise verte, tandis que les rabats du passé commençaient à se soulever. Ses cheveux seraient plus courts, les boucles teintées d'argent s'agiteraient autour de sa tête. Elle porterait un cardigan couleur corail boutonné jusqu'au cou car le vent du large la glacerait et elle regarderait autour d'elle, dans la gare, une main devant les yeux pour se protéger du soleil, jusqu'à ce qu'elle aperçoive Aubrey. Alors, elle sourirait, et au petit déjeuner, Aubrey remarquerait toutes les petites choses que faisait sa mère : sa façon de trancher son muffin en biais, de croiser les bras pendant qu'elle écoutait, sa manie de bavarder avec le serveur qui venait vérifier que tout allait bien. Elle aurait l'impression de redevenir une petite fille, en extase devant le visage de sa mère.

« On se fout de ce que pense Mme Sheppard, avait ajouté Mo. Ce n'est pas ta mère.

— Toi non plus. »

Aubrey avait éprouvé un sentiment de satisfaction tout d'abord, mais plus tard, elle s'était sentie mal ; elle revoyait les yeux sombres de sa sœur s'écarquiller et se remplir de larmes. Les yeux ne faisaient pas partie des caractéristiques héritées de leur mère. Aubrey avait les yeux de son père, un homme qu'elles n'avaient connu ni l'une ni l'autre. Petite, Aubrey avait pleuré en apprenant qu'elles étaient seulement demi-sœurs. Ce n'est pas grave, lui avait dit Mo, car je t'aime deux fois plus.

« Qui se marie ? avait demandé Nadia au téléphone, ce soir-là.

— Moi.

— Alors, qui a le droit de jouer les dictateurs ?

— Moi.

— Merci. Si Mo ne veut pas parler à ta mère, rien ne l'y oblige. Mais c'est ton mariage et tu peux inviter qui tu veux. La vie est courte et si tu veux revoir ta mère, fais-le. »

Aubrey avait planté ses ongles dans sa paume. Elle faisait souvent ce geste dans les premiers temps où elle avait emménagé avec sa sœur. Une pensée triste surgissait, elle fermait le poing et le serrait de toutes ses forces. Sa sœur lui prenait les mains et les frottait entre les siennes, comme si elles étaient froides. Assise au bord du lit, elle avait ouvert la main et regardé les minuscules croissants blancs rougir.

« Tu es toujours là ? » avait demandé Nadia.

Sa voix paraissait plus lointaine.

— Oui, excuse-moi. »

Elle n'avait pas pensé combien c'était cruel de parler de sa mère à Nadia.

« Pourquoi tu t'excuses ? Ce n'est pas toi qui l'as tuée.

— N'empêche.

— Arrête.

— Quoi donc ?

— De me traiter comme une pauvre petite fille triste.

— Pas du tout... J'aurais aimé la connaître.

— Moi aussi. »

Aubrey se demandait si elles étaient les seules à vivre avec ce sentiment. Peut-être que toutes les mères étaient intrinsèquement vastes et mystérieuses.

« Quoi de neuf dans le Michigan ?

— Il fait un froid glacial. Il neige encore. Tu te rends compte ?

— C'est toi qui voulais des saisons.

— Ras le bol. Les saisons, c'est surfait. »

Aubrey aimait écouter Nadia raconter ses aventures : le premier hiver, ses amies de Chicago l'avaient emmenée dans un grand magasin chic pour acheter un manteau et des bottes, et elles s'étaient moquées d'elle en la voyant fascinée par le pianiste qui jouait en direct pendant qu'elle enfonçait ses pieds dans des bottes fourrées. Elle n'avait glissé qu'une seule fois sur le verglas, la deuxième année, en se rendant à une fête, et elle était fière de s'être rattrapée avec la main qui ne tenait pas les bouteilles de bière. Nadia avait vécu dans d'autres endroits. Un stage d'été à Madison, la capitale de l'État, un semestre à Oxford, au cours duquel elle avait passé des week-ends à Edimbourg, à Berlin et à Paris ; là les portes automatiques du métro s'étaient refermées sur son sac à dos, obligeant un groupe de Parisiens agacés à la libérer. Aubrey adorait cette anecdote, l'idée que l'imperturbable et toujours cool Nadia Turner pouvait paraître empotée dans une des villes les plus sophistiquées de la planète. Peut-être que vous ne pouviez jamais savoir qui vous seriez dans le monde. Peut-être que vous étiez une personne différente partout où vous viviez.

« Raconte-moi encore l'histoire en Angleterre, avec le bateau. »

Une barque à fond plat, lui avait expliqué Nadia dans son mail. Avec des amies, elle était partie faire une promenade sur la rivière Cherwell. Elle seule avait eu le courage de conduire la barque, les autres filles étant intimidées par des histoires d'embarcation qui chavire quand la perche reste coincée dans la vase. Alors, Nadia avait conduit la barque pendant que tout le monde buvait du Pimm's et du champagne, et elle aussi, sans doute plus que de raison, car il faisait chaud. Elle était pompette et fatiguée à force de pousser sur la perche, mais elle avait continué, durant toute la promenade, sous les arbres feuillus. Elle n'avait pas chaviré une seule fois. Elle avait passé, avait-elle écrit dans ses mails, une des plus belles journées de sa vie.

Au téléphone, Nadia avait laissé échapper un léger soupir. Aubrey l'imaginait dans son studio du Michigan, assise devant une fenêtre, regardant la neige tomber.

Une semaine avant le mariage de sa meilleure amie, Nadia rentra chez elle.

Elle se pencha vers le hublot lorsque l'avion plongea à travers le brouillard de printemps. Les feuilles pointues des palmiers émergèrent tout d'abord, puis les toits de tuiles rouges qui coiffaient toutes les maisons. C'était la première chose qu'elle avait remarquée en atterrissant dans le Michigan : non pas des maisons en stuc beige surmontées de vaguelettes rouges, mais des constructions blanches aux toits en ardoise, comme elle en avait vu seulement dans les films. Dans les toilettes de l'aéroport de San Diego, elle se recoiffa, pendant que deux femmes parlaient en espagnol à côté d'elle, et bien qu'elle comprenne uniquement des bribes de phrases, elle se réjouissait d'entendre ces sons étrangers et familiers.

Quand elle sortit du terminal, son père lui fit signe, le long du trottoir. Impossible de ne pas le voir : il était venu en pick-up. Elle marcha vers lui, sans répondre à son geste, traînant sa valise et tenant son gobelet de café dans l'autre main. Elle portait d'énormes lunettes noires mais le ciel était couvert, et elle se sentait flouée que le soleil se refuse à elle. Son père descendit de son pick-up pour l'aider à porter sa valise. Ils se sourirent timidement, comme si chacun craignait que l'autre l'ignore.

« Hé, regardez qui est là ! dit-il.

— Salut. »

Il l'étreignit et elle en fit autant, de manière maladroite, d'un seul bras, pour ne pas renverser son café. Il n'avait pas changé, mais avait un peu vieilli, sa peau était plus ridée, ses cheveux plus grisonnants. Nadia se demanda qui les lui coupait désormais.

« C'est curieux, commenta-t-il en pénétrant sur l'autoroute. Tu bois du café maintenant. »

Avant l'université, elle n'en buvait jamais. Un jour, elle avait goûté le café de sa mère et failli le recracher. Elle pensait que ce serait sucré, comme le chocolat, mais c'était amer, dégoûtant. Maintenant, à l'inverse, elle ne pouvait plus boire de chocolat. L'hiver dernier, elle en avait acheté une boîte pour se remonter le moral, mais elle avait trouvé ça tellement sucré qu'elle l'avait jeté. Le café du Starbucks de l'aéroport n'en était pas vraiment et elle regrettait déjà la cafetière à piston de Shadi, même si, la première fois qu'il lui avait montré comment l'utiliser, elle avait répondu qu'elle voulait une tasse de café, pas une expérience scientifique. Mais elle ne raconta pas tout ça à son père. Il n'avait pas besoin de savoir combien de fois elle s'était réveillée dans l'appartement d'un garçon.

« Ton ami, il arrive plus tard ? demanda son père.

— Vendredi. J'espère que ça ne t'embête pas. »

À l'aéroport de Detroit, Shadi l'avait embrassée au moment de lui dire au revoir. « Je sais que tu n'as aucune envie de rentrer chez toi, avait-il dit en lui massant la nuque. Tu es une bonne amie. » Elle l'avait embrassé à son tour. Elle n'était pas une bonne amie, loin de là. Une bonne amie n'aurait pas eu besoin de se forcer pour se réjouir du mariage de sa meilleure amie. Elle se serait réjouie naturellement. Ce voyage l'angoissait, et elle n'arrivait pas à déterminer si le fait que Shadi la rejoigne pour passer quelques jours avec elle et son père l'aidait à se sentir mieux ou plus mal encore.

« Et ton trimestre ? Ça s'est bien passé ?

— Oui, très bien.

— Tu vas recevoir ton diplôme et tout ça ?

— Ils vont me l'envoyer ici.

— OK. Parfait.

— Ça ne te plaît pas, hein ? »

Il haussa les épaules. « J'aurais aimé te voir à la remise. Mais c'est toi qui décides. »

Elle s'appuya contre la vitre chaude, alors qu'ils traversaient le lagon de Del Mar. Shadi l'avait traitée d'égoïste, mais son père n'aurait jamais avoué qu'il était contrarié, et d'une certaine façon, c'était encore plus frustrant.

Quand ils s'arrêtèrent devant la maison, il insista pour porter sa valise, jusqu'à la porte. Elle entra derrière lui et s'arrêta net. La maison était différente, même l'odeur avait changé, comme s'il s'agissait d'un organisme vivant dont la physiologie s'était modifiée. Une maison pouvait-elle changer d'odeur en quelques années, ou avait-elle oublié, tout simplement, ce que ça faisait de vivre ici ? Puis, en regardant le salon, elle comprit ce qui avait changé : son père avait enlevé les photos. Pas toutes... En se rapprochant, Nadia remarqua une photo d'elle sur la table basse, et celle de sa remise de diplôme sur la cheminée. Seules les photos de sa mère avaient disparu. Des rectangles plus clairs sur les murs indiquaient les endroits où elles se trouvaient avant.

« Comment a-t-il pu faire ça ? demanda-t-elle à Shadi plus tard. C'est ma mère ! »

Elle n'avait jamais pleuré devant lui, et au téléphone, c'était aussi gênant que s'il avait été en face d'elle. Assise sur la moquette au pied de son lit, elle essuyait ses larmes sur son débardeur.

« Peut-être que ça le fait trop souffrir de la regarder, suggéra Shadi.

— C'est comme si elle n'avait jamais vécu ici. Comme s'il ne l'avait jamais aimée.

— Je pense qu'il l'aime encore. C'est pour ça que c'est aussi douloureux.

— Je suis désolée.

— Pourquoi ? Tu n'as rien fait de mal.

— N'empêche. Tu ne m'as pas appelée pour entendre ces conneries.

— C'est ta vie. Ça m'intéresse. »

Nadia ferma les yeux, essayant de se remémorer les photos accrochées aux murs autrefois. Elle était passée devant tous les jours, et pourtant ses souvenirs demeuraient vagues : ses parents le jour de leur mariage, sa mère dans un jardin, sa famille à Knott's Berry Farm. Elle s'en souvenait à peine. La maison portait-elle une odeur différente depuis que sa mère était partie ? Ou avait-elle également oublié son parfum ?

Les Sheppard habitaient un quartier endormi, sous sédatifs, dans une maison identique à toutes celles de la même rangée, avec un toit de tuiles, sous une voûte de palmiers courbés. Devant la porte, un paillasson indiquait *Que Dieu bénisse cette maison*, une prière ou un ordre, à vous de choisir. Dans l'entrée, les murs beiges étaient ornés de tableaux (deux femmes jouant au croquet dans l'herbe et la représentation d'une procession funéraire qu'ils avaient vue dans le *Cosby Show*). Un piano en acajou, trop immaculé pour que quelqu'un en joue, était collé à l'escalier ; dessus étaient soigneusement disposés des portraits de famille. Le pasteur et son épouse souriant devant une chapelle, le jour de leur mariage, les fiers parents posant avec leur nouveau-né, et vers l'extrémité du piano, Luke adolescent, en toge et toque universitaires, lançant un regard noir à l'objectif, trop prétentieux pour sourire.

L'après-midi de la fête en l'honneur d'Aubrey, Nadia suivit les voix jusque dans le jardin, où des tables rondes, couvertes de nappes d'un rouge profond, étaient regroupées dans l'herbe. L'équipe du traiteur, une kyrielle d'adolescents noirs vêtus de chemises blanches amidonnées et de tabliers, allait et venait pour verser de l'eau et de la citronnade glacée dans des verres à pied. Elle repéra Aubrey à l'autre bout du jardin, sous un arbre feuillu, entourée d'un cercle de femmes. Elle portait une robe blanche décorée de torsades dorées qui flottait jusqu'aux genoux ; ses cheveux noirs bouclés tombaient sur ses épaules, et elle riait, la main devant la bouche. C'était saisissant de voir comme elle semblait à sa place.

Son visage s'illumina quand elle aperçut Nadia qui marchait vers elle. Elle se précipita et lui sauta au cou ; leurs corps se percutèrent.

« Je n'arrive pas à croire que tu es revenue ! s'exclama-t-elle. Tu m'as tellement manqué.

— Toi aussi. »

Nadia rit ; elle se sentait un peu bête d'enlacer ainsi son amie au milieu du jardin, mais elle ne voulait pas être la première à briser leur étreinte.

Aubrey noua son bras autour du sien et lui fit faire le tour du jardin, en passant devant des femmes du Cénacle qui semblaient aussi stupéfaites de la voir que si elle avait émergé de l'espace. Oh, mais qui est là ! disaient-elles. D'autres l'embrassèrent et dirent, de manière plus insistante : Regardez qui a enfin décidé de revenir à la maison. À leurs yeux, elle était la fille prodigue, pire que ça même, car elle ne refaisait pas surface sans un sou mais riche d'humilité. Une fille prodigue, vous pouviez la plaindre. Mais Nadia avait abandonné sa maison et elle revenait mieux lotie, avec ses histoires de cours fascinants, de stages impressionnants, son petit ami cosmopolite et des voyages à travers le monde. (« Paris ? » dit sœur Willis et, quand Nadia eut raconté son histoire : « Tu m'en diras tant... ») Était-elle devenue prétentieuse, ou son départ avait-il provoqué un accroc irréparable entre elle et les femmes du Cénacle ? Peut-être que cette déchirure avait toujours été là, et qu'en partant elle avait été dévoilée. Au milieu de la conversation, Mme Sheppard rejoignit le cercle. Elle portait un tailleur rose et des chaussures à talons hauts qui s'enfonçaient dans l'herbe.

« Contente de te revoir, ma chérie », dit-elle en tapotant l'épaule de Nadia.

Elle avait envie de raconter à Mme Sheppard tout ce qu'elle avait fait ces quatre dernières années. Son omniprésence dans le palmarès des meilleurs étudiants, ses stages, ses voyages à l'étranger. Elle était partie, elle avait fait son chemin et elle voulait que Mme Sheppard le sache. Mais la femme du pasteur disparut aussi vite qu'elle était venue pour bavarder avec les autres invités. Elle se fichait pas mal de tout ça. Si elle s'était éventuellement intéressée à Nadia à une époque, cet intérêt s'était estompé depuis longtemps, dès que Nadia avait cessé de travailler pour elle. Alors Nadia ravala ses histoires. Elle se laissa entraîner par Aubrey vers un autre groupe de femmes, et une fois les salutations terminées, elle se dirigea vers une table où étaient assises Monique et Kasey. Elle les étreignit l'une et l'autre, soulagée de retrouver des personnes familières.

« Alors, tu savoures le spectacle ? demanda Monique.

— Arrête, dit Kasey.

— Quoi ? Ce n'est pas la vérité ? Enfin quoi, des serveurs ! Qui cherche-t-elle à impressionner, franchement ? »

Mme Sheppard avait-elle besoin d'impressionner ? Non, elle avait organisé cette fête pour Aubrey, par amour. Nadia les imaginait toutes les deux en train d'éplucher des catalogues de mariage, Mme Sheppard assistant à l'essayage de la robe, regardant Aubrey tournoyer devant le miroir, peut-être avait-elle versé une larme devant ce spectacle, si fière que son fils ait trouvé une fille bien, la fille parfaite. Comme elle devait être heureuse maintenant. Au cours du déjeuner, Nadia picora le contenu de son assiette, avant de jeter les restes dans la poubelle. Ayant l'impression d'étouffer dans ce grand jardin, elle se rendit dans les toilettes du premier étage et s'assit sur la housse en peluche de l'abattant pour envoyer un SMS à Shadi. *Tu me manques, beau gosse.* Il allait bientôt sortir de son travail, et elle aurait aimé être là-bas, à Ann Arbor, chez lui, affalée sur sa causeuse avachie, ou buvant un café en terrasse dans Main Street, regardant passer les gens. Sa place n'était plus ici.

Alors qu'elle descendait l'escalier, son regard s'arrêta sur la chambre de Luke. Vue du couloir, elle semblait différente et, en s'approchant, Nadia constata qu'elle avait été transformée en chambre d'amis. Plus de posters de football sur les murs ni de lit une place contre la fenêtre. Elle se revoyait en train de s'y faufiler : ça lui faisait toujours bizarre de se déshabiller dans cette chambre, de jeter son soutien-gorge sur un bureau recouvert de papier peint aux ballons de football rouges et bleus, d'ôter son jean à côté d'une étagère de trophées de football et de l'embrasser sous le regard de Jerry Rice accroché au-dessus de son lit.

« J'habite plus ici. »

Luke Sheppard venait d'apparaître dans son dos, sur le seuil. Il était propre sur lui, bien rasé, il portait même des lunettes, une paire rectangulaire achetée au drugstore. « Je les mets seulement quand je veux avoir l'air intelligent », lui avait-il confié un jour en les pliant soigneusement pour les glisser dans sa poche de poitrine. Nadia n'avait pas compris. Ne voulait-il pas paraître intelligent tout le temps ?

« J'ai déménagé, ajouta-t-il. J'ai un studio près de la rivière.

— Je m'en fiche, dit-elle, gênée qu'il devine que ce n'était pas le cas. J'ai un petit ami.

— Oui, je sais. L'Africain.

— Il est américain. Ses parents sont soudanais. »

Il haussa les épaules. Nadia n'aimait pas cette nonchalance, la décontraction avec laquelle il évoquait sa vie, alors qu'ils ne s'étaient pas parlé depuis des années. Tout ce qu'il savait, il l'avait appris par Aubrey, et elle se sentait trahie ; elle les imaginait tous les deux au lit en train de parler d'elle. Luke entra dans la chambre en s'appuyant sur une canne. Nadia détourna le regard quand il passa en boitant pour se laisser tomber sur le lit qui grinça sous son poids.

« Tu veux que je t'avoue quelque chose ? lança-t-il.

— Dis-moi.

— Je volais des trucs à l'église, quand j'étais petit.

— Menteur.

— Je te jure.

— Quoi, par exemple ?

— N'importe quoi. Juste pour voir si j'en étais capable. »

Pour le prouver, il glissa la main sous le lit afin de récupérer un livre de prières à la reliure en cuir bordeaux craquelée. Il l'avait volé dans le tabouret de piano de mère Betty, en sixième. Sœur Willis l'avait puni de trente minutes de prières dans le sanctuaire pour avoir bavardé en classe, mais, plutôt que de prier, il avait exploré l'église, en se couchant à plat ventre par terre pour regarder sous les bancs, s'amusant à relever les franges du tapis avec ses pieds et faisant le tour de l'autel. Le tabouret de piano le fascinait. Un siège dans lequel on rangeait des choses ? Il y avait forcément un objet important et secret à l'intérieur, comme ces faux livres dans lesquels les méchants, au cinéma, cachaient des pistolets. Hélas, au lieu de l'arsenal qu'il espérait trouver, il n'y avait que des partitions, des stylos à bille et ce livre de prières.

« C'est celui de ma mère », bafouilla Nadia.

Elle ne l'avait pas revu depuis des années. Sa mère le posait toujours sur sa table de chevet, mais un jour, il avait disparu. Elle l'avait cherché dans toute la maison.

« Je sais, dit Luke.

— Elle croyait l'avoir perdu.

— Désolé.

— Pourquoi tu ne lui as pas rendu, bordel ?

— J'avais honte.

— Alors tu l'as gardé ?

— Et puis je l'ai oublié. Je l'ai retrouvé pendant le déménagement. Il fallait que je te le donne. »

Nadia s'assit à côté de lui pour feuilleter les fines pages argentées. Les titres des cantiques défilaient devant ses yeux, et quand elle se pencha en avant, elle perçut une odeur de poussière et de cuir et, vaguement, le parfum de sa mère. Elle sentit ses yeux se mouiller et la main chaude de Luke se poser dans son dos.

Le week-end avant le mariage, la réponse de la mère d'Aubrey lui parvint enfin, rédigée au dos de l'invitation qu'elle avait envoyée. *On ne peut pas venir. Mais félicitations !* Debout devant la boîte aux lettres, elle lut le message trois fois, avant de remettre la carte dans l'enveloppe et de la jeter à la poubelle. Quand elle rentra dans la maison, sa sœur regardait les infos, assise sur le canapé. Aubrey ôta ses chaussures et grimpa à côté d'elle pour poser sa tête sur ses genoux.

« Elle sera pas là, annonça-t-elle.

— OK.

— C'est tout ?

— Que veux-tu que je dise ?

— Je ne sais pas. » Elle se mordillait la lèvre, tandis qu'une journaliste blonde interviewait un pompier devant les décombres fumants d'une maison. « C'est si idiot que ça de vouloir qu'elle soit présente à mon mariage ?

— Non, répondit sa sœur. Qui a envie d'avouer qu'il hait sa mère ? »

Aubrey ferma les yeux ; elle sentit Monique caresser ses cheveux en arrière sur son front. L'été qui avait précédé son année de terminale, elle avait rendu visite à sa sœur à Oceanside pour la première fois. Mo l'attendait à l'aéroport, au niveau de l'arrivée des bagages ; elle lui avait fait de grands gestes, comme si elle craignait qu'Aubrey ne la reconnaisse pas. Elle n'avait pas changé – menue, les cheveux courts (ce que détestait leur mère) –, mais elle rayonnait lorsqu'elle avait attiré Aubrey contre elle en disant : « Regardez-moi ça ! Tu es une adulte maintenant ! » Derrière Mo se tenait une femme blanche, les mains dans les poches. La trentaine, des cheveux d'un blond terne qui paraissaient mouillés, et un sourire qui ressemblait à un rictus. Elle portait un débardeur gris et un jean large resserré aux chevilles. Elle s'était approchée, main tendue.

« Ravie de te rencontrer enfin. J'espère que le vol s'est bien passé. »

Aubrey avait répondu oui, très bien, merci, et il y avait eu un moment de gêne, jusqu'à ce que Mo leur propose de se mettre en route. Elle avait pris la valise à roulettes et Kasey avait hissé sur son épaule le sac de toile d'Aubrey, en faisant mine de crouler sous le poids.

« La vache. C'est bien ta sœur », avait-elle lancé à Mo.

C'était le genre de personne qui essayait d'être drôle quand elle se sentait mal à l'aise, et Aubrey avait senti qu'elle devait rire, pour soulager tout le monde. Pendant le trajet, elles lui avaient posé des questions inoffensives sur le lycée et ses amis, auxquelles elle avait donné des réponses monosyllabiques. Assise à l'arrière, Aubrey les voyait échanger des regards inquiets, et à un feu rouge, elle avait entendu sa sœur dire tout bas : « Elle est fatiguée. » Comme quand elles étaient plus jeunes et que Mo parlait d'elle avec sa mère, en donnant l'impression qu'elle n'était pas là.

D'ailleurs, elle n'était pas là, pas véritablement. Toute la semaine elle avait erré dans la maison tel un fantôme. Avec le sentiment d'avoir laissé son corps derrière elle, dans sa chambre, sous les mains de Paul, et son souffle chaud dans son cou ; et elle flottait autour de ce corps, qui sans cesse cherchait à l'attirer. Pour son dernier jour, sa sœur l'avait emmenée à la plage, où elles avaient emboîté le pas à un groupe de touristes. Un vieil homme à lunettes, avec une banane autour de la taille, leur avait raconté l'histoire glorieuse de la jetée d'Oceanside, la plus longue jetée en bois de toute la Côte Ouest, qui avait été reconstruite six fois. Un orage avait détruit la première jetée il y a plus de deux cents ans, et à marée basse, on apercevait encore les anciens piliers sous l'eau. La deuxième et la troisième jetée avaient également été endommagées par des vents violents et destructeurs, et quand la quatrième avait ouvert, dans les années 1920, la municipalité avait organisé trois jours de festivités. Vingt ans plus tard, une tempête l'avait renversée.

« Cette jetée, avait dit le vieil homme en tapant du pied, cette jetée que vous voyez a été inaugurée en 1987. Autant dire hier. Et au cours de votre vie, une autre jetée verra le jour, peut-être même encore une autre. Les tornades se succéderont, mais nous la reconstruirons, encore et encore. »

Quand elles avaient atteint le bout de la jetée, Aubrey avait demandé à sa sœur si elle pouvait venir habiter avec elle. Serrant la main de Mo dans la sienne, de toutes ses forces, elle avait murmuré : je t'en supplie, ne m'oblige pas à retourner là-bas. Mais au cours de cette lente déambulation derrière le groupe de touristes, Aubrey avait regardé les planches de bois sous ses pieds, épuisée rien qu'en songeant au travail de la municipalité qui reconstruisait sans cesse une jetée qui finirait tôt ou tard dans l'océan. Cette jetée n'avait pourtant rien d'exceptionnel, hormis sa longueur ; il n'y avait ni promenade ni grande roue, uniquement une boutique d'appâts au milieu, et un *diner* tout au bout.

Ce n'était qu'un long morceau de bois qui ne cessait de s'écrouler, jusqu'à ce qu'on le remette sur pied, et des années plus tard, elle s'était demandé si ce n'était pas le but et si, parfois, la beauté du geste ne résidait pas dans le fait de reconstruire les choses cassées, non pas dans le résultat, mais dans l'effort.

Le lendemain de la réponse de sa mère, Aubrey retrouva Nadia à la plage. Allongée sur le sable, elle s'appuya sur les coudes, pendant qu'à côté d'elle, sur sa serviette, Nadia se mit sur le dos. Elle portait un mini-bikini noir qui attirait les regards de tous les hommes, mais elle paraissait indifférente à cette attention, comme si, habituée à fasciner les inconnus, elle ne s'en apercevait même plus. Évidemment qu'elle y était habituée, regardez-la. Elle avait maigri depuis le lycée ; ses tenues plus sobres et son maquillage moins forcé semblaient accentuer sa beauté naturelle. Aubrey se sentait tellement rondelette à côté d'elle qu'elle n'osait pas ôter le tee-shirt et le short amples qu'elle portait par-dessus son maillot de bain. Avait-elle toujours eu l'impression d'être l'amie laide ? Ou était-ce depuis la scène qu'elle avait surprise lors de la fête ? Elle avait essayé de se convaincre que ce n'était rien, mais elle ne pouvait chasser de son esprit l'image de Nadia et de Luke en train de bavarder au lit. Non, pas vraiment *au* lit, *sur* le lit, aussi décontractés et proches que de vieux amis. Elle avait laissé ses invités pour partir à la recherche de Luke, et quand elle les avait aperçus tous deux dans la chambre, elle s'était figée dans le couloir, en ayant l'impression de déranger. Chaque fois qu'elle s'était rapprochée un peu plus de Luke, elle avait tremblé de peur : le jour où il lui avait pris la main, où il l'avait embrassée, où il l'avait entraînée dans son lit. Nadia, elle, semblait à l'aise. Cette proximité n'était pas nouvelle pour eux. Ils partageaient quelque chose, et ils ne lui en avaient jamais parlé, ni l'un ni l'autre. Rien de pire qu'un passé caché.

« Qu'est-ce qu'il s'est passé entre toi et Luke ? » demanda-t-elle.

Nadia changea de position. Ses yeux étaient cachés par ses énormes lunettes de soleil, son bras reposait sur son front.

« Hein ?

— Je sais que vous avez été ensemble. »

En fait, elle n'en savait rien, mais si elle faisait semblant d'être au courant, Nadia ne pourrait plus nier.

— C'était il y a longtemps, dit-elle. Et c'était rien du tout. On est sortis ensemble deux ou trois fois... Tu es en colère ?

— Pourquoi je serais en colère ? C'était rien, non ? »

Elle avait l'air jalouse et amère, mais elle s'en fichait. Pourquoi n'avaient-ils rien dit, la pensaient-ils fragile au point de s'effondrer en l'apprenant ?

« Écoute, je te jure que c'était rien, dit Nadia. Putain, ça fait des années que je ne lui ai pas parlé. On est sortis ensemble au lycée. Tu sais avec combien de garçons je suis sortie à cette époque ? »

Elle rit d'elle-même et se redressa sur la serviette en époussetant quelques grains de sable. Aubrey vit son reflet dans ses verres teintés : son visage presque boudeur, ses cheveux aplatis sur un côté du crâne. Elle s'en voulait de réagir ainsi. Évidemment que Luke était sorti avec d'autres filles. Elle connaissait sa réputation avant de le fréquenter. Et le lycée semblait si loin. Elle-même avait eu le béguin pour des garçons dont elle avait oublié les noms. Pour Luke, Nadia n'avait sans doute été qu'une conquête parmi d'autres. Mais peut-être qu'elle l'avait marqué. Elle était belle, sûre d'elle et forte. Elle n'aurait pas peur de se retrouver assise dans le lit d'un homme. Elle portait certainement le genre de nuisette et de lingerie que lui avaient offertes certaines des invitées les plus effrontées, des tenues qu'elle ne mettrait jamais, elle le savait.

Elle se sentirait idiote devant Luke dans un de ces minuscules machins à bretelles. Elle ne savait pas comment émoustiller un homme, deviner ce qu'il aimait. Elle craignait de vouloir encore sortir de son corps quand il la touchait. Elle serra le poing. Ses ongles enfoncés dans sa peau la soulagèrent un instant.

Le soleil déclinait lorsque deux hommes s'approchèrent et leur proposèrent une partie de volley-ball. À voir leurs coupes de cheveux ras, on devinait qu'ils étaient dans l'armée. À leur empressement aussi. Le Latino trapu qui souriait à Nadia paraissait trop sympathique, à l'image de tous ces jeunes marines qui traînaient autour du cinéma et du bowling dans l'espoir de bavarder avec quelques filles. Il se balançait sur ses talons, comme un enfant hyperactif, le visage encore marqué par des cicatrices d'acné.

« Allez, mesdemoiselles, dit le grand Noir. Il nous manque deux joueurs. »

Aubrey s'aperçut qu'il la fixait, de la même façon que les hommes regardaient Nadia. Elle détourna la tête. Elle se sentait toujours nerveuse devant des inconnus. Pourtant, c'était un proche qui lui avait fait du mal. Et si un proche pouvait vous blesser à ce point, imaginez ce que pouvait faire un homme que vous ne connaissiez pas ?

« Je ne suis pas très sportive, dit Nadia.

— Tu seras dans mon équipe, répondit le plus jeune. Je t'apprendrai les règles. »

Elle sourit.

« Je sais jouer. Je suis pas douée, c'est tout.

— Pas grave, dit-il en lui rendant son sourire. Je t'aiderai à progresser. »

Il s'appelait JT, pour Jonathan Torres. Mais elles pouvaient l'appeler comme elles voulaient, précisa-t-il. S'il n'était pas particulièrement beau, son sourire avenant semblait plaire à Nadia. Du bout du pied, elle poussa Aubrey, toujours solidement ancrée sur sa serviette.

« Allez, viens.

— Non, ça va. Je vous regarde. »

Le grand, qui s'appelait Miller, ne fut pas de cet avis. Il posa les mains sur l'élastique de son maillot de bain gris.

« Pas question. On ne peut pas jouer sans toi. »

Il lui rappelait M. Turner : cette façon de parler, sans hausser la voix, cette vigilance constante, et surtout, ses sourires qui semblaient toujours sincères. Il avait l'air fiable. Et le filet de volley n'était qu'à une trentaine de mètres. Elle pourrait toujours partir si elle le souhaitait.

« Oh, et puis zut », dit-elle en laissant Miller l'aider à se lever.

Sa paume calleuse était couverte de sable.

Elle avait suivi son instinct, ce qu'elle ne faisait jamais. Et soudain, la soirée débordait de promesses. Ce soir, elle pouvait être une fille différente, une fille qui parle aux inconnus sans avoir peur. Et si elle pouvait être cette fille, c'était uniquement grâce à la présence de Nadia. Quand JT revint avec un ballon, ils se dirigèrent tous les quatre vers le filet le plus proche. En chemin, il ne cessa de bavarder avec Nadia, en portant leur serviette.

« Tu as quel âge en vérité ? » demanda-t-elle.

Il lui fit un grand sourire. « Je te l'ai dit : vingt ans. »

Nadia se tourna vers Miller.

« Il ment ?

— Pas de commentaire. »

JT avait dix-huit ans. Après leur partie de volley, ils se tassèrent dans un box au Wiernerschnitzel et partagèrent des frites au fromage fondu et des hot-dogs. Les deux hommes s'étaient battus à la caisse pour les inviter. Ils étaient copains depuis six mois seulement, confia Miller. L'équivalent d'une vie chez les marines.

« Vous auriez dû voir ce gamin, fit-il en montrant JT avec sa fourchette, jetant un filament de fromage sur la table. Il a débarqué sans rien. Il connaissait rien. Il savait même pas laver ses chaussettes. »

Miller avait vingt-huit ans, il était plus avisé, plus malin. Il s'était engagé dans les marines après le lycée et avait déjà effectué deux séjours en Irak. Il avait perdu une partie de l'ouïe à droite, à cause d'un projectile de mortier qui avait explosé près de sa tête.

« J'entends pas ce que tu racontes, dit-il à Aubrey au cours du repas. Tu parles trop doucement. »

Elle se rapprocha de lui sur la banquette, sa cuisse appuyée contre la sienne.

« C'est mieux ? » demanda-t-elle.

C'était pour flirter, pensa-t-elle, jusqu'à ce qu'il baisse la tête, front plissé, concentré pour écouter ce qu'elle disait. Il n'était pas du genre dragueur. JT avait passé la moitié de la partie de volley à plaisanter, l'autre moitié à louper le ballon, trop occupé à reluquer Nadia. Miller, lui, avait dominé la rencontre. Il semblait vouloir jouer pour gagner, dans tous les domaines, et devait insulter l'écran quand il perdait à un jeu vidéo ou frapper sur la table de ping-pong après un coup raté. Pas une seule fois il n'avait crié après Aubrey quand elle avait fait une faute et, lorsqu'elle avait réussi un coup facile, il avait trottiné vers elle pour lui taper dans la main. Avait-il toujours été aussi investi, ou bien était-ce dû à ses combats à l'étranger ? JT n'avait jamais été envoyé en opération, mais il savait que son heure allait venir. Il n'avait pas peur. Il s'était engagé pour ça.

« Et aussi pour apprendre des trucs et voyager, ajouta-t-il, la bouche pleine de frites. Et pour aller en Californie et manger des hot-dogs avec de jolies filles. »

Il faisait nuit quand ils revinrent sur la plage. Les garçons jetèrent les cartons de leurs packs de bière dans un feu, allumé avec du bois flotté et des feuilles de journaux, qui brûlait de manière régulière entre les pierres. Miller avait voulu le faire démarrer sans liquide d'allumage.

« Sinon, c'est de la triche », avait-il déclaré, agenouillé devant le cercle de pierres avec son briquet. Il essaya de raviver les braises rougeoyantes en disposant les bouts de bois selon une géométrie complexe. Il fallait laisser passer l'air, expliquait-il, mais pas trop, pour éviter que le feu ne s'éteigne. Il fallait trouver l'équilibre parfait, car ce même air ravivait mais pouvait également éteindre le feu. JT, las d'attendre, emprunta un bidon d'allume-feu à un groupe installé près d'eux.

« Juste un peu », lui conseilla alors Miller, tandis qu'il aspergeait les braises.

Les flammes jaillirent aussitôt. Les filles poussèrent des cris. JT s'esclaffa.

« Wow ! Putain ! répétait-il. Vous avez vu jusqu'où elles sont montées ? »

Miller se releva, en brossant le sable collé à ses genoux. Il paraissait déçu.

« C'est pas grave, dit Aubrey. Tu y étais presque. »

Il lui sourit faiblement. Elle avait remis sa bague de fiançailles après le match de volley et Miller l'avait remarquée. Elle s'était assise à côté de Nadia sur une grosse bûche et elles s'étaient emmitouflées dans leur serviette. La nuit était fraîche, et elles se blottissaient l'une contre l'autre en partageant une bouteille de Heineken. Aubrey posa la tête contre l'épaule de son amie, nostalgique soudain de cet été ensemble, de leurs virées en voiture, des séances de cinéma et des heures passées à se balancer dans le hamac de M. Turner. Elle allait se marier et Nadia repartirait dans le Midwest. Pouvait-on être nostalgique d'une amitié pas encore finie, ou bien ce sentiment sonnait-il la fin d'une époque ?

De l'autre côté du feu, JT se laissa tomber sur le sable.

« Ah, j'aimerais bien que quelqu'un me dorlote, moi aussi, dit-il.

— Me regarde pas comme ça », rétorqua Miller.

Les deux garçons se chahutèrent, sous les rires des filles. Plus tard, ils regagneraient leur base, ou peut-être iraient-ils patrouiller autour du cinéma, à la recherche de nouvelles rencontres. Mais, pour l'instant, faire comme s'ils étaient tous amis et se reverraient un jour leur suffisait. Miller adressa un sourire douloureux à Aubrey.

« Alors, tu profites de tes derniers jours de liberté ? » demanda-t-il en désignant sa bague d'un mouvement de tête.

Elle ne répondit pas. Avait-elle jamais connu cette liberté dont il parlait ?

« Haha, c'est la fin, fit JT en ricanant. Et moi j'attends juste qu'il se passe quelque chose. »

Il y eut un moment de silence. Le feu s'éteignait. Miller y jeta d'autres morceaux de carton pour raviver les flammes. Puis JT se leva d'un bond, avec un grand sourire.

« J'en ai marre de rester assis à rien faire, dit-il. Allons nous baigner. »

Sa chemise tomba dans le sable, il prit ses tongs dans ses mains et fonça vers la jetée en braillant.

« Allez, viens, lança Aubrey à Nadia.

— Tu es folle ? L'eau est glacée.

— Je m'en fiche. »

Elle prit Nadia par la main et l'entraîna dans sa course. Riant et hurlant tout à la fois, toutes deux se mirent à courir sur le sable mouillé jusqu'à la jetée. Après avoir sauté dans l'eau glacée, Aubrey songea que sa sœur la tuerait si elle savait ça. Elle lui ferait un sermon sur les tétraplégiques qui s'étaient brisé la colonne vertébrale en plongeant dans une eau pas assez profonde. Mais elle avait sauté, et rien ne s'était produit. Une autre vague glacée la frappa, trempant le short qu'elle n'avait pas enlevé. JT nageait autour d'elles. Nadia riait, ses cheveux frisaient, et Audrey renversa la tête en arrière, flottant au clair de lune. Seul sur le rivage, Miller était adossé au mur en béton des toilettes. Aubrey sortit de l'eau en titubant.

« Pourquoi tu restes dans ton coin ?

— Parce que vous êtes fous. Pas question que je saute de là.

— Pourquoi ? T'as peur ?

— De mourir ? Oui. »

Il avait fait la guerre. Il avait tué des gens, et même s'il n'avait pas tué, on lui avait appris à le faire. Il avait côtoyé la mort. Il savait que ne pas en avoir peur n'était pas une preuve de courage. Que ceux qui ne craignaient pas la mort ignoraient tout de sa réalité.

« Je n'ai pas peur, dit Aubrey.

— De quoi donc ?

— De toi. »

Ils demeurèrent immobiles pendant une minute, puis Miller la prit par la taille. Aubrey ne bougea pas. Il l'embrassa, avec douceur tout d'abord, puis plus brutalement, et quand ses lèvres descendirent dans son cou, elle se figea, glacée et brûlante à la fois. Avant de comprendre ce qu'elle faisait, elle l'attira dans les toilettes sombres, sur le sol crasseux couvert de sable mouillé. Elle le voyait à peine dans la pénombre, elle le sentait seulement ; ses grandes mains l'enserraient. Il pouvait la tuer. Lui cogner la tête par terre. Il pouvait l'étrangler, lui broyer le cou. Pourtant, elle n'était pas paralysée par le danger, seulement excitée. Elle grimpa sur lui et il gémit à l'intérieur de sa bouche.

« Je n'ai rien », murmura-t-il.

Pas de préservatifs, voulait-il dire. Elle se redressa. Dehors, la lune brillait au-dessus des vagues, et à travers la porte des toilettes Aubrey voyait Nadia et JT danser dans l'eau ; ils riaient et s'aspergeaient. Elle se décolla de Miller et les rejoignit, ne faisant plus qu'un avec l'océan.

« Je crois que tu lui plaisais bien, dit Nadia. Au plus vieux. »

Assises dans la voiture, elles regardaient le soleil se lever au-dessus de la San Luis Rey River, ou ce qu'il en restait. L'été, la rivière s'asséchait, et la terre craquelée venait s'insinuer entre les arbres. Aubrey appuya la tête contre la vitre, le verre réchauffa son visage. Elle pouvait encore sentir l'odeur de Miller. Elle avait envie de raconter à Nadia ce qui s'était passé, comment elle avait pris l'initiative, sans avoir peur, mais elle ne le fit pas, pour la même raison qu'elle avait refusé que Miller lui donne son numéro de téléphone. Elle n'était jamais soulagée de partager les vérités sans fard. Car rien ne pouvait les adoucir.

« Pourquoi tu ne m'as rien dit ? demanda-t-elle.

— Quoi donc ?

— Toi et Luke. Tu ne me l'aurais jamais dit.

— À quoi bon ? C'était au lycée, pas de quoi en faire un plat !

— Pour moi, si ! »

C'était la première fois qu'elle haussait le ton devant Nadia, et pendant un court instant, elle fut fière de la voir tressaillir. Puis Nadia la prit dans ses bras.

« Je suis désolée, murmura-t-elle. Je suis désolée, OK ? Je n'aurai plus jamais de secrets pour toi. »

Elle l'embrassa sur le front, et Aubrey n'eut pas la force de la repousser. Elle se laissa aller contre elle, stupéfaite de constater qu'après tout ce qu'elle avait vécu elle pouvait encore ressentir une chose aussi délicate que les doigts de son amie dans ses cheveux.

Neuf

Après avoir reçu les invitations, nous ne parlions plus que du mariage. Des carrés d'or brillants, en papier, avec des lettres si tarabiscotées qu'il fallait plisser les yeux pour les déchiffrer, glissés dans des enveloppes blanches à liseré doré, fermées par un cachet de cire portant les initiales de la femme du pasteur : un *L* penché, appuyé contre un *S* sinueux. Ces invitations éclatantes reflétaient la lumière, et quand nous les approchions de notre visage, au moment du café, elles nous donnaient bonne mine. Nous avions toutes entendu des indiscrétions au sujet de ce mariage. L'épouse du diacre Ray, Judy, avait dit à Flora que le gâteau venait de chez Desserts Divins ; il avait trois étages et était suffisamment sucré pour vous faire perdre une dent. John confia à Agnes qu'il y aurait plus de mille invités. Au bingo, Cordelia, l'organiste de l'église, glissa à Betty que la réception aurait lieu dans la propre maison du pasteur, et que des serveurs se promèneraient avec des flûtes en verre sur des plateaux en argent.

Vous ne pouvez pas nous en vouloir. À notre âge, nous avions vu de nombreux mariages, beaucoup trop à vrai dire. Des mariages tellement ennuyeux que nos yeux se fermaient avant même que le pasteur prenne la parole ; des mariages entre des personnes qui n'avaient aucune raison de se marier, incapables de partager un sandwich, et encore moins une vie commune. Mais cette union nous redonnait espoir. Généralement, nous n'étions guère impressionnées par les jeunes gens de notre congrégation. Les garçons étaient renfrognés et mous, ils s'affalaient sur les bancs et restaient muets quand vous essayiez de faire la conversation. Quand nous étions jeunes, nous connaissions de vrais croyants, habités par la foi, qui citaient la Bible. (Nous connaissions également des flambeurs qui jouaient au billard et fumaient des cigarettes, mais au moins, ils avaient assez de jugeote pour porter une ceinture.) De nos jours, les filles étaient encore pires. Nos mères nous auraient fouetté les cuisses si nous avions osé entrer dans l'église comme ces demoiselles, en faisant claquer des bulles de chewing-gum, tortillant nos cheveux et nous déhanchant. Tout le monde sait qu'une église ne vaut que par les femmes qui la composent, et lorsque nous serions toutes auréolées de gloire, qui soutiendrait cette congrégation ? Qui s'occuperait du bénévolat ? Qui organiserait les conférences des Femmes de Valeur ? Qui distribuerait des paniers cadeaux à Noël ? Quand nous envisagions l'avenir, nous visualisions de grandes tables de banquet couvertes de poussière au sous-sol, et des cours d'études de la Bible désertés. À moins que ces filles ne transforment la salle de réunion en discothèque.

Mais Aubrey Evans était différente. Quand nous l'avions vue pleurer devant l'autel, il y a si longtemps, elle nous avait rappelé ce que nous avions été. Des filles qui s'entassaient dans les *camp meetings*[1], vêtues de robes en calicot amidonnées, avec des gants blancs ; des filles qui chantaient des cantiques en solo et confectionnaient des tartes aux patates douces pour le pique-nique paroissial ; des filles qui s'agenouillaient dans les églises ségréguées, obligées de s'asseoir dans un coin pour ne pas être dans le champ de vision du pasteur blanc. Nous retrouvions en elle ce que nous étions autrefois. Des filles qui avaient ressenti cette première étincelle d'un amour doux. Un pasteur avait posé sa main sur notre front et nous avions succombé, les bras écartés, mains en arrière, criant pour la première fois le nom d'un homme. Jésus ! Et quand nous avions crié le nom d'un homme une seconde fois, ce n'était que l'ombre de ce premier instant. Alors, même si nous ignorions d'où elle venait, nous avions compris pourquoi, quand le pasteur lui avait demandé quel cadeau elle espérait recevoir en se présentant ici, Aubrey Evans avait fondu en larmes et répondu, dans un murmure : le salut.

---

1. Rassemblement religieux chez les protestants, pouvant durer plusieurs jours. *(N.d.T.)*

Le soir de l'arrivée de Shadi, le père de Nadia les conduisit dans un restaurant du port baptisé Dominic's. Elle avait passé la matinée à éplucher le livre de prières de sa mère. Elle tournait lentement les pages, s'arrêtant quand elle découvrait son écriture déliée dans les marges. La plupart du temps, sa mère avait simplement souligné à l'encre bleue un mot abstrait dans une prière, au hasard : *paix* ou *refuge*. Plus rarement, elle avait griffonné des commentaires, impossibles à déchiffrer. Sous un psaume, elle avait noté ce qui ressemblait à une liste de courses. Nadia ne savait pas trop ce qu'elle cherchait : un indice, peut-être, mais de quoi ? Un mot expliquant son suicide ?

« C'est normal, avait commenté Shadi sur le trajet depuis l'aéroport. La plupart des gens laissent des mots, non ? »

Nadia s'était toujours sentie soulagée, d'une certaine façon, que sa mère n'ait rien laissé. Dans son esprit, ce suicide avait toujours été un geste impulsif, pressant, un besoin de mourir qui l'avait aveuglée au point qu'elle ne voie plus rien d'autre. Si elle avait pris le temps d'écrire, elle aurait le temps de comprendre qu'elle ne devait pas se tirer une balle dans la tête. Un mot aurait semblé égoïste, un besoin de justifier ce choix qu'elle savait douloureux. Malgré cela, Nadia avait épluché le livre, avec l'espoir d'y trouver quelque chose, n'importe quoi, qui l'aiderait à comprendre.

Au dîner, son père commanda des crevettes scampi pour lui et une bouteille de merlot pour eux trois. Nadia ne lui dit pas que le vin était mal choisi. Son père n'en buvait pas habituellement, et il fréquentait encore moins souvent les restaurants chics comme Dominic's. Il voulait impressionner Shadi, et cette camaraderie l'agaçait. Quand il était arrivé, son père lui avait fait faire le tour de la maison ; les deux hommes affichaient quasiment la même posture, les mains dans les poches de leurs jeans. Et ils avaient bavardé de choses dont elle se fichait – le golf, l'équipe de football de l'Université – pendant qu'elle restait à l'écart, gênée, comme si c'était elle l'invitée qui faisait la connaissance des parents. Pire encore, à un moment de la visite, son père avait montré les murs vides en disant :

« Désolé, comme tu peux le voir, cette maison a besoin de quelques travaux de rafraîchissement. »

En les entendant rire, Nadia avait quitté la pièce. Mais plus elle y repensait, plus sa fureur montait, jusqu'au dîner, au cours duquel elle demeura renfrognée et muette.

Finalement, elle lâcha :

« Tu n'avais pas le droit de faire ça, tu sais ? »

Shadi la regarda. Son père se figea, des spaghettis pendaient entre les dents de sa fourchette.

« Quoi donc ?

— Enlever les photos. »

La mâchoire de son père se crispa.

— Nadia, ça fait quatre ans…

— Je m'en fiche. C'est ma mère ! Tu imagines ce que je ressens ? Quand j'entre dans la maison, elle n'est plus là !

— Elle n'*est* plus là. Et toi aussi tu es partie. Et maintenant, tu viens me dire comment je dois vivre dans ma propre maison. Tu crois que l'on s'arrête de vivre quand tu n'es pas là ? »

Il s'essuya lentement la bouche avec sa serviette, puis repoussa sa chaise. Nadia le regarda disparaître dans le couloir qui menait aux toilettes ; elle s'en voulait de ne pas avoir su tenir sa langue. La tête entre les mains, elle sentit Shadi lui masser la nuque. Plus tard, ce soir-là, il entra dans sa chambre sur la pointe des pieds et se glissa sous les draps. Il écrasait Nadia contre lui dans ce lit une place, mais elle était trop triste pour refuser sa compagnie.

« Je suis une salope.

— Mais non. C'est normal d'être en colère. »

La patience de Shadi l'exaspéra soudain. Il se montrait toujours raisonnable, comme elle ne pourrait jamais l'être. Pour une fois, juste une, elle aurait voulu qu'il se fâche. Pour une fois, elle aurait aimé qu'il la voie telle qu'elle était réellement.

« J'ai couché avec le marié », lâcha-t-elle.

Shadi resta muet, si longtemps qu'elle pensa qu'il s'était endormi.

« Quand ça ?

— Il y a quatre ans.

— Bah, c'était il y a quatre ans.

— Et il va épouser ma meilleure amie. Ça ne te ferait pas chier si j'avais couché avec ton meilleur pote ?

— Non, si c'était quand tu avais dix-sept ans. À dix-sept ans, on baise avec tout le monde. »

Il resserra son étreinte autour de sa taille. Mais dès qu'il fut endormi, Nadia échappa à l'étau de son bras épais. Elle alla s'asseoir devant la fenêtre, et s'endormit au clair de lune, en tenant tendrement le livre de prières.

Nadia pleura trois fois au cours du mariage.

Une première fois quand Aubrey marcha vers l'autel, souriante et serrant entre ses mains un bouquet de lis, suivie de sa traîne blanche, semblable à un golfe que Nadia ne pourrait jamais traverser. Elle sécha ses larmes une deuxième fois pendant les vœux de Luke. Il les avait rédigés lui-même et ses mains tremblaient pendant qu'il lisait sa feuille à voix haute. Elle avait envie de les prendre dans les siennes pour les calmer. Ses yeux se mouillèrent une troisième fois pendant la réception, au moment de la première danse, pendant que Luke et Aubrey se balançaient sur une chanson de Brian McKnight. Sans doute lui fredonnait-il les paroles à l'oreille, de sa voix éraillée et fausse. Assis à côté d'elle à table, son père les regardait. Les pas de Luke étaient un peu heurtés à cause de sa jambe. Son père pensait-il à son propre mariage ? Nadia connaissait l'histoire ; elle savait que sa mère et son père s'étaient mariés avec seulement deux cents dollars en poche. Les amies de sa mère avaient confectionné la robe et fait le gâteau. Pour tout repas, ils avaient servi du poulet frit et des sandwiches. Une union au rabais, assurément, avait dit sa mère en riant, mais pendant des années, les gens leur avaient dit qu'ils ne s'étaient jamais autant amusés à un mariage. Nadia avait du mal à imaginer ses parents comme des gens amusants, mais c'était peut-être le cas dans le temps. Ou alors, son père pensait au mariage de sa propre fille. Elle tourna la tête vers Shadi, qui lui sourit et lui prit la main. Nadia sécha ses larmes ; elle savait qu'elle allait décevoir son père encore une fois.

Il n'y avait pas d'alcool. Elle ne s'attendait pas à ce que les Sheppard prévoient un open bar, mais elle avait espéré qu'il y aurait au moins un peu de champagne. Au bout d'une heure, elle annonça qu'elle allait aux toilettes et quitta la salle pour prendre l'air. En se faufilant par la porte de derrière, elle fut surprise de découvrir Luke, appuyé contre un pot de fleurs, sa cravate argentée déjà desserrée.

« Qu'est-ce que tu fais ici ? demanda-t-elle.

— J'avais besoin de faire une pause.

— Pendant ton mariage ? »

Il haussa les épaules. Nadia détestait quand il faisait ça, quand il haussait les épaules au lieu de réagir pour de bon. Au moins, Shadi exprimait ses pensées.

« Tu veux boire un coup ? »

Luke sortit une flasque de sa poche.

Nadia pouffa. « Ici ? Tu es fou ? »

Il lui sourit et haussa les épaules de nouveau, en dévissant le bouchon de la flasque, qu'il lui tendit. Elle avait l'impression qu'ils étaient deux gamins qui se retrouvent en douce sur le parking pendant que leurs parents dorment. Elle but une petite gorgée, puis une autre, le whisky lui brûla la gorge.

« J'ai fait la connaissance de ton mec. Sympa.
— J'aime les garçons sympas maintenant. »
Luke eut un petit sourire en coin.
« C'est pas ton genre.
— Je n'ai pas de genre.
— Arrête. Tout le monde a un genre.
— Aubrey, c'est ton genre ? »

Elle n'avait pas voulu être aussi cinglante. Mais elle ne comprenait pas cette attirance, voilà tout. Et peut-être qu'elle ne comprendrait jamais toutes les choses qui avaient changé depuis qu'elle était partie. Luke reprit la flasque.

« Non, dit-il. Mais c'est pour ça que je l'aime. »

Nadia avait espéré une libération. Elle assisterait à ce mariage et quand elle les regarderait s'embrasser devant l'autel, cette partie d'elle-même qui demeurait accrochée à Luke céderait enfin. Un déclic se produirait, la serrure s'ouvrirait et elle serait libre. Au lieu de cela, elle sentait qu'il s'enfonçait plus profondément en elle. Elle ressentait la brûlure sourde d'une faim ancienne, toutes les fois où elle l'avait désiré, où elle avait attendu qu'il lui prenne la main en public, toutes les nuits où elle avait rêvé du moment où il lui dirait enfin « Je t'aime ». Luke lui avait fait sentir qu'elle devait lutter de toutes ses forces pour l'attraper, et regardez avec quelle facilité il était tombé amoureux d'Aubrey. Évidemment. Il était si facile d'aimer Aubrey.

Il lui tendit de nouveau la flasque. Derrière la salle de réception, près des tuyauteries, à l'écart des idylles et des lumières, de la foule des gens bien intentionnés qui prenaient des photos et dansaient sur de vieux standards, ils burent ensemble, en sentant monter l'ivresse et la chaleur, jusqu'à ce que la flasque soit vide. Luke la rangea dans sa poche, puis, en silence, comme s'ils obéissaient à un signal muet, ils retournèrent dans la salle. Mme Sheppard se tenait à l'entrée, les mains sur les hanches. Elle portait un tailleur rose orné d'une broche à motif floral qui donnait l'impression qu'on venait de la cueillir dans un rosier, épines comprises.

« Ah, vous voilà ! s'exclama-t-elle. Tout le monde vous cherche.

— Désolé, dit Luke. J'avais besoin de souffler un peu.

— Allez, entre. Tu ne peux pas disparaître comme ça. »

Elle le prit par le bras et l'entraîna. Nadia voulut les suivre, mais Mme Sheppard lui bloqua le passage.

« Il faut que ça cesse », siffla-t-elle tout bas.

Nadia eut l'impression d'avoir à nouveau douze ans : elle s'était fait prendre en train d'embrasser un garçon derrière l'église, et humilier. Mais, à son grand étonnement, elle prononça les mots qu'elle aurait aimé prononcer à l'époque.

« Je n'ai rien fait de mal.

— Qui crois-tu berner, ma petite ? Sais-tu combien de filles comme toi j'ai connues ? Qui convoitent ce qui ne leur appartient pas. Écoute-moi bien : il faut que ça cesse. Tu as déjà causé assez d'ennuis.

— Qu'est-ce que ça veut dire ?

— Tu le sais très bien. Qui t'a donné cet argent, à ton avis ? Tu crois que Luke avait six cents dollars sous la main ? Je t'ai aidée à commettre cette chose infâme, et maintenant, tu vas laisser mon fils tranquille. »

Mme Sheppard fit un mouvement de tête, comme si elle mettait Nadia au défi de répliquer, et devant son silence, la femme du pasteur redressa sa broche et retourna dans la salle. Nadia demeura seule, si longtemps que Shadi vint la chercher, et quand il lui demanda si tout allait bien, elle acquiesça. Mais plus tard, elle se demanderait pourquoi elle ne s'était jamais étonnée que Luke ait pu trouver cet argent si vite. Elle était tellement désespérée qu'elle l'imaginait capable de tout. Maintenant, elle savait que c'était le cas.

Le lendemain matin, les jeunes mariés seraient dans un avion à destination de la France : deux jours à Nice, deux jours à Paris. Les parents de Luke avaient offert cette lune de miel en guise de cadeau de mariage, avec l'aide des fidèles. Une de leurs plus grosses collectes, avait précisé son père, et Luke s'était senti honoré par la générosité de ces bienfaiteurs, qui ne savaient pas prononcer « Nice » correctement et avaient donné de l'argent malgré tout pour les envoyer là-bas. Il aurait préféré une lune de miel moins lointaine : une croisière au Mexique, un voyage à Hawaii – il s'imaginait tombant sur Cherry au Aloha Cafe et commandant le Strawberry Sunrise –, mais Aubrey avait jeté son dévolu sur

Paris. Luke savait qu'elle voulait y aller uniquement pour imiter Nadia, mais il avait accepté.

Mais ça, c'était demain. Ce soir, dans leur chambre d'hôtel, il se glissa derrière elle, baissa la fermeture Éclair de sa robe, impressionné, comme toujours, par la délicatesse des vêtements féminins, les petites agrafes, les boutons minuscules. La première fois qu'il avait dégrafé le soutien-gorge d'une fille, il avait dû batailler et il ressentait la même nervosité à cet instant, une sorte de vertige, même. Il avait peur d'être déçu, et surtout, il avait peur de décevoir Aubrey. C'était peut-être l'éclairage tamisé de la chambre d'hôtel, le champagne apporté par le service en chambre, ou le romantisme du mariage, les fleurs en soie, la musique, les décorations, véritable obsession de sa mère. Il avait toujours séparé le sexe de l'amour, mais aujourd'hui les deux s'entremêlaient, et il se sentait aussi désorienté qu'à quatorze ans. Il continua de baisser la fermeture Éclair, jusqu'à ce qu'il découvre la peau, et encore un peu plus de peau. Mais Aubrey glissa sa main dans son dos pour l'arrêter.

« Je suis au courant pour toi et Nadia, dit-elle. Je sais que tu as couché avec elle. »

Il n'osait pas la regarder. Elle était encore penchée en avant, relevant ses cheveux d'une main pour dégager la fermeture Éclair. Luke se figea, ne sachant s'il devait nier ou s'excuser.

« Ce n'est pas grave, dit-elle. Je veux juste que tu saches que je le sais. »

Comment le savait-elle ? Que lui avait raconté Nadia ? Ou peut-être l'avait-elle senti, toute seule, comme si elle avait repéré sur leurs doigts des traces de peinture que ni Nadia ni lui n'avaient pensé à nettoyer. Ils étaient mariés depuis quelques heures seulement et déjà il la faisait souffrir. Mais il se montrerait plus intelligent à l'avenir. Il promena ses mains dans les creux doux des épaules d'Aubrey et l'embrassa dans la nuque. Elle valait mieux que lui, mais cela le rendrait meilleur. Il serait bon avec elle.

Dans l'avion qui la ramenait à Detroit, Nadia rêva de Bébé. Bébé qui n'était plus un bébé, mais un bambin qui attrapait les choses. Il tirait sur ses boucles d'oreilles jusqu'à ce qu'elle décroche ses petits doigts boudinés. Bébé était avide de son visage. Bébé devenait un enfant, qui apprenait les mots en *a*, assis à l'arrière d'une voiture en allant à l'école, qui écrivait son nom au pastel vert sur la première page de tous ses livres d'images. Bébé courait avec ses camarades dans le parc et poussait les filles qu'il aimait bien sur les balançoires. Bébé creusait des trous dans le bac à sable et rentrait à la maison en sentant l'herbe. Bébé faisait voler des avions avec grand-père dans le jardin. Bébé cherchait des photos cachées de grand-mère. Bébé apprenait à se battre. À embrasser. Bébé, devenu un homme, monte à bord d'un avion et dépose son sac dans le compartiment à bagages. Il aide une femme âgée à mettre le sien. Quand il atterrit, où qu'il se rende ensuite, il fait cirer ses chaussures et se regarde dans leur miroir noir, il voit son visage, celui de son père, de sa mère.

Dix

Quand le Scripps Mercy Hospital appela à minuit, Nadia sut, avant même de décrocher, que son père était mort.

Elle rêvait à moitié et peut-être aurait-elle continué à dormir, malgré la sonnerie stridente, si Zach ne lui avait pas donné un petit coup dans le dos. Dès qu'elle entrouvrit un œil et vit un numéro inconnu s'afficher sur l'écran de son téléphone, elle comprit qu'une chose terrible était arrivée. Un accident de voiture. Une crise cardiaque. Il avait quitté ce monde pendant qu'elle dormait, il s'était éclipsé aussi silencieusement que sa mère. Mais quand elle répondit, une infirmière lui expliqua que son père avait laissé tomber une barre d'haltères sur sa poitrine en faisant ses exercices dans le jardin. Diaphragme broyé, deux côtes cassées et un poumon perforé. Il se trouvait dans un état critique, mais stationnaire.

Elle raccrocha. À côté d'elle, Zach grogna dans son oreiller. Elle l'avait rencontré en cours de procédure civile, durant leur première année de droit. C'était un golden boy du Maine, la peau bronzée par les étés passés à faire du bateau, les cheveux blonds en bataille comme un Kennedy. Son père, son grand-père et son arrière-grand-père avaient tous été avocats. Nadia appartenait à la première génération d'étudiants dans sa famille, elle empruntait ses manuels à la bibliothèque car elle n'avait pas les moyens de les acheter, et l'angoisse provoquée par le montant grandissant de ses prêts étudiants n'était égalée que par sa peur d'échouer aux examens. Quand Zach l'avait invitée à une soirée, après les examens du premier semestre, elle lui avait rétorqué qu'elle doutait qu'ils aient beaucoup de points communs.

« Pourquoi ? Parce que je suis blanc ? »

Il aimait faire référence à sa couleur de peau, comme tous les Blancs progressistes : il reconnaissait leur différence uniquement quand il se sentait agressé ; le reste du temps, c'était comme si sa peau blanche n'existait pas. Nadia s'était trompée : ils avaient plusieurs choses en commun, en réalité. Tous deux voulaient faire du droit civique. Tous deux savaient ce que signifiait grandir dans des villes enserrées par l'océan. Et ils se plaisaient à échanger des SMS à la fin d'une longue nuit passée à potasser, avant de finir dans le même lit, inévitablement. Nadia n'attendait pas grand-chose de Zach, et c'était un sentiment libérateur. Ce garçon était synonyme de bon temps, elle en avait besoin : sa rupture avec Shadi l'avait vidée, et la fac de droit l'avait transformée en boule de nerfs, épuisée et stressée. Elle buvait tellement de café en révisant que cette simple odeur suffisait à l'angoisser. Alors la bonne humeur de Zach, son style décontracté, sa conviction que la vie lui tendait les bras la réconfortaient. Jamais elle n'avait sollicité son soutien moral, mais elle lui fut reconnaissante d'être là au moment de l'appel pour son père. Cette nuit-là, Zach la ramena chez elle en voiture et l'aida à faire ses bagages. Elle se déplaçait dans un état second, fourrant dans sa valise des poignées de vêtements.

« Tu sais que je n'ai pas vu mon père depuis trois ans ? », répétait-elle.

Elle n'était pas retournée à Oceanside depuis le mariage d'Aubrey et Luke, depuis que Mme Sheppard l'avait coincée dans le hall de la salle de réception.

Nadia avait souvent repensé à son dernier été à Oceanside : la visite hésitante du pasteur qui, chose inhabituelle, s'intéressait à son état, comme s'il examinait les dégâts qu'il avait causés ; la froideur de Mme Sheppard puis son étonnante bienveillance. Pensait-elle que Nadia allait tout raconter ? Était-ce pour cette raison qu'elle avait donné à Luke l'argent de l'avortement ? Peut-être était-ce non pas pour aider une fille dans le besoin, mais pour s'en débarrasser. Nadia imaginait la femme du pasteur faisant la queue à la banque, puis tendant son bordereau de retrait au guichetier, la vitesse à laquelle elle avait dû fourrer les billets dans une enveloppe, de peur de tomber sur un membre de la paroisse qui verrait tout cet argent et devinerait, on ne sait comment, ce qu'il allait acheter. Pendant des années, Mme Sheppard avait connu son secret. Pendant des années, Nadia avait cru qu'elle se cachait, alors que depuis le début cela avait été impossible.

Son secret avait été dévoilé, et Luke n'avait jamais eu l'intention de lui dire que ses parents étaient au courant. Il aurait pu l'avertir en lui remettant l'argent. Elle lui en aurait voulu, évidemment, mais elle était alors trop désespérée pour se plaindre. Aujourd'hui, elle n'éprouvait que de la colère. Elle revoyait son père assis sur son banc à l'église chaque dimanche, anesthésié par les calmants, ignorant que les Sheppard l'espionnaient. Pauvre Robert, obnubilé par le chagrin, et trop occupé à transporter des choses et autres dans son pick-up pour savoir ce qui s'était passé sous son toit. Depuis quand ne lui avait-elle pas parlé ? Pas un coup de fil à Noël ou un message laissé sur répondeur pour son anniversaire. Il n'aimait pas beaucoup téléphoner et elle était accaparée par sa propre vie. Elle s'assit au bord du lit, comme épuisée. Elle détestait les hôpitaux. Elle ne voulait pas y voir son père.

Zach pencha la tête hors de la salle de bains, tout en glissant la brosse à dents de Nadia dans un sachet hermétique. Sa présence dans ce studio paraissait incongrue. Elle dormait toujours chez lui.

« Dépêche-toi si tu ne veux pas louper ton avion.

— Trois ans. Bon sang, mais à quoi je pensais ?

— Écoute, je suis désolé pour tout ça, mais il faut foncer à l'aéroport, là, et j'ai du boulot demain matin. »

Zach dansait sur place, la brosse à dents à la main. Évidemment qu'il était pressé. Il l'aidait à faire sa valise en pleine nuit, gentiment, c'était déjà plus qu'elle ne pouvait en attendre de la part d'un homme qui n'était pas son petit ami. Ni même son ami, en réalité. Nadia hocha la tête et ferma sa valise. Ce ne fut qu'en contemplant les lumières de l'aéroport par le hublot de l'avion qu'elle s'aperçut qu'elle ne savait absolument pas quand elle reviendrait.

Son père pleura quand elle entra dans sa chambre. À cause de la douleur ou parce qu'il était heureux de la voir, ou peut-être parce qu'il avait honte qu'elle le découvre ainsi, allongé dans ce lit, le flanc bandé, avec un tube qui sortait de la poitrine. Nadia ne l'avait pas vu pleurer depuis l'enterrement de sa mère, mais c'était différent. Penché au-dessus d'un banc d'église, dans son costume noir, il était digne. Majestueux, même. Mais, vêtu de cette chemise de nuit verte, relié à des machines qui bipaient, il paraissait fragile.

« Je suis désolé, dit-il. Je t'ai obligée à venir jusqu'ici…

— Ce n'est pas grave, papa. Je te jure. Je voulais venir te voir. »

Elle ne l'avait pas appelé papa depuis des années. Elle s'était exercée à prononcer ce mot quand il était revenu de l'étranger pour la première fois ; elle le faisait rouler dans sa bouche, en se demandant comment il allait réagir. Elle avait tellement besoin de lui à cette époque ; elle le suivait partout dans la cuisine, grimpait sur ses genoux quand il regardait la télé, lui tapotait le visage quand il venait de se raser, pour sentir ses joues douces. L'infirmière fit rouler un lit de camp dans la chambre, mais Nadia resta assise dans le fauteuil. De là, elle tenait la main de son père pendant qu'il dormait. Sa peau était rugueuse et usée. Elle n'aurait su dire depuis quand elle n'avait pas fait une chose aussi simple. Elle avait peur de lâcher cette main.

Elle plongea dans un sommeil intermittent, et au petit matin elle découvrit Aubrey endormie sur le lit de camp, sous une fine couverture. Elle se souvint alors qu'elle l'avait appelée de l'aéroport ; elle était dans tous ses états et avait besoin de parler à quelqu'un avant les quatre heures de vol. Aubrey n'avait pas répondu. Il était tard, même en Californie. Mais Nadia avait laissé un long message décousu. Entendre simplement la voix de son amie l'avait réconfortée, même s'il s'agissait uniquement de son répondeur.

Elle s'accroupit et caressa les cheveux d'Aubrey.

« Qu'est-ce que tu fais ici ? » chuchota-t-elle.

Aubrey battit des paupières. Elle se réveillait toujours lentement, elle réintégrait le monde par vagues. Tant de matins son visage avait été la première chose qu'elle voyait.

« J'ai eu ton message. Alors je suis là, évidemment. »

Elles ne s'étaient pas revues depuis le mariage. Chaque fois qu'elles se parlaient au téléphone, Nadia tentait de convaincre Aubrey de venir la voir à Chicago. Ce serait plus simple. Elle ne s'imaginait pas passer la nuit dans la chambre d'amis d'Aubrey et de Luke, au milieu des photos de leur nouvelle vie. Mais Aubrey trouvait toujours une excuse, elle était trop occupée : elle venait de trouver un poste dans une garderie, elle ne pouvait pas déjà réclamer un congé, elle avait promis à Mme Sheppard de l'aider à organiser la Conférence des femmes de valeur, la représentation théâtrale de l'église et le pique-nique annuel. Peut-être était-elle trop occupée, en effet, ou peut-être ne voulait-elle pas laisser Luke. Peut-être était-elle devenue une de ces épouses qui ne pouvaient aller nulle part sans leur mari, qui les appelaient sans cesse pour prendre des nouvelles, et qui passaient leur temps à culpabiliser, à ne pas se sentir à leur place, tel un organe qui aurait réussi à exister en dehors du corps. Qui souhaitait devenir ce genre d'épouses ? Elle devait avoir peur de laisser son foyer conjugal, comme si, en abandonnant sa vie pendant quelques jours, elle risquait de ne plus la retrouver en rentrant. Peut-être n'était-ce pas la peur, mais autre chose. Une profonde satisfaction. Peut-être ne voulait-elle pas être séparée de Luke, parce qu'il la rendait heureuse, voilà tout.

« Je suis désolée, dit Nadia. Je ne voulais pas…

— Chut. » Aubrey l'attira contre elle. « Comment va-t-il ?

— Son état est stationnaire. C'est ce qu'ils disent. Je ne sais pas… Le médecin n'est pas encore passé. Tu es ici depuis longtemps ?

— Ne t'inquiète pas pour moi. Tu veux un café ? Je vais t'en chercher un. »

Aubrey revint dix minutes plus tard avec deux gobelets provenant d'une chaîne de cafétérias que Nadia ne connaissait pas. Elle l'accepta malgré tout, même si l'odeur qui s'échappait à travers le couvercle lui rappelait les bibliothèques, les livres de cours et les examens. Elle était déjà angoissée, un café n'y changerait rien. Elles allèrent s'asseoir dans la salle d'attente pendant que le médecin examinait la poitrine de son père pour déceler une éventuelle infection. Il ne pouvait pas se redresser seul. Et il avait toujours du mal à respirer.

« Ils disent que… » Nadia marqua une pause. « Que s'il n'avait pas été en bonne condition physique, il n'aurait pas survécu.

— N'y pense pas, répondit Aubrey. Il est vivant, c'est tout ce qui compte. »

Mais Nadia ne pouvait s'empêcher d'imaginer son père coincé sous la barre, prisonnier et seul. Si un voisin n'avait pas fait un barbecue dans son jardin, s'il n'avait pas entendu un cri, son père aurait pu mourir. Et elle, trop occupée à réviser ses examens et à coucher avec des garçons blancs sans jamais s'impliquer, n'aurait peut-être pas appelé avant des semaines. Elle n'aurait même pas su que son père était décédé. Qui aurait été prévenu ? Elle appuya sa tête sur l'épaule de son amie. Elle sentait l'odeur de Luke, comme si Aubrey s'était libérée de ses bras pour foncer à l'hôpital. Nadia ferma les yeux afin de respirer ce parfum familier.

Au bout d'une semaine, son père put enfin quitter l'hôpital. Nadia fut soulagée de rentrer chez elle après avoir vécu sept jours avec sa valise faite à la va-vite ; une semaine de sommes sur un lit de camp spartiate, une semaine à boire du café trop dilué pendant que son père subissait des scanners et des tests respiratoires. Une semaine de défilé ininterrompu de fidèles du Cénacle : sœur Marjorie venue avec son quatre-quarts maison ; John avec une biographie de Miles Davis qu'il venait de terminer, et les Mères, qui s'étaient longuement félicitées des chaussettes qu'elles avaient tricotées, car, disaient-elles, il faisait froid dans les hôpitaux, et on n'avait jamais assez de grosses chaussettes ; et même le pasteur, passé un matin pour prier, en posant la main sur le front de son père. Tout le monde avait eu l'air un peu surpris de voir Nadia, à l'image de John Numéro Trois, qui avait sursauté en entrant dans la chambre.

« Regardez qui est là ! » s'était-il exclamé avec un grand sourire, comme s'il était persuadé qu'elle ne viendrait pas.

Évidemment qu'elle était là. Évidemment qu'elle avait pris l'avion pour voir son père à l'hôpital. Comment pouvait-on croire qu'elle se défilerait ? Était-ce pour cette raison que les fidèles avaient afflué ? Tous étaient tellement convaincus qu'elle ne rendrait pas visite à son père malade, qu'elle le laisserait seul, qu'ils avaient décidé de venir le voir à sa place. Elle les imaginait, en train de chuchoter après l'office dominical. Comme ils devaient avoir pitié de ce M. Turner, avec son épouse décédée et sa fille trop occupée. Comme ils devaient se sentir nobles, honorables même, de combler ce vide et de remplacer la famille qu'il aurait dû avoir.

Dans le taxi qui les ramenait à la maison, son père se tourna vers la vitre ; il semblait heureux de revoir le soleil. Il ne pouvait pas encore marcher seul, alors elle l'aida à entrer en suivant les méthodes conseillées par l'infirmière. En l'allongeant sur son lit, Nadia s'aperçut qu'elle n'avait pas remis les pieds dans la chambre de ses parents depuis qu'elle était devenue la chambre de son père. Il dormait toujours sur le côté gauche ; et l'autre côté demeurait intact, comme si sa mère venait de se lever pour aller boire un verre d'eau.

« Repose-toi maintenant, lui dit-il. Ça va aller. »

Nadia hésita avant de ressortir discrètement. À quoi pouvait-elle servir si elle dormait debout ? Après avoir pris une douche, elle se glissa dans son lit et elle commençait à s'assoupir lorsque la sonnette retentit. Luke Sheppard était sur le perron. Il tenait un Tupperware rouge sous le bras, l'autre prenait appui sur sa canne.

« J'en ai marre de faire du bénévolat avec les malades et les grabataires, dit-il. Je peux entrer ? »

Le poids du mariage pesait sur son corps. Il paraissait plus âgé, plus repu, pas gros, non, mais satisfait. Il remplissait un pull bleu ciel que lui avait certainement offert Aubrey – jamais il n'aurait choisi cette couleur pastel, ni remarqué la finesse du point –, avec le contentement d'un homme qui n'avait plus de grandes décisions à prendre, qui se reposait sur une femme pour acheter ses pulls. Il entra dans la cuisine d'un pas lent et demanda où il pouvait poser son plat.

— Je n'ai pas besoin de ton plat, répondit Nadia.

— Ça ne vient pas de moi. C'est de la part du Cénacle. »

Il ne se rasait plus. Elle l'imagina abandonnant son rasoir sur le lavabo – puisqu'il était satisfait, pourquoi se faire beau ? – et Aubrey le taquinant quand elle passait pour se brosser les dents. Peut-être qu'elle aimait sa barbe, les poils qui la chatouillaient quand ils s'embrassaient. Peut-être faisait-il uniquement des choses qu'elle aimait.

« Tu l'avais dit à tes parents, lâcha-t-elle.

— Hein ? »

Luke parut désorienté tout d'abord, puis son visage se décomposa et ses épaules s'affaissèrent. Il regarda le sol dallé.

« J'avais besoin de cet argent, dit-il.

— Il fallait inventer un prétexte !

— Ils auraient refusé. » Il fit un pas vers elle. « Il fallait que ce soit une très bonne raison.

— Et ça, c'était la meilleure raison. J'allais porter ton bébé !

— Ce n'est pas ce que…

— Je parie que ta mère a foncé à la banque…

— Tu avais besoin de cet argent, toi aussi. Je suis désolé de ne pas te l'avoir dit. J'ai pensé que… ça semblait plus facile comme ça. Tu te serais inquiétée.

— Va-t'en. »

Luke repartit, sans croiser son regard. Il s'en fichait de lui avoir fait du mal, se dit-elle. Il avait une vie agréable maintenant, et elle l'avait ramené de force dans le passé. Durant les longs moments d'accalmie, dans l'après-midi, elle pensa à lui, il semblait si apaisé. C'était ce qui l'avait toujours effrayée dans le mariage : les gens paraissaient satisfaits, incapables d'exiger davantage. Elle n'arrivait pas à s'imaginer ainsi. Elle recherchait toujours un nouveau défi, un nouveau travail, une nouvelle ville. En fac de droit, elle était devenue irritable et analytique ; elle s'était affûtée, alors que Luke s'arrondissait et se remplissait. Elle se sentait affamée en permanence ; elle en voulait plus, il lui en fallait plus, alors que Luke avait déjà repoussé son assiette en se tapotant l'estomac.

J'ai pris rendez-vous chez le médecin, tapa Aubrey sur son clavier. Elle attendit un instant, puis la réponse de rmiller86 lui parvint :

Bébé ?

Pendant une seconde, elle crut qu'il avait oublié leur règle. Pas de petits mots doux, pas de drague, uniquement des conversations amicales et banales. Miller l'avait contactée par mail un an plus tôt. *Je ne sais pas si tu te souviens de moi.* Ainsi commençait son message, mais dès que son nom était apparu dans la boîte de réception, Aubrey avait revécu leur baiser moite sur le sol crasseux et senti son corps s'enflammer. Évidemment qu'elle se souvenait de lui.

Pensait-il qu'elle avait l'habitude de se rouler par terre dans les toilettes avec des inconnus ? Elle avait appelé Nadia, furieuse que son amie lui ait donné son adresse mail.

« Bon sang, Aubrey, c'était il y a mille ans ! avait répondu Nadia. Je pensais que ça serait amusant. Comment je pouvais savoir qu'il allait t'écrire pour de bon ? »

Aubrey n'aurait pas donné suite s'il n'avait pas mentionné qu'il était stationné en Irak. Il ne pouvait pas lui dire où précisément – pour des raisons de sécurité –, mais elle l'imaginait dans un endroit chaud et horrible, envahi de poussière, obligé d'éviter les bombes. Un soldat seul dans le désert : ce n'était pas un crime de lui répondre. C'était la chose à faire. C'était un geste patriotique. De plus, il vivait presque à l'autre bout du monde. Il n'y aurait pas d'étreinte sur le sol des toilettes. Uniquement des conversations amicales et agréables.

Il se prénommait Russell. Sa famille et ses amis devaient l'appeler Russ, peut-être même Russy quand il était petit. Elle commença à lui envoyer des colis, adressés au Lieutenant Russell Miller, des boîtes remplies de choses qu'il lui avait demandées – du savon, des *jelly beans*, des magazines automobiles – et d'autres qu'il n'avait pas demandées – des cookies faits maison, des romans et même une photo d'elle, prise lors de la dernière Fête des Mères, quand elle avait quitté l'église en douce pour s'offrir une virée sur la Pacific Coast Highway avec Mo et Kasey. Elle posait nichée au creux du bras de sa sœur et la bretelle de son débardeur rose avait glissé de son épaule. Elle avait envoyé cette photo car elle se trouvait plus naturelle que sur toutes les autres. Une photo plutôt innocente – elle était avec sa sœur, nom d'un chien ! –, mais elle se demandait parfois s'il avait remarqué la bretelle du débardeur, s'il s'imaginait à côté d'elle, en train de glisser un doigt dessous. Si tel était le cas, il n'en avait jamais parlé. Il la remercia. *J'ai l'impression de connaître ta sœur,* lui écrivit-il. *Comme si elle était ma mère aussi.*

Il souffrait de la solitude. Et elle aussi, à sa manière. Luke venait d'être promu chef de service au centre de rééducation, cela voulait dire qu'il travaillait plus. En outre, il avait pris l'habitude de passer ses soirées au Cénacle pour aider son père. Entre son travail et l'église, il ne trouvait même pas le temps de l'accompagner chez le médecin. Elle n'arrivait pas à tomber enceinte.

« Je peux pas venir, dit-il en gobant un haricot vert. Carlos m'a chargé de former deux nouveaux. » Il mangeait souvent de cette façon maintenant, accoudé au comptoir de la cuisine. Si elle se donnait la peine de préparer un repas, il pourrait au moins s'asseoir pour manger.

« Tu ne peux pas remettre ça à plus tard ? demanda-t-elle.

— Quoi donc ?

— Je ne sais pas. Je me sentirais mieux si tu venais avec moi.

— Et moi, je me sentirais mieux si tout le monde arrêtait d'être obsédé par les bébés. On est jeunes. On a encore de temps. »

Cela faisait un an qu'ils *s'efforçaient* de faire un enfant. Aubrey détestait ce verbe. Pourquoi devaient-ils faire autant d'efforts, se donner tant de mal, pour réussir ce que des millions de gens faisaient chaque année sans peine ? Elle achetait des tests de grossesse par brassées, et elle les utilisait tous les quinze jours, même quand elle n'avait aucune raison de supposer qu'elle pourrait être enceinte : c'était comme jeter des pièces de monnaie dans une fontaine porte-bonheur. Lorsqu'elle allait prendre le thé chez Mme Sheppard, elle sentait que sa belle-mère la regardait avec pitié, comme vous regardez un enfant adorable qui peine à exécuter une tâche simple. Elle écoutait ses conseils sur les nutriments qui favorisaient la grossesse ou sur les vitamines dont parlaient certains médecins chez Oprah. Elle s'était décidée à prendre un rendez-vous, mais Luke rechignait à l'accompagner.

« Je ne comprends pas, confia-t-elle à Nadia. Pourquoi fait-il comme si ce n'était pas important ? »

Assise à table dans la cuisine de Nadia, elle la regardait répartir les médicaments de son père dans son pilulier.

« Je ne sais pas. Peut-être que tu devrais en faire autant. Te détendre, je veux dire.

— Je suis détendue. Je n'ai pas l'air détendue ?

— Je veux dire... tu as le temps, voilà tout. »

Nadia ouvrit un nouveau flacon de pilules et les compta dans sa paume. Elle paraissait stressée et distraite, trop inquiète au sujet de son père pour se soucier du reste, et Aubrey s'en voulait de s'être confiée. Luke lui répétait toujours la même chose – ils avaient grandement le temps d'avoir un enfant –, mais elle avait le sentiment de l'avoir déjà déçu. Tout devait être de sa faute car Luke avait déjà mis une fille inconnue enceinte, accidentellement. Celle-ci n'avait même pas voulu le garder, alors qu'elle n'arrivait pas à avoir cet enfant qu'elle réclamait chaque soir dans ses prières. Elle ne le formula pas à voix haute, cependant. Elle se trouvait déjà suffisamment égoïste en évoquant ce rendez-vous, face à son amie qui comptait les médicaments d'un air soucieux. En outre, elle n'avait jamais évoqué devant Nadia le bébé avorté de Luke. Elle n'avait rien dit à personne, sauf à Russell, mais c'était différent. Russell n'était pas n'importe qui. C'était un fantôme qui hantait l'écran de son ordinateur. Le soir, elle rabaissait l'écran de son ordinateur et, dans un clic, il disparaissait.

À l'université, Nadia vivait selon un planning détaillé, ses journées étaient planifiées d'heure en heure. Mais à l'hôpital où les longues périodes d'attente étaient ponctuées uniquement par les brèves visites des médecins, elle avait eu l'impression de flotter, totalement libérée de ses contraintes. Maintenant qu'elle était de retour chez elle, elle se créa un nouvel emploi du temps. Elle ne l'écrivit pas noir sur blanc, comme elle l'avait fait dans son studio où elle tenait un agenda sur un tableau blanc, mais elle le mémorisa, et très vite son père en fit autant. Elle se réveillait à six heures, vérifiait qu'il respirait toujours et prenait une douche. Son père dormait dans le fauteuil relax du salon désormais – la position allongée étant trop douloureuse –, alors elle lui massait les épaules chaque matin pour détendre les muscles de son cou. Elle l'accompagnait à la salle de bains, jusqu'à la porte seulement. Il était encore trop fier pour accepter que sa fille l'aide à se laver, mais elle avait de plus en plus conscience que ce jour approchait, sinon durant sa convalescence, dans un avenir plus ou moins proche, car tout le monde vieillissait et devenait sénile. Sa mère avait peut-être voulu éviter ça. Peut-être avait-elle préféré partir encore jeune et en possession de ses moyens plutôt que d'attendre son déclin.

Le médecin avait expliqué à Nadia que la plus grande inquiétude liée à l'état de son père, c'étaient les risques d'infection, mais elle savait qu'il fallait se méfier d'autres choses également. La pneumonie. L'atélectasie. La poitrine qui se remplissait de liquide. Et la douleur. Même si son état ne s'aggravait pas, la douleur à elle seule pouvait empêcher son père de respirer correctement. Alors, chaque matin elle vérifiait qu'il n'avait pas de fièvre et elle lui faisait faire ses exercices respiratoires : dix profondes inspirations toutes les heures. Elle glissait sous sa chemise pendant quinze minutes des paquets de petits pois congelés pour réduire le gonflement. Elle l'encourageait à tousser, en ayant toujours peur de voir du sang. Au bout de trois semaines, elle se surprit à examiner sans ressentir le moindre dégoût les glaires que son père avait crachées dans une boule de mouchoirs en papier. Elle était trop inquiète pour éprouver un autre sentiment.

Elle commençait à réfléchir comme une infirmière, disait Mo. Quand son père était rentré de l'hôpital, elle était venue pour conseiller Nadia au milieu de tous les médicaments alignés sur la commode. Elle lui avait montré comment le soutenir quand il toussait, comment guetter l'écoulement de liquide dans sa poitrine, l'aider à effectuer quelques pas dans le salon pour favoriser la circulation sanguine. Et Nadia s'était habituée à cette routine. Certains jours, elle ne sortait même pas de la maison.

« Tu dois retourner à la fac, lui dit finalement son père. Tu ne peux pas rester ici toute la journée à ne rien faire. »

Elle était en train de l'aider à enfiler son tee-shirt USMC avant d'aller se coucher. En s'efforçant de ne pas regarder ses cicatrices, les parties de sa poitrine qui semblaient encore tuméfiées.

« Je ne fais pas rien, répondit-elle. Je révise l'examen du barreau. Je ferais la même chose à Chicago. »

Elle ne voulait pas laisser croire qu'elle avait tout arrêté pour lui. D'autres pères auraient sans doute été touchés, lui n'aurait éprouvé qu'un sentiment de honte. Elle avait hérité cela de lui : l'incapacité à demander de l'aide, comme si avoir besoin de quelque chose constituait un désagrément. Alors elle prenait toujours soin de réviser devant lui, même si elle avait le plus grand mal à se concentrer. Toutes les deux minutes, elle levait la tête pour l'observer, convaincue d'avoir repéré un problème dans sa respiration. Un raclement dans la gorge, ou le sifflement du liquide organique qui se répandait dans sa poitrine. Elle entendait des affections imaginaires. Elle sentait qu'elle craquait. Une nuit où la douleur empêchait son père de dormir, elle resta assise près de lui, à serrer sa main dans la sienne. Elle voulait le conduire à l'hôpital, mais il refusa.

« Qu'est-ce qu'ils vont me faire ? Me donner des médicaments ? J'en ai plein ici. Je n'ai pas besoin de l'hôpital. »

Il lui raconta des histoires de guerre, il lui parla de son enfance en Louisiane, de ses parents qui se détestaient. Sa mère les avait élevés, lui et ses cinq frères et sœur, pendant que son père trimait à la raffinerie et dépensait son salaire de la semaine dans les tripots et les bordels. Il rentrait du travail couvert de sueur et son épouse lui faisait couler un bain, elle repassait sa chemise pour qu'il puisse ressortir et s'offrir de l'alcool et des femmes. Il n'avait jamais compris pourquoi sa mère faisait ça. Elle s'asseyait au bord de la baignoire sur pieds – elle avait une longue natte qui lui descendait dans le dos et fouettait l'air – et elle faisait couler de l'eau chaude. Parfois, elle ajoutait une goutte d'eau de Cologne, et la maison, qui sentait habituellement la cuisine et la poussière, se remplissait d'une délicieuse odeur. Au catéchisme, quand le prêtre avait parlé de cette femme qui avait versé un parfum coûteux sur les pieds de Jésus, il avait pensé à la dévotion de sa propre mère.

Au moins, Jésus s'était montré reconnaissant. Son père, lui, ne remerciait jamais son épouse.

Un jour de grisaille, sa mère était dans le jardin, en train de laver du linge dans une bassine, pendant que ses enfants jouaient aux billes sur le porche. Son mari était sorti de la maison lavé et parfumé, portant une chemise qu'elle avait amidonnée et repassée. Il se rendait à la salle de billard pour dilapider sa paye de la semaine et quand il reviendrait au petit matin, cette belle chemise blanche qu'elle avait frottée serait toute froissée et imprégnée de l'odeur musquée d'une traînée. Et après avoir fait la queue toute la journée au bureau d'aide sociale, elle la frotterait de nouveau. Elle regardait ses doigts qui se ridaient dans l'eau tiède de la bassine et les kilos de chemises, de salopettes, de caleçons qui l'attendaient dans le panier à côté. Plus tard, elle expliquerait qu'elle avait senti un poids dans la poitrine, comme si ces chemises trempées étaient lourdement tombées sur son cœur. Elle n'avait pas réfléchi. Sa main s'était refermée sur un pic à glace qui traînait près de la pompe, et elle l'avait planté dans le dos de son mari. Il s'était vidé de son sang dans la bassine de linge.

« L'eau était rouge, rouge, dit son père. Je n'avais jamais rien vu d'aussi rouge. »

Il portait son nom, mais il ne voulait pas lui ressembler. Quand il s'était engagé dans les marines, ses supérieurs avaient noté que c'était un homme calme, avec la tête sur les épaules, du genre à rester dans son coin. Comme il cachait un chapelet sous son uniforme, on l'avait surnommé l'Enfant de chœur. À Camp

Pendleton, il avait un copain de chambrée nommé Clarence, un garçon bruyant et charmeur, tout son contraire, et ils étaient devenus amis, évidemment.

« Il tenait à me présenter sa sœur. Je pensais qu'elle serait moche. Quand un gars cherche à te coller avec sa sœur, c'est souvent le cas. Les types qui ont des sœurs mignonnes ne veulent pas que leurs copains tournent autour. Mais Clarence me jurait qu'on était faits l'un pour l'autre. » Il tourna le regard vers la fenêtre, derrière laquelle le ciel matinal rosissait. « Je n'en revenais pas tellement elle était belle. Et jeune. Mais j'étais jeune, moi aussi, j'imagine. Même si j'avais vu mon père se vider de son sang et après ça, je ne m'étais plus jamais senti jeune. Mais ta maman, elle avait une lumière en elle. Quand elle m'a souri, j'ai senti toute ma poitrine s'ouvrir. »

Son père finit par s'endormir vers midi, la tête toujours vers la fenêtre. Cet après-midi-là, quand on sonna à la porte, Nadia était debout depuis vingt-quatre heures. Elle se traîna jusqu'à la porte, s'attendant à voir Aubrey, mais c'était Luke qui se tenait sur le seuil, serrant contre lui un Tupperware. Elle savait qu'elle avait une tête épouvantable : maigre et d'humeur maussade, le regard sombre et les yeux bouffis, avec son tee-shirt trop large et sa queue-de-cheval emmêlée. Elle n'avait pas pris de douche ni mangé depuis plusieurs heures. Dans les yeux surpris de Luke, elle avait l'impression de n'être plus qu'un fragment d'elle-même, comme un glaçon qui a fondu.

Il l'entraîna dans la cuisine et glissa dans le micro-ondes un plat de poulet au riz. Les bras noués autour du corps, Nadia le regarda s'affairer, sortir le plat avant qu'il sonne, refermer en douceur le tiroir à couverts. Il déposa devant elle l'assiette fumante.

« Mange, ordonna-t-il.

— J'aurais dû venir le voir.

— Il faut que tu te nourrisses.

— J'aurais dû revenir plus souvent.

— Qu'est-ce que ça aurait changé ? Même si tu avais été là, qu'est-ce que tu aurais fait ? Tu aurais soulevé la barre de cinquante kilos ? » Il approcha l'assiette. « Allez, mange. Tu dois prendre des forces si tu veux l'aider.

— Je l'ai abandonné.

— Tu es allée à la fac. C'était ce qu'il voulait.

— Je l'ai abandonné, comme elle. »

Luke lui caressa la joue et Nadia ferma les yeux, se laissant absorber par la douceur de ses doigts.

« Non, dit-il. Ça n'a rien à voir.

— Si. Et je sens que je dois être elle, pour nous deux. »

Elle se mit à pleurer. Luke attira sa tête sur son épaule et l'entraîna hors de la cuisine. Dans la salle de bains, il s'agenouilla sur sa jambe valide pour faire couler un bain.

« Pourquoi tu fais ça ? demanda Nadia.

— Parce que je veux m'occuper de toi. »

Plus tard, il déposerait un verre d'eau sur la table de chevet et la borderait dans son lit. Elle plongerait dans un profond sommeil, enfin détendue, pour la première fois depuis des semaines. Luke veillerait sur son père dans le salon. Avant de sombrer, elle songerait combien elle avait désiré cela quand elle s'était réveillée à la clinique : que Luke soit là, qu'il prenne soin d'elle. Elle était épuisée d'être responsable pour deux. Mais, pour l'instant, Luke sortit de la salle de bains quand elle se déshabilla, comme s'il ne l'avait jamais vue nue, comme s'il ne connaissait pas les contours de son corps, jusqu'à la fossette sur son ventre, là où, disait sa mère, Dieu l'avait embrassée. Luke avait embrassé cette même fossette, posant ses lèvres sur l'empreinte du divin. Elle s'enfonça dans la mousse chaude et ferma les yeux.

Le lendemain matin, lorsque Luke revint avec les médicaments de son père, Nadia l'embrassa dans la cuisine. Le sac en papier du drugstore se froissa entre ses mains quand il la prit par la taille. Dans la chambre, la brise faisait danser les rideaux, et Luke déposa Nadia sur son lit d'enfant, qui grinça sous son poids. Tout doucement. Ce n'étaient plus les gestes précipités de leur jeunesse, une robe remontée jusqu'au nombril, un jean au niveau des genoux. Il déboutonna sa chemise et la plia sur le dossier de la chaise de bureau. Il fit glisser les chaussettes de Nadia sur ses chevilles. Il détacha ses cheveux fraîchement lavés et y enfouit son visage. Leurs gestes étaient lents et réfléchis, ils faisaient l'amour comme le font les gens blessés, en bougeant prudemment pour voir jusqu'où pouvaient s'étirer leurs muscles abîmés.

Onze

Ce n'était pas une liaison.

Les liaisons, c'était pour les femmes au foyer alcooliques et seules ou les hommes d'affaires excités, de vrais adultes qui faisaient des choses d'adultes, pas pour les filles qui accueillaient en douce dans leur lit d'enfant leur petit copain du lycée. Nadia sentait que les strates du passé se décollaient ; elle retournait lentement dans son ancienne vie. Luke couché sur elle, la chaleur et le poids familiers de son corps, et tous les hommes qu'elle avait connus depuis se dissipaient comme un brouillard de printemps. Il venait la voir chaque jour lors de sa pause-déjeuner et elle l'accueillait dans sa chambre pendant que son père faisait la sieste. Dans son lit, Luke n'était plus marié. Il ne connaissait pas Aubrey. Elle avait de nouveau dix-sept ans et traversait la maison de ses parents avec Luke, sur la pointe des pieds. Mais désormais ils devaient être encore plus silencieux, en espérant que la canne ne fasse pas trop de bruit en frappant le sol.

Dans son lit, elle croyait à l'impossible. Elle se sentait rajeunir, sa peau était plus douce, plus ferme, son cerveau se vidait de tous les livres qu'elle avait lus. Luke n'était plus infirme, il n'avalait plus des cachets d'aspirine par poignées. Il n'était plus amoureux d'Aubrey. Il embrassait Nadia, et elle se sentait intacte, leur bébé s'effaçait en elle, leurs vies se séparaient.

Elle se détachait du temps ; ses journées se divisaient entre avant et après. Avant Luke, elle nettoyait la cuisine, aidait son père dans la salle de bains, lui donnait ses médicaments et prenait une douche. Elle se coiffait, mais ne se maquillait jamais – un excès d'efforts détruirait le naturel de leurs rendez-vous galants – et elle installait son père dans son fauteuil. Après Luke, elle reprenait une douche, en fermant les yeux dans la vapeur, comme si l'eau chaude pouvait faire disparaître ce qu'elle venait de faire.

Certains jours, ils ne couchaient pas ensemble. Certains jours, Luke restait assis à la table de la cuisine, et Nadia lui préparait un sandwich. Elle sentait qu'il l'observait pendant qu'elle le coupait en deux, en imaginant que ce petit instant était normal pour eux. Elle se glissait sur la chaise en face de lui et posait une jambe sur ses genoux ; il mangeait en lui caressant le mollet sous la table. Les liaisons se déroulaient dans l'obscurité et le secret, ce n'étaient pas des déjeuners partagés dans une cuisine baignée de soleil, pendant que son père somnolait dans le salon. Pourtant, ces jours tranquilles, habillés, lui apparaissaient comme les plus perfides, les plus intimes.

« Je t'aime », murmura-t-il un après-midi, en lui caressant le ventre, et Nadia se demanda s'il s'adressait à elle ou au fantôme de l'enfant qu'ils avaient fait. Pouvait-on réellement cesser d'aimer un enfant, même si on ne l'avait jamais connu ? Elle aurait préféré qu'il ne prononce pas ces mots ; il malmenait leur fantasme. Et puis, que signifiait l'amour pour elle ? Sa mère lui avait dit qu'elle l'aimait et pourtant elle l'avait abandonnée, et elle ne s'était jamais sentie aussi seule.

« Tu m'as abandonnée, dit-elle. Tu m'as laissée dans cette clinique...

— Mais je suis là, maintenant. Je suis revenu. »

Dans la salle d'attente, Aubrey regardait une vidéo sur les maladies cardio-vasculaires, diffusée par un téléviseur accroché au mur. Des globules rouges façon dessin animé dévalaient un tuyau et se percutaient comme des autos-tamponneuses. Cause principale de mortalité chez les femmes, lui rappela la vidéo, qui passait pour la troisième fois. Ce dessin animé, qui vous expliquait que votre cœur pouvait être en train de vous tuer lentement, était-il censé vous rassurer ? Elle soupira et prit un magazine. Elle détestait aller chez le médecin. Quand elle était venue vivre à Oceanside, sa sœur l'avait obligée à en consulter une flopée. L'un d'eux l'avait examinée complètement et elle avait dû se retenir de pleurer pendant qu'elle déboutonnait son jean et enfilait la chemise en papier toute fine. Elle avait envie de vomir en imaginant Paul qui se répandait en elle comme un virus. Mais tout allait bien, avait assuré le médecin, et pendant le trajet du retour, elle n'avait pas dit un mot à sa sœur. Elle avait honte que Mo ait pu penser qu'il y avait un problème. Ensuite, on l'avait envoyée consulter un psychiatre, qui lui avait prescrit un antidépresseur qu'elle n'avait jamais pris – le flacon orange prenait la poussière dans un tiroir. Puis un psychothérapeute, qui lui avait posé des questions banales sur l'école et aucune sur Paul, et Aubrey, sachant que ces questions en cachaient d'autres, s'était sentie très mal. Puis elle avait rejoint Kasey dans sa voiture, et avait gardé sa tête appuyée contre la vitre jusqu'à ce qu'elles rentrent. Le soir, elle avait entendu Mo et Kasey se disputer dans leur chambre ; les murs trop fins ne parvenaient pas à masquer leurs murmures chargés de colère.

« Je dis juste qu'elle est super-stressée à cause de ce psy. On fait quoi, alors ? avait dit Kasey. On va l'envoyer chez un autre médecin à cause de ça ? »

Un papillon de nuit entra dans la salle d'attente ; ses ailes marron étaient aussi fines qu'une croûte. Aubrey rongea l'ongle de son pouce – une sale manie, disait sa mère – pendant que le papillon tournoyait devant le bureau de la secrétaire, la fenêtre qui donnait sur la rue et les deux femmes assises sous le téléviseur, avant de se poser sur une pile de magazines. Ses ailes repliées avaient la forme de la pointe d'une flèche. Sa sœur l'avait appelée, un peu plus tôt, pour lui demander de la tenir au courant après le rendez-vous. Cela faisait des mois qu'elle essayait de la convaincre de consulter un médecin. Elle devait avoir envie d'obtenir des réponses, lui disait-elle. Et un diagnostic, même mauvais, c'était forcément mieux que se demander en permanence pourquoi elle n'arrivait pas à tomber enceinte. Oui, sans doute, mais Aubrey détestait l'idée d'attendre que quelqu'un lui annonce ce qui clochait chez elle. Elle se trouvait toutefois dans cette salle d'attente, ce qui indiquait une chose : elle commençait à se sentir désespérée.

Allongée sur le dos dans le cabinet du docteur Toby, elle plongeait ses yeux dans ceux de Denzel Washington. Des posters de vedettes de cinéma étaient punaisés au plafond. « Ça aide mes patients à se détendre », avait expliqué le médecin avec un petit sourire. Aubrey serra les poings lorsque les outils froids du docteur s'introduisirent en elle. Aujourd'hui encore, elle continuait à se raidir dès que quelque chose la pénétrait, même les doigts de Luke. Lors de sa nuit de noces, elle avait eu tellement mal que les larmes s'étaient accumulées au coin de ses yeux. Mais elle n'avait rien dit, et Luke avait continué à entrer en elle, lentement, avec insistance. Ne voyait-il pas qu'il lui faisait mal ? Pire encore : comment pouvait-il ne pas s'en soucier ? S'il l'aimait vraiment, comment pouvait-il apprécier une chose qui la faisait souffrir ? Mais elle avait tenu bon. C'était ce qu'on attendait d'elle. Pour une fille, la première fois était censée faire mal. C'était en supportant la douleur que l'on devenait femme. La plupart des moments importants dans la vie d'une femme s'accompagnaient de la souffrance, comme le premier rapport sexuel ou l'accouchement. Pour les hommes, c'était orgasmes et champagne.

Elle ne s'attendait pas à ce que la deuxième fois lui fasse mal également, ni la troisième, ni à ce qu'aujourd'hui encore, des années plus tard, elle redoute le moment où Luke entrait en elle. Il aimait ça – elle le voyait à la façon dont il fermait les yeux et se mordait la lèvre –, mais elle serrait toujours les poings jusqu'à ce qu'elle s'habitue à le sentir bouger en elle. Cela pouvait être psychologique, avait-elle lu sur Internet. Elle était écœurée à l'idée que Paul demeure présent dans un coin de son esprit, comme si, quand Luke la touchait, Paul les observait au pied du lit. Ou peut-être que ses problèmes n'avaient aucun lien avec Paul. Peut-être qu'elle n'était pas suffisamment excitée. Ce site Internet affirmait que les femmes devaient verbaliser leurs désirs. Mais qu'était-elle censée dire ? Devait-elle haleter et minauder, comme ces femmes sexy dans les films, ou se montrer vulgaire ? Les hommes aimaient-ils vraiment ça ? Un jour, Luke lui avait avoué qu'il aurait aimé qu'elle prenne plus d'initiatives.

« J'ai l'impression que tu ne me désires pas vraiment », avait-il confié.

Elle n'en revenait pas. Bien sûr qu'elle le désirait ; il était le seul homme qu'elle avait jamais désiré. Mais elle ne savait pas comment le lui montrer. Elle avait sorti les nuisettes reçues en cadeau et les avait examinées un instant, avant de les remiser au fond du tiroir. Elle avait acheté de la crème Chantilly et du sirop au chocolat, mais n'avait su comment effectuer la transition en douceur entre le lit et le réfrigérateur, alors elle les avait apportés à l'anniversaire de Kasey pour accompagner le gâteau et la glace. Peut-être qu'elle n'avait aucun problème physique. Peut-être qu'elle était nulle au lit ou que son mari s'ennuyait. Peut-être que si elle était plus sexy, plus excitante, elle serait déjà enceinte.

Le docteur Toby lui dit de ne pas s'inquiéter.

« Tout semble parfait. Vous êtes jeune et en bonne santé. Alors, détendez-vous. Buvez un verre de vin. »

« Buvez un verre de vin », comme si ça suffisait. Et il avait fait plusieurs années d'études pour aboutir à cette recommandation ? Elle rendit visite à Mme Sheppard, furieuse après ce médecin qui lui avait fait perdre son temps, mais sa belle-mère l'encouragea à retrouver le sourire. Après tout, le docteur Toby aurait pu lui annoncer une mauvaise nouvelle. Il aurait pu lui apprendre qu'elle était désespérément stérile et n'avait aucune chance de donner naissance à un enfant. Au lieu de cela, il lui avait confirmé que tout allait bien. Mme Sheppard lui prit la main par-dessus son bureau.

« Ne t'inquiète pas, ma chérie. Chaque chose en son temps. On ne peut pas bousculer le Seigneur. »

Ce soir-là, Luke rentra tard. Aubrey dormait quand elle l'entendit farfouiller dans le noir, puis se déshabiller. Au début de leur mariage, elle se réveillait en sursaut quand elle l'entendait bouger dans l'obscurité. Un intrus s'était peut-être introduit chez eux. Maintenant, elle reconnaissait son pas, sa façon d'ôter son jean et sa chemise avant de la rejoindre dans le lit. Elle sentait son odeur familière, un peu sucrée, chaude. Masculine. Leur lit sentait Luke, et les rares fois où ils ne passaient pas la nuit ensemble, Aubrey dormait avec l'oreiller de Luke sur le sien. Comme à l'époque où ils commençaient à se fréquenter : elle posait toujours son pull sur la chaise de cuisine où Luke suspendait sa veste et ainsi, quand il repartait, elle gardait son odeur avec elle.

Elle roula vers lui et posa la main sur son ventre chaud. En descendant de quelques centimètres, elle pourrait la glisser à l'intérieur de son caleçon. Elle pourrait l'embrasser et grimper sur lui, comme elle l'avait fait avec Russell, il y a très longtemps, dans les toilettes de la plage. Un étranger. Pourtant, elle ne pouvait se résoudre à prendre l'initiative de caresser son mari. Avant qu'elle puisse faire un geste, Luke lui prit sa main et déposa un baiser dans sa paume. Puis il se tourna sur le côté et s'endormit.

Dehors, dans la lumière déclinante, Luke soulevait des haltères sur le banc de musculation du père de Nadia. Il tuait le temps en attendant qu'elle finisse de réchauffer le dîner et que son père s'endorme devant la télé, pour pouvoir passer une heure avec elle dans sa chambre. Habituellement, il ne venait pas à cette heure-ci, mais ce soir, il avait eu une bonne surprise : son planning avait changé à la dernière minute, et donc, quand il avait annoncé à Aubrey qu'il devait finir tard, il n'avait pas menti pour une fois. Il était un meilleur menteur qu'il l'aurait cru. Cela l'effrayait un peu, d'ailleurs, cette facilité avec laquelle il parvenait à se convaincre qu'il ne faisait rien de mal. Tout ça parce que Nadia avait été la première. Elle avait été son premier amour, alors peut-être, en un sens, qu'elle avait le droit de réclamer son cœur. Peut-être que c'était comme à l'épicerie, lorsque vous sortiez de la queue pour prendre du pain, personne ne pouvait protester quand vous repreniez votre place. Ce n'était pas resquiller, puisque vous étiez là avant.

Il souleva la barre en grognant. Il avait pris cette habitude de jouer avec les haltères de M. Turner lors de ses visites. Il avait grossi et s'en rendait compte quand il se déshabillait devant Nadia. La dernière fois qu'elle l'avait vu nu, il était au top de sa forme : un peu moins de cent kilos, cinq pour cent d'indice de masse grasse. Maintenant, il avait des bourrelets, ses biceps et ses mollets ramollissaient. Il grossissait déjà comme ces anciens étudiants qui venaient parfois les voir s'entraîner. Luke et ses coéquipiers se moquaient d'eux en douce, de ces types qui n'avaient pas arrêté le régime football une fois que le football s'était arrêté.

Il deviendrait comme eux, il le savait bien, mais il ignorait que ce jour viendrait si vite.

Depuis que Nadia et lui avaient recommencé à coucher ensemble, il mangeait plus sainement, évitait les desserts, faisait des pompes dans la salle de bains. Il avait un peu honte, comme un adolescent timide, mais c'était peut-être ce que voulait Nadia. Elle l'avait aimé dans le temps, quand il était jeune, beau et cruel. Il ne voulait plus être cruel, mais il pouvait au moins redevenir beau.

« Tu les veux ? »

Il déposa la barre et se redressa sur le banc, les bras en feu.

« Hein ?

— Prends-les, dit-elle en montrant les haltères.

— Ils sont à ton père.

— Il n'en a plus besoin. Ils ont failli le tuer. »

Elle portait un survêtement, ses cheveux étaient relevés en chignon, et elle n'avait jamais paru aussi belle. Luke ne connaissait pas cet aspect de Nadia. À l'époque, elle se pomponnait chaque fois qu'ils sortaient ; elle enfilait des minijupes, de jolies petites robes d'été, mettait du rouge à lèvres. Et il aimait ça, les efforts qu'elle faisait pour lui. Mais aujourd'hui, il se sentait plus proche de son côté décontracté. C'était la véritable Nadia, et elle avait suffisamment confiance en lui pour se montrer ainsi. De même, elle avait découvert le vrai Luke. Aubrey avait de lui une image plus flatteuse que la réalité. Nadia, elle, l'avait vu sous son plus mauvais jour, égoïste et méchant, et pourtant elle le désirait encore. Il se sentait libéré de voir Nadia sous son plus mauvais jour, elle aussi. Elle avait trahi sa meilleure amie pour être avec lui. Cette liaison la faisait culpabiliser, même si elle refusait de l'admettre. Cela aurait voulu dire qu'elle devait arrêter de le voir. Mieux valait faire semblant de ne pas culpabiliser.

Alors, il faisait semblant lui aussi. Ce soir-là, dans le lit de Nadia, il promena sa main sur son épaule nue, luisante de leur transpiration.

« Tu repenses à cet été, des fois ? demanda-t-il.

— Quel été ?

— Tu sais bien. »

Parfois, il se sentait prisonnier de ces quelques mois de leur vie ; il s'interrogeait sur tout ce qu'il aurait dû faire différemment. Et s'il était allé la chercher à la clinique ? S'il l'avait convaincue de ne pas aller à la clinique, pour commencer ? Et si aujourd'hui ils s'étaient retrouvés exactement dans cette situation, couchés dans le même lit, pendant qu'un enfant de six ans courait dans le salon ?

« Parfois, avoua-t-elle.

— Tu crois qu'on... Peut-être qu'on aurait dû... »

Elle se raidit et il comprit qu'il avait franchi une limite. Il connaissait maintenant les sujets qu'il ne devait jamais aborder. Aubrey. Leur bébé. Il s'attendait à ce qu'elle le repousse, mais au lieu de cela, elle se blottit contre lui.

« Chut. »

Elle l'embrassa dans le cou et glissa la main sous les draps.

« Nadia…

— Je n'ai pas envie de parler », murmura-t-elle.

Il devait arrêter de faire ça, de penser à la vie qu'ils auraient pu avoir ensemble, à la famille qu'ils auraient pu être. Il devait accueillir avec reconnaissance tout ce qu'elle lui offrait.

Bébé tend la main vers le visage pas rasé de Papa. Bébé adore la peau rêche de Papa. Bébé fait des bonds derrière la fenêtre quand la voiture de Papa entre dans l'allée. Bébé lance un hochet, un doudou, une balle. Bébé a un sacré bras de lanceur, disent les amis de Papa, mais Papa espère en secret que Bébé a des mains habiles. Bébé fait du ballon sauteur, Bébé court sur les terrains de football, Bébé fait la queue pour avoir des quartiers d'orange et de l'eau après l'entraînement de basket. Bébé écoute le sermon de Papy. Bébé regarde le football sur les genoux de Papa. Bébé interroge Papa sur sa jambe, Bébé apprend que les rêves sont fragiles. Bébé se met des protections et apprend la douleur. Bébé arrête de pleurer quand il reçoit un coup. Bébé lance le ballon dans le jardin avec Papa, qui l'attrape toujours parfaitement. Bébé ne comprend pas pourquoi il continue à le laisser tomber, mais Papa lui explique que ses mains sont trop raides.

Tu dois rattraper le ballon en douceur, explique Papa. Tout comme tu caresses une fille. En douceur.

Quelques semaines après sa visite chez le docteur Toby, Aubrey prit rendez-vous avec un spécialiste de la fertilité. Elle avait découvert l'existence du docteur Yavari sur FertilityFriends.com, le forum qu'elle consultait, sans y participer, depuis plusieurs mois. Le soir, quand Luke travaillait tard, elle dînait devant son ordinateur et faisait défiler lentement le large bandeau du site couleur lavande qui proclamait : *On ne fait jamais trop d'efforts pour être enceinte.* Elle n'avait parlé à personne de ce site, pas même à Luke. Elle ne voulait pas qu'il la croie obsédée ou désespérée. Mais il y avait quelque chose de réconfortant dans la lecture de ces messages, dans le fait de savoir que d'autres femmes luttaient bien plus qu'elle. Elles prenaient des pseudonymes du genre Futuremaman75 ou BientotBB2, évoquaient leurs dernières règles et partageaient leurs cycles d'ovulation avec des inconnues sur Internet. Aubrey avait pitié d'elles, sauf de celles qui essayaient d'avoir un deuxième ou un troisième bébé. Nous, on en veut juste un, pensait-elle et elle se déconnectait d'un clic rageur. Sur les forums, le nom d'un certain docteur Yavari, spécialiste de la fertilité, installé à La Jolla, apparaissait constamment. D'anciennes patientes l'appelaient « Le faiseur de bébés ». Un surnom qui la rassurait et l'inquiétait. Elle ne voulait pas considérer son bébé comme une chose créée par un médecin, une expérience scientifique, mais elle appréciait la confiance que toutes ces femmes semblaient accorder au docteur Yavari. Peut-être était-ce ce dont elle avait besoin : consulter un spécialiste. Il pourrait peut-être lui éviter de rejoindre les rangs de ces femmes tristes qui s'exprimaient sur les forums. Elle contacta le cabinet du docteur Yavari, et quand Luke lui annonça qu'il ne pouvait pas s'absenter de son travail, Aubrey appela Nadia pour lui demander de l'accompagner.

« Je ne peux pas, répondit Nadia.

— Pourquoi ?

— Parce que... bredouilla-t-elle... c'est quelque chose de très intime. Pourquoi tu ne demandes pas à Mo ?

— Elle travaille, elle aussi. Et on s'en fiche que ce soit intime ! Tu n'es pas vraiment une inconnue. »

Elle enchaîna cette remarque d'un petit rire, mais Nadia demeura muette au téléphone. Une distance discrète s'était installée entre elles depuis le retour de Nadia. Elles se parlaient encore de temps en temps, mais moins que l'eût espéré Aubrey. Elle essayait de ne rien voir d'inquiétant dans les coups de téléphone et les SMS restés sans réponse. Nadia devait s'occuper de son père, et elle n'avait pas besoin que quelqu'un l'ennuie avec ses problèmes. N'empêche, plus Nadia tardait à répondre, plus elle sentait ce fossé se creuser.

« S'il te plaît, insista-t-elle. Je suis mal à l'aise. Je me sentirais mieux si tu venais avec moi.

— Désolée, dit finalement Nadia. Je suis idiote. Évidemment que je viendrai. »

Le lendemain après-midi, elles se rendirent au cabinet du docteur Yavari, situé dans un bâtiment beige devant lequel poussaient des palmiers. Dans la salle d'attente, des photos encadrées, au-dessus du bureau de la secrétaire, montraient des femmes berçant des bébés, comme une promesse, mais pour Aubrey, ces images étaient une tentation ; elles lui mettaient devant les yeux la chose qu'elle désirait le plus. Assise à côté d'elle, Nadia jouait avec son téléphone, et Aubrey tenta de feuilleter un numéro du *National Geographic*, qu'elle finit par rouler entre ses mains.

« Pourquoi es-tu si nerveuse ? demanda Nadia.

— Parce que. Je sens qu'il y a un truc qui cloche chez moi. »

Elle se raidit, attendant que son amie lui demande comment elle le savait. Au lieu de cela, elle sentit les doigts de Nadia lui caresser la nuque.

« Il n'y a rien qui cloche chez toi », dit-elle tout bas, et l'espace d'une seconde Aubrey la crut.

Le docteur Yavari était un Iranien à la peau olivâtre et aux yeux noirs, d'une trentaine d'années, beaucoup plus jeune que l'avait imaginé Aubrey. Il les accueillit dans son cabinet avec un sourire et d'un large geste désigna une chaise dans un coin. « Votre sœur peut s'asseoir là », déclara-t-il, et ni l'une ni l'autre ne corrigèrent son erreur. On les prenait souvent pour des sœurs, ou des cousines, ou même, supposait Aubrey, des amantes. Elle était toujours stupéfaite par leur capacité à se ressembler, à devenir des membres de la même famille, à incarner, d'une seconde à l'autre, différentes manières de s'aimer. Qu'étaient-elles l'une pour l'autre ? N'importe quoi. Pendant que le médecin consultait son dossier, Aubrey s'assit au bord de la table métallique, les jambes dans le vide. Nadia s'appuya contre un comptoir couvert de bacs contenant des gants en latex mauves, pendant que le docteur Yavari posait une série de questions à Aubrey. Avez-vous vos règles régulièrement ? Sont-elles abondantes ? Avez-vous eu une infection sexuellement transmissible ? Avez-vous déjà été enceinte ? Avez-vous subi un avortement ?

« Pardon ? fit Aubrey.

— Je suis obligé de vous demander ça, précisa le docteur Yavari en tapotant sur son clipboard avec son stylo. Généralement, j'attends que les hommes soient partis… Vous comprenez ? Ça s'est passé à l'université, elle n'en a pas parlé à son mari, etc.

— Non. Jamais », dit-elle.

Mais elle appréciait sa compassion. En espérant qu'il ne la croyait pas capable de cacher ce genre de choses à son mari. Elle l'aurait fait, mais elle ne supportait pas l'idée que ce médecin le sache.

Une fois l'examen terminé, le docteur Yavari lui proposa un autre rendez-vous. La prochaine fois, expliqua-t-il, il lui ferait passer une radio pour savoir si ses trompes de Fallope étaient ouvertes, une échographie pelvienne afin de déterminer l'épaisseur de sa paroi utérine et de vérifier qu'elle n'avait pas de kyste aux ovaires, ainsi qu'une analyse de sang pour mesurer sa production d'hormones. Après la consultation, Aubrey renfila les vêtements que Nadia avait pliés en un petit tas.

« Je n'en reviens pas qu'il t'ait demandé ça, dit-elle.

— Quoi donc ?

— Tu sais bien. Au sujet de l'avortement. Quelle importance ?

— S'il me l'a demandé, c'est que ça a de l'importance.

— N'empêche. Je n'en reviens pas que ça te suive partout comme ça. »

Plus tard, Aubrey se demanderait ce qui lui avait mis la puce à l'oreille. Cette remarque elle-même, ou la douceur inhabituelle dans le ton de Nadia, ou même l'expression de son visage éclairé par le néon, légèrement marqué par le chagrin ? Entre le moment où son amie lui tendit son cardigan et où elle le prit, elle sut que Nadia était La Fille. Depuis que Luke lui avait fait cet aveu, des années plus tôt, elle avait souvent pensé à cette fille sans nom, sans visage, qui s'était débarrassée de son enfant. Une fille qu'il avait aimée, mais qui s'était volatilisée, tout comme le bébé. Disparus pour toujours.

Sur le trajet du retour, elles furent ralenties par les embouteillages. Aubrey serrait le volant de plus en plus fort, tandis que la voiture roulait au pas. À côté d'elle, Nadia tripota le bouton de la radio, jusqu'à ce qu'elle tombe sur une chanson de Kanye West qu'elles adoraient dans le temps ; elles l'avaient écoutée en boucle dans sa chambre et avaient dansé dessus à la fête de Cody Richardson. Aubrey repensa à cette soirée, à quel point elle était ivre, avec quelle facilité elle avait oublié toutes les choses dont elle ne voulait pas se souvenir. Elle aurait pu être n'importe qui ce soir-là, vêtue de cette robe moulante, dansant dans cette fête bondée, en compagnie de Nadia Turner. Vers la fin de la soirée, Nadia l'avait prise par la taille pour lui glisser à l'oreille : « Viens, je te ramène », et Aubrey avait hoché la tête, s'apercevant soudain qu'elle ne s'était même pas demandé comment elle allait rentrer. Elle savait, d'une certaine façon, que Nadia veillerait sur elle. Dans son lit, avant de s'endormir, elle avait senti la main de son amie dans son dos ; c'était un geste furtif, désinvolte, comme quand on ôte une peluche sur le pull de quelqu'un, mais elle n'avait jamais éprouvé un tel sentiment de sécurité.

Après avoir déposé Nadia, Aubrey s'arrêta à la boutique de vins et alcools au coin. L'Indien de petite taille, derrière son comptoir, la salua quand elle entra. Le magasin était presque vide : une blonde décolorée se dirigeait vers la caisse avec un pack de Coors et deux garçons se disputaient pour un sachet de Hot Cheetos. Elle prit une bouteille de pinot noir italien parce qu'elle aimait bien l'étiquette argentée. De retour chez elle, elle but la moitié de la bouteille en se déshabillant, l'autre moitié après avoir enfilé une des nuisettes noires à froufrous roulées en boule au fond du tiroir. Elle tira dessus pour la défroisser et se plaça devant le miroir, en se battant avec les bretelles et les nœuds. Après tout ce vin, elle serait incapable de l'ôter toute seule. Elle s'imagina coincée dans cette nuisette pour toujours. Quelqu'un serait obligé de la découper, comme son beau-père avait scié la bague de chasteté de Luke.

Elle finit le vin dans le canapé, au rythme du tic-tac sourd de la pendule. Quand Luke rentra, elle était ivre et à moitié assoupie. Elle avait eu l'intention d'aller lui ouvrir en nuisette, pour être la première chose qu'il verrait, mais elle ne fut pas assez rapide et quand il entra dans le salon, elle était encore vautrée dans le canapé. Il se figea devant elle, les clés à la main.

« Tout va bien ? » demanda-t-il.

Elle se leva trop vite et perdit l'équilibre, obligée de se retenir à l'accoudoir.

« Approche, dit-elle.

— Tu es saoule ? »

Elle agrippa le cordon de sa blouse et l'attira vers elle. Elle glissa la main dans son pantalon et sentit qu'il la regardait d'une manière inhabituelle : il était ému par son désespoir. Quand il s'introduisit en elle, elle ferma les yeux de toutes ses forces et trouva une certaine douceur dans la souffrance.

Le lendemain, Luke proposa à Nadia de l'inviter quelque part. Son visage, à quelques centimètres du sien sur l'oreiller, paraissait intimidé ; elle avait oublié que ses cils étaient aussi ourlés. Le soleil de l'après-midi filtrait à travers les stores et elle se sentait d'humeur paresseuse, alanguie entre ses draps.

« On pourrait aller en ville, ajouta-t-il. Ou sur le port. Où tu veux. »

Elle promena ses doigts sur ses tatouages, le labyrinthe d'images enchevêtrées qui couvrait son bras gauche. Quand elle l'avait déshabillé pour la dernière fois, sept ans plus tôt, il n'avait que quelques tatouages, mais maintenant, elle était fascinée par cet ensemble : des motifs tribaux se déployaient sur son épaule et près de son coude, une tête de mort montrait les dents ; la langue d'un démon aux longs crocs se transformait en flammes qui venaient lécher son poignet. Il avait une croix sur le biceps et, au-dessus, ces deux mots : *Par moi-même*. Son pectoral gauche accueillait une tête de lion dont la crinière s'envolait comme de la fumée. L'autre moitié de son torse était nue, lisse, son bras droit intact. Les tatouages prenaient fin brusquement, comme s'il avait enfilé un pull d'un seul côté.

« Pourquoi ? demanda-t-elle.

— Pourquoi quoi ?

— Pourquoi tu veux m'inviter ? »

Il plaqua la main de Nadia contre son cœur et roula sur le côté en lui tournant le dos. Elle avait toujours entendu dire que les hommes détestaient ces emboîtements, et elle était étonnée de découvrir que Luke aimait se pelotonner à l'intérieur. La première fois, elle avait failli rire, mais cela n'avait rien d'étonnant, en un sens : tout le monde avait envie d'être enlacé. Elle noua ses bras autour de lui et embrassa son dos musclé.

« Je ne sais pas, dit-il. J'ai envie de t'emmener dans un bel endroit.

— Et si quelqu'un nous voit ?

— Je m'en fiche.

— Tu es marié.

— Et si je ne l'étais pas ? »

Pendant un instant, Nadia s'autorisa à l'imaginer ; ça semblait si simple dans sa bouche, comme si une porte se dressait entre lui et la liberté et qu'il lui suffisait de glisser un doigt sous le loquet. Luke était doué pour ça, pour trouver une échappatoire. Elle le revoyait sur le terrain ; elle n'en revenait pas : son corps donnait l'impression de savoir, à la seconde près, s'il devait foncer à droite ou à gauche, et d'où venait le danger. Il lui avait fait faux bond une fois, elle ne pouvait pas l'aider à faire la même chose à Aubrey. Aubrey assise sur cette table métallique dans le cabinet de ce spécialiste de la fertilité : comme elle paraissait petite à côté de l'ampleur de son désir.

« Tu ne peux pas, dit-elle.

— Pourquoi pas ?

— Parce qu'elle t'aime. Nous, on baise, c'est tout. Elle, elle t'aime.

— Ce n'est pas juste une histoire de baise. Ne dis pas ça...

— Pour moi, si. »

Luke se rhabilla en silence, mais s'arrêta soudain, le pantalon sur les chevilles. Il semblait au bord des larmes, et Nadia détourna le regard. Non, il ne l'aimait pas. Il culpabilisait. Il l'avait laissé tomber, et maintenant il s'accrochait à elle, non par affection, mais par honte. Elle refusait de le laisser enterrer son sentiment de culpabilité en elle. Elle ne servirait plus jamais de lieu de sépulture à un homme.

Luke avait oublié sa montre sur la table de chevet, alors Nadia la rapporta au Cénacle le lendemain matin. Quand elle pénétra sur le parking, mère Betty traversait la rue d'un pas traînant en venant de l'arrêt de bus. On lui avait retiré son permis quand elle avait échoué à son dernier examen de conduite.

« Ils m'ont eue avec leurs questions, dit-elle. Qui connaît les réponses à toutes ces petites choses ? J'ai conduit pendant soixante-six ans sans jamais renverser personne, et ces gens disent que je ne peux plus, tout ça à cause de leurs questionnaires ? »

Mère Betty examina lentement son trousseau de clés et déverrouilla la porte d'entrée d'une main tremblante. Ce n'était pas normal : une femme de son âge obligée de prendre le bus avant le lever du jour.

« Je peux être votre chauffeur », dit Nadia. Elle chercha un bout de papier dans son sac. « Je vais vous donner mon numéro et vous n'aurez qu'à m'appeler quand vous serez prête à partir travailler. D'accord ?

— Oh, non, ma chérie, je ne veux pas t'embêter.

— Ça ne m'embête pas du tout. Sincèrement. S'il vous plaît. »

Elle tendit un bout de feuille de carnet. Mère Betty hésita, puis le prit.

« Tu as une âme bienveillante. Je le sens. Comme ta maman. »

Nadia déposa la montre de Luke sur le bureau de mère Betty. Puis elle rentra chez elle, en observant son reflet dans le rétroviseur. Elle toucha l'image du bout des doigts, sans y voir le visage de sa mère, uniquement du verre taché.

Douze

Des années plus tard, nous comprîmes que la montre aurait dû nous ouvrir les yeux. Il y a deux raisons pour expliquer qu'une femme ait en sa possession la montre du mari d'une autre :

1. Elle couche avec lui.
2. Elle répare les montres.

Et Nadia Turner n'avait pas l'air d'être une horlogère. Mais avant que cette vérité ne nous apparaisse, nous avions déjà pitié d'Aubrey. Quand nous nous réunissions autour d'elle dans le hall de l'église, le dimanche matin, nous sentions croître sa tristesse. Agnes plongeait son regard dans la vie d'une petite fille dont les parents se méfiaient l'un de l'autre. Une fillette qui se méfiait du monde, elle aussi. Elle sentait la froideur se répandre entre ses parents, et elle devinait tout : si ses parents étaient capables de faire semblant de s'aimer, ils étaient capables de mentir sur le reste. Alors que pouvait bien lui cacher le monde, dans le creux de sa main ?

Elle entendra peut-être cette histoire un jour, en se demandant quel est le rapport avec elle. Une fille qui dissimule sa peur derrière sa beauté, un bébé non désiré, une mère morte. Ce ne sont pas ses chagrins. Chaque cœur se brise différemment et elle connaît les motifs que dessinent ses fêlures, elle les suit comme les lignes dans sa paume. Sa mère est vivante et de plus, elle a toujours été désirée. Réclamée, même. Maintenant, elle est adulte, du moins elle le pense. Mais elle n'a pas encore appris les mathématiques du chagrin. Le poids de ce qui a été perdu pèse toujours plus lourd que ce qui reste. Elle a entendu son grand-père parler dans son sermon du bon berger qui laisse ses quatre-vingt-dix-neuf brebis pour retrouver celle qui a disparu.

Mais que devient le troupeau qu'il abandonne ? se demande-t-elle. N'est-il pas perdu lui aussi, maintenant ?

Cet automne, Nadia Turner fut une bonne mère. Dans la grisaille des petits matins, pendant que son père dormait encore, elle prenait les clés sur la table de l'entrée et mettait en route le pick-up dans l'allée. Elle baissait sa vitre, sortait un bras dans l'air humide et roulait dans les rues calmes, passant devant des cafétérias qui affichaient des pancartes « Fermé », des femmes en peignoir qui accrochaient des sacs sur les dos des enfants aux arrêts de bus, des surfeurs en combinaison avec des planches empilées sur les toits de leurs vans, jusqu'à ce qu'elle atteigne une maison blanche impeccable, aux moulures bleues. Elle se sentit comme un chauffeur quand elle descendit de la voiture pour aider mère Betty à grimper sur le marchepied, surtout lorsque les autres Mères commencèrent à la solliciter elles aussi.

« J'espère que ça ne t'embête pas, avança mère Betty, mais j'ai dit à Agnes que tu pouvais la conduire au drugstore. »

Non, bien sûr, ça ne la gênait pas. Elle apprit à connaître tous les virages des routes qui menaient chez les Mères. Avant, elle n'avait jamais pensé qu'elles habitaient quelque part ; elle n'aurait pas été surprise d'apprendre qu'elles cachaient des sacs de couchage dans le placard de la chapelle et dormaient sur les bancs. Mais mère Agnes vivait dans un immeuble gris du centre, mère Hattie dans une maison couleur rouille près de Back Gate, mère Flora dans une résidence pour personnes dépendantes, située en face d'une école primaire et d'une garderie. Elle était entourée par la mort et des enfants ; des enfants qui passaient devant sa fenêtre d'un pas hésitant pour se rendre à la garderie, qui couraient sur les terrains de jeu ou rentraient chez eux à vélo après l'école. Mère Flora était grande et svelte. Elle avait joué au basket dans sa jeunesse. Nadia apprit d'autres choses sur elles : mère Clarice avait été éducatrice spécialisée et ses amis l'appelaient Clara. Mère Hattie était un cordon-bleu. Mère Betty avait été la plus jolie.

Nadia ne connaissait pas les âges exacts des Mères, mais elles devaient avoir dans les quatre-vingts ou quatre-vingt-dix ans maintenant.

Pas étonnant que l'on veuille les empêcher de conduire. N'empêche, elle avait de la peine pour elles, surtout pour mère Betty, qui, pendant des années, s'était levée avant tout le monde pour ouvrir le Cénacle. Elle s'arrangeait pour passer la chercher tôt. Elle ne culpabilisait plus de quitter la maison en douce. Son père reprenait des forces. L'après-midi, il se promenait dans le jardin, lentement, il faisait ses exercices respiratoires. Parfois, pendant qu'elle potassait l'examen du barreau, Nadia l'observait. Mais elle ne voulait pas montrer qu'elle continuait de s'inquiéter pour lui, alors pendant qu'il prenait ses médicaments le soir, elle partait dans sa chambre pour épousseter sa table de chevet, ramasser son linge sale ou aligner distraitement les flacons de parfum de sa mère. Autrefois, elle adorait jouer avec ces parfums, surtout celui contenu dans une petite bouteille noire. Sa mère en mettait quelques gouttes dans le cou quand elle sortait avec son mari. En humant le flacon, Nadia se souvenait de son excitation à regarder ses parents franchir la porte, car elle savait qu'ils revenaient toujours.

Servir de chauffeur ressemblait à une pénitence, c'était comme égrener un chapelet. À chaque kilomètre, sa prière. En faisant don de son temps par altruisme, peut-être pourrait-elle oublier le mal qu'elle avait fait. Si elle se montrait charitable envers des personnes qui n'avaient rien à lui offrir, ses péchés seraient peut-être effacés. Un après-midi, sur le chemin du drugstore, elle annonça qu'elle avait retrouvé le livre de prières de sa mère. Retrouvé, dit-elle, car c'était la façon la plus simple de raconter l'histoire, en effaçant le rôle de Luke. Les Mères se mirent alors à jacasser, comme souvent, se coupant la parole et achevant les phrases des autres.

« Oh, elle adorait ce livre. Elle l'avait toujours sous le bras.

— N'était-ce pas un cadeau de sa maman ?

— Oui, c'est ce qu'elle m'avait dit. Elle était pasteur, vous savez ?

— Non, pas pasteur, juste prédicatrice.

— Quelle différence ?

— Un pasteur a besoin d'une église.

— Bon, d'accord, prédicatrice. Tu le savais, ma petite ? Ta grand-mère baptisait des gens dans la rivière. »

Nadia s'était toujours interrogée au sujet de sa grand-mère, mais sa mère n'aimait pas en parler. « Oh, c'était une femme sévère », disait-elle quand Nadia la questionnait, ou bien : « Elle aimait Jésus, c'est certain. » Uniquement des remarques d'ordre général, comme si elle évoquait le personnage d'une série télé qu'elle ne regardait plus. À en juger par les quelques photos d'elle dans l'album, sa grand-mère avait l'air d'être une femme austère, en effet, mais à part cela, elle demeurait un mystère. Quand Nadia confia ce sentiment aux Mères, celles-ci hochèrent la tête d'un air pénétré.

« Elles n'étaient pas très proches.

— C'est le moins qu'on puisse dire. »

Ce soir-là, quand Nadia demanda à son père ce que signifiaient ces remarques, il lui expliqua que lorsque sa mère était enceinte d'elle, sa propre mère l'avait flanquée dehors.

« Jamais aucun de ses enfants ne vivrait dans le péché sous son toit, disait-elle, alors j'ai envoyé un billet de car à ta mère et elle est venue vivre ici, avec moi. » Il soupira. « Ta grand-mère ne voulait pas entendre parler de nous, et ça me convenait très bien. Par contre, je n'ai jamais compris pourquoi elle refusait de te connaître. Ta mère et moi, soit... mais un enfant ? Sa petite-fille ? Comment quelqu'un peut-il refuser de connaître sa petite-fille ou son petit-fils ? »

Elle demanda alors si sa grand-mère vivait toujours et son père haussa les épaules.

« Oui, à ma connaissance. Toujours au Texas, je parie. » Comme s'il lisait dans les pensées de sa fille, il ajouta : « À ta place, je laisserais tomber. Elle a fait un choix. Ça ne servira à rien d'essayer de la retrouver. »

Nadia dénicha dans un album un Polaroid jauni montrant sa mère et ses frères devant leur maison. Une adresse et une date étaient griffonnées au dos. Elle chercha des photos plus récentes de la maison sur Internet et essaya d'imaginer sa mère enfant, dansant sur le porche. Sa grand-mère habitait peut-être toujours là-bas. Elle n'était pas du genre à déménager. Comment réagirait-elle en la voyant débarquer un jour ? Repousserait-elle des larmes de joie en clignant des yeux, heureuse de connaître enfin sa petite-fille ? Ou bien la chasserait-elle comme elle avait chassé sa propre fille ? Serait-elle furieuse de voir se matérialiser devant elle la cause de leur séparation ?

« Est-ce que maman a envisagé de... » Elle s'interrompit, en tripotant les boutons dorés de son sac à main. « Ne pas me garder ?

— Comment ça ? »

Son père déposa un comprimé blanc au bout de sa langue et renversa la tête en arrière.

« Est-ce qu'elle voulait... » Elle faisait tourner les boutons pour ne pas être obligée de regarder son père en prononçant ce mot. « Avorter ?

— Quelqu'un t'a dit ça ?

— Non, non. Je me posais la question, c'est tout.

— Jamais. Elle n'aurait pas pu faire une chose pareille. Tu as cru que... » Il s'interrompit et son regard s'adoucit. « Non, ma chérie. On t'aimait. On t'a toujours aimée. »

Nadia aurait dû se réjouir, mais elle n'y arrivait pas. Elle aurait aimé que sa mère y ait au moins songé. Une pensée fugitive en sortant de chez le médecin, en imaginant le visage de sa propre mère. Ou au cours d'une conversation téléphonique à voix basse avec l'homme qu'elle aimait. Ou quand elle avait appelé une clinique pour prendre rendez-vous et raccroché en pleurant, quand elle s'était retrouvée dans la salle d'attente, sans personne pour lui tenir la main. Nadia ne supportait pas l'idée que sa mère n'ait pas voulu d'elle, mais en regardant le visage de sa mère dans le miroir, elle aurait aimé se dire qu'elles étaient semblables.

Luke n'avait pas revu Nadia depuis trois semaines. Il s'accroupit sur les marches derrière la maison et frotta une allumette contre la rambarde. Une idée de Dave. Allume une bougie, avait-il dit à Luke la dernière fois que celui-ci avait appelé l'assistance téléphonique. Sans préciser quel type de bougie. Une bougie parfumée comme celles qui étaient dans la salle de bains de sa mère ; une petite bougie chauffe-plat que l'on posait sur les tables de restaurant ; une grosse bougie rouge frappée de la Vierge Marie que l'on trouvait au rayon épicerie mexicaine du supermarché ; une bougie d'anniversaire, fine et multicolore. N'importe quel type de bougie fera l'affaire, avait dit Dave, alors Luke avait acheté un paquet de bougies blanches ordinaires. Assis sur les marches, il protégeait la flamme entre ses mains. Cette bougie était censée l'aider à tourner la page, lui apporter la paix, avait dit Dave. Mais dès qu'il l'eut allumée, Luke sentit naître l'angoisse. Une brise nocturne faisait bruire les feuilles des arbres et il se tapit derrière un buisson pour protéger la flamme. Il s'estimait soudainement responsable de la survie de cette chose fragile.

Dave était conseiller au Family Life Center du centre de San Diego. Luke avait trouvé leur prospectus sur son pare-brise devant un bar, quelques semaines plus tôt. *Vous cherchez de véritables options ?* demandait le prospectus, au-dessus de la photo d'une femme enceinte qui se tenait la tête à deux mains et d'un homme debout à côté d'elle, le regard perdu dans le vague. C'était la première fois que Luke voyait un homme sur un prospectus pour ce genre de centre. D'habitude, il y avait uniquement des femmes seules et tristes ; les hommes étaient aussi absents face à une grossesse inattendue qu'ils l'étaient dans la vraie vie. Aussi absents que lui-même l'avait été. Il avait appelé ce numéro, juste pour voir. En se disant qu'il raccrocherait aussitôt. Mais le conseiller de garde, Dave, avait commencé à lui parler du mythe selon lequel seules les femmes souffraient d'un avortement.

« Les hommes souffrent d'un sentiment de perte particulier. Après avoir perdu leur enfant suite à un avortement, les hommes ont du mal car ils n'ont pas réussi à assurer la fonction première d'un père : protéger sa famille. »

Luke n'avait jamais vu les choses sous cet angle. Nadia et lui ne formaient pas une famille, ils n'étaient que deux gamins effrayés. Et si c'était le cas, malgré tout ? Et si, pendant un bref instant, ils avaient formé une famille, réunis par cette vie qu'ils avaient créée ? Qu'étaient-ils maintenant ? Désormais, Luke appelait le centre un soir sur deux. Quand ce n'était pas Dave qui répondait, il raccrochait. Il lui avait parlé du jeune garçon pendant le match de base-ball, des années plus tôt. Dave ne l'avait pas jugé. Il est normal, avait-il dit, que des pères éprouvent du chagrin après un avortement. Une fois que vous aviez créé la vie, vous restiez un père pour toujours, quoi qu'il arrive à l'enfant.

Luke sortit son téléphone de sa poche et composa le numéro, en prenant soin de maintenir la bougie allumée.

« C'est toi, Luke ? demanda Dave.
— Oui.
— Comment ça va, mon pote ?
— Bien.
— "Bien", c'est tout ?
— Oui.
— OK. » Dave se racla la gorge. « Tu as réfléchi à l'idée de venir au centre ?
— Je peux pas.
— Ça t'aiderait, crois-moi, de parler avec quelqu'un en personne, c'est bien mieux qu'au téléphone. Parfois, on a juste besoin de quelqu'un, tu vois ce que je veux dire ?
— Oui.
— Je ne mords pas. Promis, dit Dave en riant. Et je pourrais te donner quelques livres, si tu viens me voir. Celui-ci… » Sa voix s'éloigna de l'appareil comme s'il essayait d'attraper quelque chose. « Un super-bouquin intitulé *Le Cœur d'un père*. Écrit par ce type…
— Faut que je raccroche.
— Attends, mon pote. Ne t'enfuis pas. Je te les garde pour le jour où tu seras prêt, ok ?
— OK.
— Alors, raconte-moi un peu.
— J'ai acheté les bougies.
— Bravo ! Allumes-en une. Et ferme les yeux. Imagine ton enfant en train de jouer dans un champ aux pieds de Jésus. »

Luke ferma les yeux, la chaleur de la bougie tremblotait sur son visage. Il essayait d'imaginer la scène décrite par Dave, mais il ne voyait que Nadia, son sourire, ses yeux noisette… et il ressentit la brûlure. Une goutte de cire chaude était tombée sur sa main. Il grimaça et frotta la cire contre une marche pour l'ôter. Des graviers et de la poussière restèrent collés à sa peau. Il aurait dû mettre la bougie dans quelque chose. Pourquoi n'y avait-il pas pensé ? La porte s'ouvrit dans son dos et il découvrit Aubrey appuyée contre l'encadrement, sourcils froncés.

« Qu'est-ce que tu fais ?

— Rien.

— C'est quoi, cette bougie ? Tu mets de la cire partout. »

Elle toucha du bout du pied le petit morceau de cire blanche durcie. Luke se pencha en avant pour souffler la flamme. Il ne faisait qu'aggraver les choses.

« Quand vas-tu enfin te caser, ma petite ? demanda mère Betty à Nadia, un matin. Tu flirtes à droite et à gauche. Tu crois que la vie, ça consiste à vagabonder, à la recherche de ce qui te rend heureuse ? Ce sont des rêves et des fantasmes de Blanche. Tu as besoin de te caser, de trouver un homme bien. Regarde Aubrey Evans ! Quand vas-tu enfin faire comme elle ? »

Luke ne venait plus à la maison pour voir son père, cependant elle le rencontrait au Cénacle de temps en temps. Il semblait trop intimidé pour parler, mais il ne murmurait même pas un bonjour, il gardait les yeux fixés sur le tapis usé. L'espace qui les séparait quand ils se croisaient dans le couloir étroit se chargeait d'électricité. Elle se disait qu'elle ne devait pas penser à lui. Elle devait être une fille bien. Elle prit l'habitude de retrouver Aubrey lors de sa pause-déjeuner.

Assises à une table près de la fenêtre, elles partageaient un café. Nadia envisageait parfois de se confesser à son amie, mais les mots restaient collés à son palais. À quoi bon lui dire la vérité ? Elle avait mis fin à son histoire avec Luke. À quoi servirait qu'Aubrey sache de combien de manières elle l'avait trahie ?

Elle n'allait jamais chez Aubrey, mais une fois par semaine, elles dînaient chez Monique et Kasey. En retournant dans la petite maison blanche, elle avait l'impression de redevenir adolescente ; elle avait envie de se coucher tard, de manger de la glace ou de traîner dans le jardin jusqu'à ce que le jour décline, pendant que son avenir l'attendait, immaculé et libre. Aubrey et elle allaient acheter des trucs à grignoter à l'épicerie du coin ou bien elles restaient assises dans son ancienne chambre, à se faire les ongles. Nadia prenait les pieds d'Aubrey sur ses genoux pour lui vernir les orteils. C'était comme une petite chose qu'elle pouvait offrir.

Quand arriva Halloween, Nadia faisait partie intégrante du Cénacle désormais, et le pasteur lui proposa de participer à l'organisation de la fête pour les enfants. Elle accepta. Elle acceptait presque tout ce que lui demandaient les fidèles. Au début, elle conduisait les Mères uniquement, mais maintenant que son père poursuivait sa convalescence, elle commença à prêter son pick-up. Avec John Numéro Deux, elle chargea des dizaines de chaises pliantes à l'arrière pour le Men's Fellowship ; elle traversa la ville pour chercher une nouvelle batterie destinée à la chorale ; elle transporta les paniers-repas des sans-abri. Elle avait grandi et trouvé Dieu, se disaient les gens, alors qu'elle n'avait rien trouvé du tout. Elle cherchait sa mère. Si elle n'était pas dans les endroits du passé, peut-être la trouverait-elle au Cénacle, un lieu qu'elle avait aimé. Si elle ne la trouvait pas dans le dernier endroit où elle avait respiré, elle ne la retrouverait jamais.

La fête d'Halloween ne nécessitait pas beaucoup de manutention, à l'exception des décorations, mais Nadia accepta de donner un coup de main malgré tout. Chaque année, l'église distribuait des friandises : c'était la manière la moins offensante de célébrer une fête dont les origines démoniaques inquiétaient les fidèles, mais trop populaire pour qu'ils puissent l'ignorer. Les costumes étaient autorisés, mais seulement ceux des personnages positifs : des superhéros, mais pas de méchants et pas de personnes mortes. Les personnages de la Bible étaient bien vus, et tous s'arrangeaient pour qu'ils n'entrent pas dans la catégorie « personnes mortes ». Chaque année, un petit malin déguisé en momie prétendait être Lazare. Ce soir-là, Nadia reconnut à peine la salle des enfants. La lumière était éteinte, mais des étoiles en plastique fluorescentes tapissaient le plafond. Si les ténèbres étaient de rigueur pour Halloween, rien n'interdisait de les combattre avec des lumières célestes. Les enfants s'entassèrent dans la salle et foncèrent dans les couloirs avec des sachets remplis de friandises. Des Noé barbus traînaient des animaux en peluche, des Adam jonglaient avec des pommes à moitié mangées, des Moïse trimballaient des Tables de la Loi en papier et des Marie berçaient des poupées.

Perchée sur une chaise, à l'entrée de la salle, Nadia coinçait un seau de friandises entre ses jambes. C'était dans ces moments-là que se formait l'âge adulte, non pas lors d'un anniversaire, mais en prenant conscience que c'était à elle maintenant de déposer une poignée de bonbons dans les sacs des enfants ; c'était à elle de donner et non plus de recevoir. Aubrey et Luke arrivèrent plus tard. Au téléphone, Aubrey n'avait pas précisé qu'elle viendrait avec Luke, mais pourquoi l'aurait-elle fait ? C'était son mari ; on pouvait s'attendre à ce qu'il l'accompagne partout. Il portait un long peignoir marron et chaque fois qu'un enfant lui demandait qui il était, il montrait ses biceps en répondant qu'il s'appelait Samson. Mais ses cheveux étaient bien trop courts, et les enfants passèrent la soirée à lui taper dessus, sans qu'il puisse protester.

« Et toi, tu es qui ? » demanda Aubrey.

Aubrey tenait une paire de ciseaux à la main. Elle était Dalila.

« Personne », répondit Nadia.

Elle n'avait pas su comment se déguiser, alors elle disait aux enfants qu'elle était une simple paysanne.

Ils restèrent assis toute la soirée à l'entrée de la salle, à écouter les rires des enfants. Elle regarda les amants bibliques distribuer des friandises sous les fausses étoiles, Samson affalé sur une chaise en plastique, la jambe ankylosée tendue dans le couloir. Il piocha quelques Starbust roses dans le seau et les offrit à Aubrey, elle qui les aimait tant. Plus tard, elle posa sa tête sur l'épaule de Luke et ce contact lui parut si intime que Nadia détourna le regard.

La nuit était fraîche et sombre, le croissant de lune peinait à éclairer le ciel. Aubrey se rendit aux toilettes et Nadia entra dans la salle pour remplir son seau. Appuyée contre la fenêtre, elle écoutait les faibles aboiements des coyotes quand Luke se pencha vers elle.

« J'ai parlé à un type, Dave, dit-il.

— C'est qui ?

— Il pense que ce n'est pas bon de ne jamais parler de lui. » Il déglutit. « De notre bébé. »

Un groupe d'anges passa, dans des robes blanches scintillantes. C'était un univers étrange, décalé : uniquement des saints, pas de pécheurs, des anges et pas de démons. Un monde faussé où les filles maternaient de vieilles femmes et trahissaient leurs meilleures amies.

« Rien ne nous oblige à être tristes. Dave dit qu'il est au paradis maintenant. » Luke sourit et lui prit la main. « Dans les bras de ta maman. »

Luke, dans le faible éclat de la lune, paraissait presque apaisé en évoquant leur bébé, miraculeux et fugitif, tout comme l'avait été leur amour. Nadia pressa sa main dans la sienne. Si c'était ce dont il avait besoin, il pouvait bien y croire. Elle voulait qu'il croie à tout.

Ce dimanche matin, Aubrey découvrit un marine dans le hall de l'église. Habituellement, elle ne faisait pas attention aux visages quand elle aidait à accueillir les fidèles après l'office, toujours impressionnée par cette foule qui se rassemblait pour serrer la main à la *first family*, une famille dont elle faisait partie maintenant, et elle avançait mécaniquement en répétant les mêmes paroles, offrant les mêmes accolades, acceptant des rendez-vous pour boire un café qu'elle oublierait aussitôt. Et sans doute n'aurait-elle pas remarqué ce soldat sans son uniforme bleu, sa casquette coincée sous le bras et ses boutons dorés étincelants. Quand il fit un pas en avant, elle leva les yeux vers son visage et retira vivement sa main.

« Oh », fit-elle.

Russell Miller sourit ; c'était ce même sourire déterminé qu'elle avait vu sur la plage, des années plus tôt, le sourire d'un homme qui savait ce qu'était la tristesse et dépensait beaucoup d'énergie à la repousser. Aubrey connaissait bien ce sourire, pour l'avoir longtemps répété et perfectionné. Elle se cachait derrière, mais personne ne le voyait en elle comme elle le voyait en Russell. Il tendit le bras pour serrer la main du pasteur Sheppard derrière elle.

« Magnifique sermon, révérend. »

Aubrey se sentit exposée soudain, comme si tous les fidèles, en la voyant à côté de Russell, allaient savoir. Savoir quoi ? Qu'un jour, avant son mariage, elle l'avait embrassé ? Et que, mariée désormais, elle aurait dû chasser Russell de sa mémoire, alors qu'elle continuait à lui écrire ?

« Allons parler dehors », dit-elle.

Quelques mois plus tôt, il lui avait annoncé dans un mail que sa période de service à l'étranger se terminait. *Je reviens bientôt aux States, ça te dirait d'aller manger un morceau ?* Elle avait détesté cette fausse nonchalance, comme un ancien copain de lycée de passage en ville qui voulait parler du bon vieux temps. Évidemment qu'elle avait envie de le revoir, mais ils savaient l'un et l'autre qu'elle ne le pouvait pas. Elle était mariée. Elle avait l'amour d'un homme et c'était mal – c'était de la cupidité même – de réclamer davantage.

« Que fais-tu ici ? » demanda-t-elle, dès qu'ils se retrouvèrent derrière l'église.

Russell haussa les épaules.

« Comme tu n'as pas répondu à mon mail, j'ai décidé de venir te voir.

— Peut-être que j'avais une bonne raison de ne pas répondre.

— Laquelle ?

— Je suis mariée.

— Les femmes mariées n'ont pas le droit de déjeuner ?

— Pas avec des inconnus.

— Je suis un inconnu ? »

Aubrey soupira. « Tu m'as comprise.

— Non. Je reviens de l'autre bout du monde et tout ce que je veux, c'est t'emmener déjeuner. Rien de louche là-dedans. Tu m'as remonté le moral pendant que j'étais là-bas et je veux te remercier. Ton mari peut venir s'il en a envie. »

Elle promit de transmettre son invitation à Luke, mais sur le trajet silencieux qui les ramenait chez eux, elle regarda par la vitre en imaginant Russell allongé sous elle, sur le sol des toilettes, agrippant sa taille avec ses grandes mains.

« À quoi tu penses ? demanda Luke.

— Moi ? »

Il sourit. « Oui, évidemment.

— Je ne sais pas. À rien. »

Il freina en douceur à l'approche d'un feu rouge. Il lui prit la main, posée sur sa cuisse, la porta à sa bouche et lui mordit un doigt.

« Qu'est-ce que tu fais ? » demanda-t-elle.

Il sourit et mordit un autre doigt.

« Ouille, fit-elle en riant. Arrête, espèce de fou. »

Il lui embrassa la main et la serra entre les siennes, et durant tout le restant du trajet, Aubrey imagina sa vie coincée entre les dents de Luke, comptant sur lui pour qu'il ne la morde pas.

Deux jours plus tard, elle retrouva Russell au Ruby's Diner sur la jetée. Même s'il portait une chemise en vichy bleue avec une cravate et se leva quand elle approcha du box, Aubrey se rappela qu'il ne s'agissait pas d'un rancard. Rien de romantique ni d'intime dans un déjeuner sur le port, avec les mouettes qui virevoltaient et criaient dans le ciel. Russell commanda une bière avec son fish and chips, elle commanda une salade au poulet avec un Coca et, ensuite, une part de tarte au citron meringuée, à partager, non pas parce qu'elle avait encore faim, mais pour prolonger ce déjeuner. Elle avait craint tout d'abord de se sentir mal à l'aise en sa présence, mais elle était surprise par le naturel avec lequel elle parlait de choses banales, comme le pique-nique de l'église ou sa sœur. Puis Russell lui demanda comment s'étaient passées ses visites avec le spécialiste de la fertilité.

« Très bien », dit-elle. Quelques semaines plus tôt, elle avait reçu un message du cabinet du docteur Yavari pour lui confirmer la date de son prochain rendez-vous. Elle l'avait effacé. À quoi bon y retourner ? À quoi bon consulter un spécialiste pour faire un bébé dont Luke ne voulait pas ? Pas étonnant qu'il soit resté si indifférent, alors qu'elle était obsédée par leur incapacité à concevoir. Il ne s'intéressait qu'au bébé qu'il avait perdu des années plus tôt. Il ne s'intéressait qu'au bébé qu'il avait fait avec Nadia.

« Tu penses que ton mari veut un garçon ? demanda Russell.

— Je ne sais pas. Il ne me l'a jamais dit. »

Leur enfant avait-il été un garçon ou une fille ? Quelle importance ? Sans doute était-il ce que Luke voulait qu'il soit.

« Les gens croient toujours que les hommes veulent des garçons, ajouta Russell. Comme si on ne pouvait pas imaginer aimer un être qui ne nous ressemble pas exactement.

— Tu ne voudrais pas un fils ?

— Trop dangereux. Les jeunes Noirs sont des cibles humaines. Au moins, les filles ont une chance.

— C'est pas vrai.

— Qu'est-ce qui n'est pas vrai ? Pourquoi je me suis engagé à ton avis ? Mon vieux m'a dit : apprends à tirer avant que les Blancs te tirent dessus, et c'est ce que j'ai fait. Je suis allé jusqu'en Irak, mais je pourrais me promener dans la rue, ici, et recevoir une balle dans la tête. Tu sais pas ce que c'est. »

Elle émit un petit rire sans joie.

« J'ai peur en permanence, dit-elle. Je ne me sens jamais en sécurité.

— Ton mari est là pour te protéger

— C'est mon mari qui me fait du mal. Il croit que je ne sais pas qu'il en aime une autre. »

Elle n'avait jamais prononcé ces paroles à voix haute. Mais avouer qu'elle n'était plus aimée lui procurait une sorte de libération. Elle aurait pu continuer à vivre sans le savoir, convaincue de savourer un festin alors qu'elle devait se contenter des miettes d'une autre. En face d'elle, de l'autre côté de la table, Russell posa sa main sur la sienne. Elle regarda sa peau rugueuse, puis le serveur apporta l'addition et elle s'obligea à retirer sa main.

John parla de la tarte à Luke. Une part de tarte au citron meringuée, partagée entre sa femme et un autre homme, dans un restaurant du port. Les deux hommes installaient des chaises pliantes dans la salle de réunion avant le cours d'étude de la Bible quand l'assistant du pasteur avait abordé le sujet, timidement, les yeux collés au sol. Il se trouve que son épouse avait déjeuné dans ce même restaurant avec une de ses amies, un peu plus tôt dans la semaine, et elle avait vu Aubrey attablée avec un homme. Un fidèle, avait-elle pensé tout d'abord, mais elle ne l'avait jamais croisé à l'église. Il semblait affamé. Il dévorait Aubrey des yeux.

« Je ne veux surtout pas faire des histoires, dit John, mais si c'était ma femme, j'aimerais qu'on me prévienne. »

C'était cette tarte qui attisait la colère de Luke. Un déjeuner, ça pouvait n'être qu'un simple repas, mais partager un dessert, c'était un geste intime. Sa femme et cet inconnu plantant leurs fourchettes dans la crème onctueuse, tour à tour, en adoptant un rythme nonchalant. Cet homme devait regarder Aubrey porter la fourchette à sa bouche, ses yeux avides la regardaient disparaître entre ses lèvres. Et plus tard, dans un coin sombre du parking, peut-être même qu'il avait léché la meringue sur sa langue.

« C'était bien ton rancard ? » lui demanda-t-il en rentrant.

Aubrey, assise dans le canapé, pliait du linge. Elle portait une jupe marron, un cardigan gris trop large qui bâillait sur sa taille : le genre de tenue triste qui, à cet instant, donna à Luke le sentiment qu'ils étaient l'un et l'autre plus vieux qu'ils avaient le droit de l'être.

« Ce n'était pas un rancard.

— C'était quoi, alors ?

— Un déjeuner.

— Pourquoi tu ne m'en as pas parlé, dans ce cas ?

— Je ne suis pas obligée de te parler de tous mes déjeuners.

— Si c'est avec un type que je ne connais pas, si ! »

Jamais il ne lui criait dessus. Il lui parlait d'un ton sec parfois, mais il se sentait très mal ensuite parce que Aubrey tressaillait quand il haussait le ton, et il culpabilisait, comme s'il l'avait frappée. Jamais il ne lèverait la main sur elle, mais il devinait qu'elle l'en croyait capable, alors il s'obligeait à contrôler sa colère : il argumentait doucement, il maîtrisait son corps, il ne donnait pas de coup de poing dans le mur, il ne balançait pas un verre contre le mur, même s'il en mourait d'envie. Il ne voulait pas qu'elle ait peur de lui, comme avec la plupart des hommes. Sauf avec son compagnon de déjeuner. Si Luke avait été marié à une autre femme, il aurait pu croire que ce déjeuner n'était qu'un déjeuner. Mais il connaissait Aubrey. Elle n'avait pas d'amis avec qui elle sortait seule. Si elle avait rejoint cet homme, il ne s'agissait pas d'un rendez-vous anodin.

Elle le regarda sans ciller.

« Je ne te demande jamais où tu vas, dit-elle. Je ne te pose pas de question quand tu vas rejoindre Nadia en douce. »

Il déglutit.

« C'est différent.

— Pourquoi ? Parce que tu l'aimes ? » Elle lâcha un petit rire en secouant la tête. « Je ne suis pas idiote. Je ne fais pas des études de droit, mais je ne suis pas idiote.

— S'il te plaît.

— Stop. Tu n'es plus obligé de me mentir. Tu l'as toujours aimée…

— S'il te plaît.

— C'est elle que tu veux.

— S'il te plaît. »

Le calme d'Aubrey l'effrayait. Si elle avait hurlé, pleuré ou lancé des insultes, il aurait compris. Il s'y attendait. Mais elle demeurait d'un calme inquiétant, et c'est ainsi qu'il sut qu'elle allait le quitter. Peut-être pas tout de suite, mais un jour. En rentrant, il découvrirait qu'elle avait vidé son étagère dans la salle de bains et sa moitié de penderie. Et il se sentirait plus seul qu'il l'avait été au centre de rééducation, avant qu'Aubrey lui apporte un donut soigneusement enveloppé dans du papier froissé : un petit cadeau qu'il n'aurait jamais cru recevoir. Il demeura planté sur le seuil de la pièce, pendant qu'elle continuait de plier ses pulls sur sa poitrine, en croisant les bras sur son cœur.

Treize

« Je ne sais pas quel est le problème de cette fille », dit Betty.

À travers les stores, nous observions toutes Nadia Turner démarrer sa voiture sur le parking de l'église. Depuis des semaines, elle était silencieuse et impolie ; elle parlait à peine quand elle venait nous chercher, et quand nous essayions d'être sympathiques, elle nous répondait par monosyllabes. Si c'était pour avoir ce genre de compagnie, nous aurions mieux fait d'appeler un taxi. Quand elle venait nous prendre à l'église, elle faisait les cent pas autour de son pick-up comme si elle était en retard ou on ne sait quoi. Pour aller où ? Qui l'attendait, à part son père ? Et on ne pouvait pas dire qu'elle avait autre chose à faire.

« Peut-être qu'elle se fait du souci pour son amie, suggéra Flora.

— Il n'y a pas de raison. Ils sont mariés. Les gens mariés ont toujours des problèmes.

— Vous avez entendu qu'Aubrey était partie ?

— Oh, qui n'en a pas fait autant une fois ou deux ? répondit Agnes.

— Vous savez combien de fois j'ai fait ma valise pour quitter Ernest ? dit Betty. Je retournais chez ma mère en courant, et quelques jours plus tard, je revenais. C'est rien. Tous les mariages sont comme ça.

— On raconte que le fils Sheppard regardait ailleurs.

— C'est un homme, non ? dit Hattie. Qu'est-ce qu'elles imaginent, ces filles ?

— C'est ça le problème de nos filles aujourd'hui, dit Agnes. Elles deviennent dures. Mais quand on est mous, on encaisse les coups. Une chose dure, si on la pousse un peu trop fort, elle se brise. En amour, il faut être mou. L'amour dur, ça ne dure pas.

— Je ne vois toujours pas quel est le rapport avec Nadia Turner. » Betty reporta son attention sur la fenêtre en secouant la tête. « Elle ne dit pas bonjour, à personne, elle ne parle pas. Et pourquoi marche-t-elle de long en large comme ça, comme si elle devait partir ailleurs ? »

Ce que nous ne comprenions pas à l'époque, c'était que Nadia faisait les cent pas devant le pick-up de son papa, après nous avoir déposées au Cénacle, pour regarder les voitures passer sur la route. Parfois, elle s'asseyait sur le perron de l'église, pendant une heure ou deux, en espérant voir une Jeep verte pénétrer sur le parking. Ça n'arrivait jamais. Nul n'avait vu Aubrey Evans depuis des semaines.

Pendant des mois, Nadia revécut dans sa tête le jour où ses mensonges s'étaient écroulés comme un château de cartes. Un jour ordinaire, tellement banal que c'est seulement bien plus tard qu'elle apprécierait ces heures matinales insignifiantes, lorsque sa vie était encore intacte. Elles avaient passé très vite, puis ce fut le soir, et en sortant de la douche, alors qu'elle séchait ses cheveux avec une serviette, elle avait vu une lumière devant la maison. Quand elle avait éclairé le porche, avant de coller son œil au judas, elle avait découvert Aubrey assise sur les marches.

« Qu'est-ce que tu fais là, dans le noir ? avait-elle demandé en sortant. Pourquoi tu n'as pas sonné ? »

Elle n'était pas surprise par la visite inattendue d'Aubrey – voilà bien longtemps qu'elles ne s'appelaient plus avant de passer –, mais elle ne comprenait pas pourquoi son amie restait dehors, sans se manifester. Si elle n'avait pas aperçu l'éclat des phares, Aubrey serait restée assise là toute la nuit ? Elle ne s'était pas retournée tout de suite, et pendant des semaines, chaque fois que Nadia penserait à son amie, elle se reverrait en train de contempler son dos et les courbes délicates de son cou. Peut-être que si Aubrey ne s'était jamais retournée, elles seraient restées suspendues dans cet instant, éternellement, entre le fait de savoir et ne pas savoir, cet ultime tiraillement d'une amitié usée aux coutures.

« Comment ? » avait demandé Aubrey.

Elle connaissait le « quoi ». Elle pouvait deviner le « pourquoi ». Mais le « comment » de tout cela, voilà ce qu'elle ne parvenait pas à saisir. Dans toute trahison, le « comment » était la chose la plus difficile à justifier, la manière dont les mensonges s'étaient assemblés, empilés et avaient persisté, jusqu'à camoufler totalement la vérité. Nadia s'était figée, son esprit était engourdi, ralenti, comme si elle essayait de former des mots dans une autre langue. Puis Aubrey s'était levée et s'était éloignée dans l'allée. Nadia l'avait suivie d'un pas hésitant.

« Aubrey. Je suis vraiment désolée, putain...

— C'est marrant, vous êtes tous les deux désolés maintenant.

— Je te le jure devant Dieu, j'ai regretté dès que c'est arrivé...

— C'est gentil de ta part.

— S'il te plaît. S'il te plaît. Parle-moi. »

Elle avait martelé la portière de la voiture, tiré sur la poignée. Elle n'avait pas tardé à réveiller les voisins, et son père avait regardé par la fenêtre, en se demandant pourquoi sa fille pleurait et suppliait, pourquoi elle s'était accrochée à la portière, alors qu'Aubrey démarrait.

« Dégage », avait dit Aubrey. Sa voix était froide, métallique. « J'ai pas envie de t'écraser le pied. »

Pendant des mois, Nadia avait tout essayé. Elle envoya des textos, des mails, laissa des messages vocaux puis téléphona, chaque niveau de technologie la ramenant un peu plus vers le passé, jusqu'à ce qu'elle finisse par envoyer une lettre. Trois pages manuscrites de supplications, rabaissant peu à peu ses exigences, comme si elle menait une négociation cachée.

D'abord, elle réclama le pardon d'Aubrey, puis un moment pour s'expliquer, et finalement, elle lui demanda simplement de lire ses mails ou d'écouter ses messages, même si elle ne lui parlait plus jamais. Sa lettre de trois pages lui revint sans avoir été ouverte. Alors, elle prit l'habitude de passer devant chez Monique en voiture, l'après-midi, tout doucement, sans voir Aubrey entrer ou sortir. Elle savait qu'elle devrait arrêter. Quelqu'un pouvait remarquer ce véhicule qui faisait le tour du quartier et appeler la police, en pensant qu'il s'agissait d'une cinglée ou d'une ex-petite amie folle de jalousie, mais elle passa devant la maison chaque jour pendant trois semaines. Un soir, dans un ultime geste de désespoir, elle se gara et sonna à la porte.

« Tu ne peux plus venir ici, lui dit Kasey, tu le sais. »

Elle se tenait devant la porte, bras croisés. Elle ne paraissait pas en colère, plutôt agacée, comme face à un chat qu'elle ne cessait de flanquer dehors et qui trouvait toujours le moyen de revenir dans la maison.

« Aubrey est là ? demanda Nadia d'une petite voix, les yeux fixés sur le paillasson.

— Tu ne comprends pas qu'elle ne veut pas te parler ? Ah, nom de Dieu, entre toi et lui... »

Nadia poussait les graviers du bout du pied, en repoussant ses larmes. Ces temps-ci, les pleurs jaillissaient sans prévenir, comme un saignement de nez. Elle imaginait la manière dont Aubrey avait raconté cette trahison, et la réaction horrifiée de Monique et de Kasey, car qui ne le serait pas ? Une fille qui avait vécu sous leur toit, une fille qu'elles avaient traitée comme si elle faisait partie de la famille, dont elles parlaient à voix basse le soir, tard : elle ne t'a pas paru silencieuse au dîner ? Tu crois qu'elle a un problème ? Sa mère s'est suicidée, comment veux-tu qu'elle n'ait pas de problème ? Oui, mais tu ne l'as pas trouvée triste aujourd'hui ?

Kasey soupira et sortit sur le porche.

— Ne va pas croire qu'on est redevenues amies, dit-elle. Mais je ne supporte pas de te voir pleurer.

Elle massa le dos de Nadia, pendant que celle-ci séchait ses larmes.

« Bon Dieu, dit Kasey. Qu'est-ce qui t'a pris ?

— J'ai déconné.

— Oh, sans blague.

— Elle ne me laisse même pas m'excuser...

— Qu'est-ce que tu espérais ? Elle souffre encore.

— Mais qu'est-ce que je peux faire ? Qu'est-ce que je suis censée faire ?

— Ça prendra du temps. Il faut attendre. »

Mais Nadia ne pouvait pas attendre. Elle ne pouvait pas s'empêcher d'appeler, d'écrire, de passer en voiture devant la maison. C'était ça, aimer quelqu'un, non ? Impossible d'ignorer cette personne, même si elle vous haïssait. Impossible de tirer un trait. Elle essaya encore de téléphoner à la maison, une ou deux fois, jusqu'à ce que Monique décroche.

« Tu ne manques pas de culot, dit-elle.

— S'il te plaît », dit Nadia. C'était le seul mot qu'elle semblait capable de prononcer désormais. « Je veux juste lui parler. S'il te plaît.

— Ce que tu veux ou pas n'a plus aucune importance », répondit Monique.

Un mois s'écoula, puis deux. Le matin, Nadia préparait le café de son père : moitié café normal, moitié décaféiné, comme il l'aimait. Elle conduisait les Mères au Cénacle et le soir, elle cuisinait. Elle envisagea de repartir, mais l'époque des fêtes approchait, annoncée uniquement par les petites lumières clignotantes accrochées dans les palmiers et les bandes de coton épais étendues sur les pelouses en guise de neige. Elle n'avait pas passé un seul Noël à la maison depuis la mort de sa mère. Elle les avait imaginés. Huit ans sans traditions, huit Noëls de solitude, qui lui donnaient un sentiment de vide. Personne pour accrocher les chaussettes, pour enfoncer des emporte-pièces dans la pâte à cookies ou pour entourer la cheminée de guirlandes. Personne pour exhumer du garage les cartons que sa mère avait soigneusement étiquetés : *papier cadeau* ou *décorations pour le porche*. Juste un Noël californien, sans fioritures, une journée ensoleillée ordinaire. Mais cette année, elle s'agenouilla dans le garage et ouvrit délicatement les cartons. Elle suspendit deux chaussettes, et non pas trois, puis installa des ampoules rouges et vertes sur les lampes de l'allée. Elle acheta un faux sapin au Walmart – rien à voir avec les Douglas de deux mètres que ramenait son père autrefois – et l'assembla dans le salon en enfonçant les branches raides. Elle attrapa à pleines mains le feutre du tapis de sapin, soyeux et vert entre ses doigts, et le renifla dans l'espoir de capter les effluves de sa mère. Elle ne sentit que la poussière et le pin.

Après Noël, elle envisagea de nouveau de partir – cette fois, elle avait même noté des horaires de vols –, mais quelque chose la retenait toujours. C'était trop tôt. Elle ne pouvait pas abandonner son père de nouveau, pas maintenant. Le soir, elle traînait une chaise de cuisine jusqu'à la penderie pour atteindre les albums photos que son père avait remisés sur l'étagère du haut. Un album posé sur les genoux, elle tournait lentement les pages et regardait les clichés d'elle en nouveau-né à la peau pâle et fripée, aux yeux perçants, enveloppée d'une couverture jaune. Sa mère, couchée dans son lit d'hôpital, la tenait dans ses bras, les cheveux plaqués sur son front en sueur. Elle paraissait épuisée, mais elle souriait. Son corps s'était ouvert en deux, et elle souriait. Nadia tournait les pages. Devenue bébé, elle rampait à côté de pieds anonymes, c'était un bambin potelé qui courait après les canards au parc ; c'était une élève de maternelle, rieuse, à qui il manquait des dents. Elle sauta la photo qui la montrait recroquevillée sur les genoux de son père, celle qu'elle avait contemplée quand il était à l'étranger, aussi lointain et mystérieux que la guerre elle-même. Il souriait à l'objectif, un sourire fatigué comme celui de sa mère, mais il semblait satisfait malgré tout, heureux même.

Parfois, avant de partir faire ses tours de jardin, il se penchait au-dessus du canapé pour jeter un coup d'œil aux albums. Elle tournait les pages de son premier anniversaire : assise dans une chaise haute, un chapeau rigolo posé de travers sur la tête. Un soir, à la fin d'un album, elle découvrit des photos de sa mère enfant, en robe, avec des chaussettes à fanfreluches, debout devant une maison et le décor plat du Texas qui s'étendait derrière elle. Sur une autre photo, sa mère, bébé, plongeait les mains dans un gâteau d'anniversaire, le visage barbouillé de glaçage rouge et vert. Un garçon, plus grand, l'étreignait et souriait. Il avait le visage tout aussi maculé de gâteau.

Quand son père aperçut la photo, Nadia faillit refermer l'album. Mais il posa le doigt sur la page, à côté du bébé souriant qui deviendrait sa femme. Et la mère de Nadia.

« Qui est-ce ? demanda-t-elle en montrant le garçon.

— Ton oncle Clarence. Un grand rigolo. Dommage que tu ne l'aies pas connu. Mais les drogues l'ont eu. » Il secoua la tête. « J'ai toujours cru que la guerre nous tuerait. Et puis, quand on est rentrés au pays, Clarence s'est chargé du boulot tout seul. Il m'a présenté ta mère et aujourd'hui, il n'y a plus que moi. Je suis le seul qui reste. »

Son père et elle étaient des survivants, abandonnés par tous, sauf par eux-mêmes. Après le dîner, elle regardait la télé avec lui et tous les dimanches matin, elle l'emmenait à l'église. Il pouvait conduire maintenant, mais il continuait pourtant à s'asseoir à la place du passager, et Nadia se demandait s'il craignait qu'elle ne s'en aille en constatant qu'il n'avait plus besoin d'elle. Un dimanche, elle l'accompagna jusque dans le hall et jeta des coups d'œil à droite et à gauche, comme elle le faisait toujours, dans l'espoir de voir Aubrey. Au lieu de cela, Mme Sheppard l'entraîna à l'écart.

« Tu as des nouvelles d'Aubrey ? lui demanda-t-elle.

— Pas depuis un moment. »

Mme Sheppard pencha la tête sur le côté, ne sachant pas si elle devait la croire. Puis elle croisa les bras.

« Elle refuse de me parler, dit-elle. Je ne comprends pas. L'autre jour, j'y suis allée et j'ai sonné à la porte, mais elle a fait comme si elle n'était pas là. Et cette femme blanche m'a répondu qu'Aubrey ne recevait aucune visite. Depuis quand est-ce que je suis une simple visiteuse ? »

Un sentiment de jalousie familier s'enfonça entre les côtes de Nadia.

« Je suis désolée.

— Elle est enceinte, tu sais. »

Nadia en eut le souffle coupé.

« Ah bon ?

— Elle porte l'enfant de mon fils et elle refuse de me parler. Luke ne veut pas me raconter ce qui s'est passé, mais je sais que tu as quelque chose à voir là-dedans. J'ai essayé de l'avertir. J'ai essayé de la mettre en garde contre toi... Mais les filles n'écoutent pas leur mère, jamais. »

Ce même dimanche matin, le pasteur se tamponna le front avec son mouchoir en invitant tous ceux qui voulaient accueillir Jésus dans leur cœur à s'avancer, et Nadia regarda les gens s'agenouiller devant l'autel, paumes levées vers le ciel. Visages luisants, têtes renversées en arrière, mains tendues, ils se balançaient et chantaient. Durant la prière, elle observait toujours ceux qui baissaient la tête et fermaient les yeux, leurs mains qui flottaient vers le toit, pendant qu'elle demeurait immobile, les bras collés au corps. Elle la ressentait alors, elle la ressentait chaque fois durant les séances de prières, quand elle balayait du regard la salle remplie de croyants : la dureté implacable de sa solitude.

Tandis que la chorale entonnait « Je me soumets à toi », Nadia se pencha au-dessus du banc, incapable d'arrêter ses larmes. Son père bougea à côté d'elle et elle sentit sa main se poser dans son dos. Avec son autre main, il prit la sienne, sa paume calleuse frotta contre sa peau douce.

« Tu veux que je prie avec toi ? » murmura-t-il.

Il vivait dans les prières et les sermons, dans des écritures qu'elle ne comprenait pas, et même si cela lui avait toujours donné l'impression d'être loin de lui, elle acquiesça. Elle ferma les yeux et baissa la tête.

Le matin où elle envisagea de retourner chez elle, Aubrey, couchée dans son lit, jouait avec le couvercle de son flacon de vitamines prénatales. Elle aurait dû être levée – son réveil avait sonné une demi-heure plus tôt –, mais la grossesse la fatiguait plus qu'elle ne l'avait imaginé. Quand elle était revenue s'installer chez sa sœur, elle dormait sans cesse, durant de longues heures, de manière inexpliquée, à tel point que Monique croyait à une dépression. Cette suggestion l'avait fait rire : n'avait-elle pas le droit d'être simplement triste ? Ne pouvait-elle pas être abattue, sans qu'il y ait forcément une explication physique ou chimique ? Mais quand elle était allée consulter le docteur Toby, il lui avait demandé si elle ne pourrait pas être enceinte. Elle avait fait un rapide calcul dans sa tête et rougi en repensant à cette soirée de laisser-aller sur le canapé du salon. Le médecin avait raison, finalement. Il avait suffi d'un verre de vin, ou de plusieurs.

« J'ai pensé que tu devais le savoir », avait-elle dit à Luke.

Silence au téléphone. Elle avait regardé l'écran de son portable pour s'assurer que la communication n'avait pas été coupée. Quand Luke avait retrouvé la parole, il paraissait ému et, malgré tout ce qui s'était passé, Aubrey avait eu les larmes aux yeux, elle aussi.

« Je peux te voir ? avait-il demandé.

— Pas maintenant.

— Je ne viendrai pas chez toi. Je ne viendrai pas, mais on peut se retrouver chez le médecin. D'accord ?

— Je ne suis pas prête. »

Il ne lui avait pas demandé quand elle le serait. Il avait renoncé aux tentatives insistantes des premiers temps, quand il essayait de la persuader de revenir. Maintenant, il gardait ses distances. Aubrey le sentait tourner autour d'elle : il attendait. Elle ne l'avait convié à aucun de ses rendez-vous chez le médecin, mais elle l'avait informé des nouvelles importantes, comme quand elle avait appris que le bébé était une fille. « Une fille ? Ouah », ne cessait-il de répéter, et elle pensait à Russell qui lui avait demandé si Luke voulait un garçon. Mais chaque fois que Luke répétait « Une fille ? Ouah », elle sentait l'émerveillement dans sa voix. Connaître le sexe d'un bébé le rendait plus réel, ce n'était plus seulement un souhait. Elle imaginait Luke soulevant une fillette au-dessus de sa tête, une fillette qui aurait les cheveux frisés de sa mère ou les boucles de son père, réunis en houppette. Une fillette qui ne voyagerait pas de maison en maison, qui n'aurait pas peur des hommes qui marchent dans les couloirs, qui n'aurait peur de rien, qui tendrait les bras pendant que son père la soulèverait très haut, certaine qu'elle retomberait toujours sur son torse.

« Toc toc. »

Monique tenait un verre d'eau à la main.

« J'y serais allée, dit Aubrey.

— Je sais. Mais j'étais debout.

— Tu n'es pas obligée de me materner.

— Pas du tout. J'étais debout, je te dis. »

Le plus énervant dans le fait que sa sœur la couvait, c'était qu'elle prétendait le contraire.

Monique enjamba les baskets éparpillées sur la moquette et les cartons qu'Aubrey n'avait toujours pas déballés, bien qu'elle soit revenue depuis plusieurs mois, et déposa le verre d'eau sur la table de chevet. Puis elle se pencha vers le ventre de sa sœur et dit : « Bonjour, petite fille. » Elle encourageait Aubrey à parler davantage au bébé. À vingt semaines, un bébé entendait. À vingt semaines, un bébé reconnaissait la voix de sa mère. Mais Aubrey parlait à son bébé comme elle parlait à Dieu, jamais à voix haute, toujours dans sa tête. Elle avala ses vitamines et enlaça son ventre. Et voilà. Je déteste avaler ces pilules et je le fais pour toi. Je ferais tout pour toi.

« Où est Kasey ? demanda-t-elle.

— Elle dort encore », répondit Monique. Elle sourit. « Hé, si on faisait un peu d'exercice ? Allons courir.

— Je n'ai pas envie.

— Pourquoi ?

— Tu cours trop vite.

— Je trottinerai. Allez, viens. Sortons d'ici. Ça te fera du bien. »

Monique se pencha pour ramasser une paire de baskets. Elle ne pouvait s'empêcher de s'occuper de tout.

« Je crois que je vais passer à la maison aujourd'hui, annonça Aubrey. Après le travail. Juste pour prendre quelques affaires. »

Monique s'arrêta, accroupie devant l'armoire.

« Tu es sûre que c'est une bonne idée ?

— C'est chez moi. C'est toi-même qui l'as dit.

— Mais tu refuses toujours de le flanquer dehors.

— Il irait où ?

— Je ne sais pas. Il n'avait qu'à y penser avant.

— Pas de quoi en faire un plat, Mo. Il finit tard aujourd'hui.

— Tu veux que je t'accompagne ?

— Non, ça ira. Je fais juste l'aller-retour. »

Ce soir-là, Aubrey déverrouilla la porte de chez elle et la poussa lentement, comme si elle entrait dans la maison d'un inconnu. Elle n'accrocha pas ses clés au crochet qu'elle avait sommé Luke d'installer car il perdait toujours les siennes. Elle ne suspendit pas sa veste dans la penderie, elle n'ôta même pas ses chaussures. Elle s'arrêta devant la console sur laquelle ils posaient le courrier : une pile de lettres de Nadia. Elle ne les ouvrit pas car elle savait ce qu'elles disaient, mais elle les retourna pour vérifier qu'elles n'avaient pas été décachetées. Luke ne les avait pas ouvertes, lui non plus. Comme souvent, elle les imagina tous les deux en train de parler d'elle au lit, à voix basse. Arrête, s'ordonna-t-elle. Un cordon la reliait à son bébé, et elle se demandait si, outre les aliments et les nutriments, elle ne lui transmettait pas d'autres choses. Un bébé pouvait peut-être se nourrir de sa tristesse. Peut-être que ce cordon ne se brisait jamais. Peut-être qu'elle-même se nourrissait encore de sa mère.

Elle alluma la lumière de la chambre d'amis que Luke et elle avaient vue en chambre d'enfant, avant leurs années de stérilité, quand ils étaient jeunes mariés et pleins d'espoir. Ils désignaient des espaces vides en y ajoutant mentalement un berceau, un mobile représentant des planètes, des murs couleur pastel, comme dans un rêve. Sa sœur lui avait offert des échantillons de peinture pour lui donner des idées, mais c'étaient des jaune citron et des vert tendre, pas du tout ce que Luke et elle avaient imaginé. En entendant le déclic de la serrure de la porte d'entrée, elle ferma les yeux. Elle avait menti : elle savait que Luke rentrait plus tôt aujourd'hui, mais elle avait honte d'avouer qu'il lui manquait. Elle n'était pas censée faire partie de ces femmes qui pardonnaient facilement, mais elle n'avait plus l'impression d'être une femme. Elle portait une fille en elle, une fille qui était à la fois elle et Luke, elle était devenue trois personnes en une : une étrange trinité.

« Ouah ! » fit Luke quand elle se retourna.

Il ne l'avait pas revue depuis l'annonce de sa grossesse. Aubrey sentit ses yeux glisser sur elle, son ventre gonflé, l'horrible pantalon de survêtement, et il semblait s'émerveiller. Peut-être n'était-elle pas aussi belle que Nadia, aussi courageuse, aussi intelligente, mais elle était la mère de cet enfant. Nadia et elle vivaient sur un sol éternellement penché entre l'amour et la jalousie, mais ce sol se redressait enfin et elle pourrait bientôt se tenir debout. Elle allait donner naissance à l'enfant gardé. Elle avait une chose que Nadia n'aurait jamais et pour la première fois, elle triomphait.

« Tu la vois encore ? demanda-t-elle.

— Non. Jamais. Aubrey, je...

— Tu lui parles ? »

Luke secoua la tête. Elle ne lui demanda pas s'il l'aimait encore, par peur de sa réponse.

« Je ne suis pas revenue pour te voir. J'ai pensé à la chambre d'enfant et la maison de ma sœur est trop petite…

— Bien sûr. Installons-la ici. Qu'est-ce qu'il te faut ? J'irai le chercher. »

Elle les imagina en train d'aménager la chambre d'enfant ensemble, petit à petit, comme Monique et elle avaient redécoré la chambre d'amis quand elle était venue vivre à Oceanside. Elles avaient suivi les désirs d'Aubrey, créant une pièce qu'elle s'était figurée quand elle dormait dans des lits pliants et des canapés, une pièce qu'elle avait assemblée dans son esprit quand elle avait besoin d'un endroit où se cacher. Quand le petit ami de sa mère la touchait, elle accrochait un tableau au mur, elle étendait un édredon sur le lit, elle suivait avec son doigt les motifs du papier peint à fleurs.

Luke et elle pourraient créer un monde magnifique pour leur fille et elle ne connaîtrait que ça.

« J'ai encore besoin d'y réfléchir, annonça-t-elle.

— OK. Réfléchis tant que tu veux. » Luke glissa les mains dans ses poches et fit un petit pas vers elle. « Je peux… elle bouge ?

— Non. Pas encore. Je te préviendrai. »

Aubrey se dirigea vers la porte d'entrée, en passant devant le crochet à clés, la penderie, la console. Elle s'arrêta et prit le paquet de lettres de Nadia. La plus récente n'avait pas d'adresse d'expéditeur, uniquement ces mots : *Pardonne-moi, je t'en supplie*, écrits sur l'enveloppe à l'encre bleue qui avait bavé.

En février, le père de Nadia allait se promener le soir autour du pâté de maisons. Il portait un coupe-vent bleu marine et Nadia, assise sur les marches du perron, le regardait effectuer un tour, lentement, puis un autre. Il n'avait plus besoin d'elle, mais elle continuait à faire de petites choses, comme préparer le dîner ou laver le linge. Tous les quinze jours, elle lui coupait les cheveux avec la tondeuse de sa mère. Elle se demandait ce que celle-ci dirait en les voyant maintenant, si elle serait surprise de voir la façon dont leurs deux vies s'étaient mêlées, si elle avait prévu cela quand elle avait poussé sa petite fille vers son papa pour qu'elle lui dise bonjour. Après les examens du barreau, Nadia commença à penser à juillet. Elle pourrait choisir le barreau de Californie plutôt que celui de l'Illinois, et revenir s'installer ici pour de bon. Trouver un poste dans les environs, à San Diego peut-être, à seulement quarante minutes de voiture ; comme ça, elle pourrait conduire son père à l'église le dimanche. Elle pourrait faire ce que faisaient toutes les filles d'Oceanside : épouser un marine et ne plus rêver d'ailleurs. Comment ne pas aimer cet endroit où il n'y avait ni hiver ni neige ? Elle pourrait trouver un homme bien et vivre un été éternel.

Un soir, alors que Nadia regardait son père disparaître au coin de la rue, la camionnette de Luke s'arrêta devant la maison. Sa gorge se serra.

« Salut. Je peux entrer ? »

Elle le précéda à l'intérieur, sans rien dire. Elle se sentit exposée soudain – elle portait un pantalon de jogging tire-bouchonné, un tee-shirt Michigan gris trop large et ses cheveux étaient attachés négligemment –, et elle balaya du regard le salon : le sol était sale et ses livres de cours s'empilaient sur la table basse. Mais quelle importance ? L'époque où elle cherchait à l'impressionner était révolue, non ? Et puis, il la connaissait. Quelle partie de sa vie lui était encore cachée ? Ils s'arrêtèrent dans le vestibule comme si, en pénétrant plus avant dans la maison, ils briseraient un accord tacite. Finalement, Nadia se dirigea vers la cuisine – une pièce sûre – et Luke la suivit, lentement, les mains dans les poches.

« Tu as des nouvelles d'Aubrey ? demanda-t-il.

— Non.

— Elle a pris tes lettres.

— Vraiment ?

— Celles que tu as envoyées à la maison. Je ne sais pas si elle les a lues, mais elle les a prises. »

Pour la première fois depuis des mois, Nadia se sentit dégagée d'un poids. Peut-être qu'Aubrey ne lui pardonnerait jamais, mais au moins, maintenant, elle saurait combien elle regrettait. Elle remplit un verre d'eau et le tendit à Luke.

« Je suis au courant pour ton bébé. Félicitations. »

Il but une longue gorgée avant de reposer le verre sur le comptoir.

« Par ma mère ?

— Oui, par ta mère.

— J'ai encore du mal à m'en rendre compte. Je ne sais pas si tous les gars ressentent la même chose ou si c'est juste… Elle m'a envoyé l'échographie par mail. J'avais toujours cru que je serais dans la pièce pour la voir directement. »

Nadia pensa à sa propre échographie : la tache sans visage sur le fond noir. Elle n'avait jamais dit à Luke qu'elle avait vu leur bébé. Cela lui ferait du mal. Il s'adossa au mur et remit ses mains dans ses poches.

« J'ai un truc à te demander, dit-il.

— Quoi ?

— Tu pourrais parler à Aubrey ?

— Je te l'ai dit : elle ne m'écoutera pas.

— Peut-être que c'est différent maintenant. Elle a pris tes lettres. Tu peux lui expliquer ce qui s'est passé : tu étais triste à cause de ton père et ça s'est compliqué, étant donné tout ce qui était arrivé avant…

— Tu veux que tout soit de ma faute.

— Non, ne dis pas ça.

— C'est ce que tu es en train de me demander, bordel…

— Je veux voir ma fille. Je veux la connaître. »

C'était donc une fille. En un sens, Nadia était soulagée. Elle avait espéré une fille. Bébé, lui, était, ou avait été un garçon, et si ce nouveau-né avait été un garçon également, elle aurait eu l'impression que Bébé n'avait pas seulement été remplacé, mais totalement effacé. Pourtant, elle ne savait pas du tout si Bébé était un garçon ou pas, et qu'est-ce que ça pouvait bien lui faire, d'abord, qu'il ait été remplacé, puisqu'elle n'avait pas voulu de lui ? Pas comme Luke voulait cette fille. Elle pourrait lui rendre ce service et porter le chapeau. Elle se voyait en train de livrer cette version, une version à laquelle la mère de Luke croyait déjà assurément. Elle avait séduit Luke, elle avait tendu un piège à un homme bon qui voulait juste l'aider à s'occuper de son père malade. Aubrey y croirait-elle ? Quelle femme y croirait, sinon celle qui avait besoin de s'en persuader ?

« J'espère qu'elle te pardonnera, dit-elle. Et j'espère que tu seras là pour elle. Pas comme avec moi. Tu m'as laissée et j'ai dû tout gérer seule...

— Nadia...

— Désolée, je ne mentirai pas pour toi. Je ne veux plus lui mentir. »

Luke repartit sans rien ajouter. Elle le suivit dans l'entrée. Son père était sur le pas de la porte, en train d'ôter son blouson. Il fronça les sourcils lorsque Luke passa devant lui en le frôlant.

« Que se passe-t-il ?

— Rien, répondit Nadia. Luke Sheppard est juste venu dire bonjour. »

Toute une enfance peuplée de cadeaux de Noël horribles vivait dans les tiroirs de Nadia. Son père les découvrit l'après-midi où il fouilla sa chambre. Il n'avait jamais été doué pour les cadeaux – sa femme l'avait toujours surpassé dans ce domaine –, mais, chaque mois de décembre, il avait passé des heures dans les grands magasins à choisir des colliers tarabiscotés, des bracelets à breloques, tout ce qui était couvert de strass rose. Ou de jolies tenues à fanfreluches qui raviraient une fille, pensait-il, comme ce pyjama orné du visage d'un acteur, des bijoux massifs, une coque de portable couleur lavande. Il retrouva la plupart de ces objets dans la table de chevet de Nadia. Il aurait aimé croire qu'elle les avait conservés comme des trésors, mais il n'était pas dupe. Sa fille n'avait jamais été sentimentale, pas avec lui. L'amour, ce n'était pas la même chose. Sans doute qu'elle ne s'était même pas donné la peine de jeter tout ça. Au milieu des bricoles, il découvrit le cadeau dont il avait été le plus fier : un coffret en céramique orné de fleurs de lavande. Il lui avait rappelé une boîte à bijoux de sa mère. Enfant, il avait caressé ces fleurs sculptées, fasciné par les atours que possédaient les femmes : la beauté pour la beauté.

Il ne savait pas ce qu'il cherchait. Un reçu ? Un compte-rendu médical ? La preuve que cette clinique évoquée dans la conversation de Nadia et Luke Sheppard n'était pas celle située dans le centre-ville ? Quand sa fille gara le pick-up dans l'allée, il avait vidé les tiroirs de la table de chevet, couvrant le dessus-de-lit de porte-monnaie argentés, de chaussettes en éponge, de boucles d'oreilles étincelantes encore accrochées au carton. En entrant dans la chambre,

Nadia le trouva assis au bord du lit, le coffret en céramique sur les genoux. Dans ses mains, il tenait une minuscule paire de pieds de bébé en or.

Quatorze

Tôt le matin, le Cénacle était enveloppé de calme, et Nadia le savait, car elle y avait passé tout un été. À cette époque, âgée de dix-sept ans, blessée, désireuse de prouver qu'elle méritait l'attention de chacun, elle avait marché seule dans ces couloirs silencieux pour porter une tasse de café dans le bureau du pasteur et celui de son épouse. Elle avait effectué ce trajet chaque matin, et quand elle versait le liquide fumant dans la tasse sous l'œil attentif de mère Betty, elle regardait furtivement la porte fermée du pasteur, en se demandant ce qu'il faisait de l'autre côté. Son travail avait un aspect mystérieux, contrairement à celui de sa femme, industrieux et pratique. Parfois, il entrait dans le bureau après elle, et il lui souriait en passant rapidement, une épaisse Bible sous le bras. D'autres fois, il était au téléphone quand elle entrait ; il lui tournait le dos, mais elle voyait ses mains jouer avec le cordon. Un jour, elle l'avait vu faire entrer un couple dans son bureau, pour les conseiller, et elle avait imaginé la manière dont il dirigeait une séance. Aux moments stratégiques, il se renversait dans son fauteuil en cuir qui grinçait, s'éloignant pour souligner une remarque importante, se penchant vers ses interlocuteurs quand ils parlaient. Comme il devait paraître avisé et compréhensif ! Cet été-là, Nadia s'était interrogée sur ces gens qui s'arrangeaient pour rencontrer le pasteur si tôt le matin. C'étaient les plus meurtris sans doute, ceux qui avaient le plus besoin d'aide, ceux qui désiraient le plus cacher leurs problèmes aux membres de l'église. Jamais elle n'aurait pensé que, des années plus tard, son père et elle feraient partie de ces gens qui entraient dans le bureau du pasteur au moment où le soleil éclairait le ciel.

Le pasteur fut surpris en les apercevant. Assis à son bureau, penché au-dessus d'une Bible ouverte et plusieurs blocs-notes, sans doute était-il en train de rédiger un sermon, ce qui rendait cette visite impromptue encore plus déplacée. Mais, ce matin-là, son père était entré dans sa chambre en déclarant : « On va voir le pasteur », d'un ton si ferme qu'elle n'avait pas osé le contredire. Durant une longue nuit d'insomnie, elle avait revu son père assis au bord de son lit, au milieu du contenu éparpillé de ses tiroirs, tenant les minuscules pieds de bébé. Ses yeux étincelaient de larmes.

« Tu as fouillé dans mes affaires ? avait-elle dit d'une petite voix.

— Tu as fait ça ? Tu as fait ça dans mon dos ? »

Il avait refusé de nommer son péché, ce qui avait accru sa honte. Alors, elle lui avait dit la vérité. Elle sortait avec Luke en secret, elle avait découvert qu'elle était enceinte et les Sheppard lui avaient donné l'argent pour avorter. Son père l'avait écoutée en silence, tête baissée, en se tordant les mains, et, une fois le récit de Nadia terminé, il était resté assis un long moment sur le lit avant de se lever et de quitter la chambre. Il était sous le choc et elle ne comprenait pas pourquoi. Ne savait-il pas encore que l'on ne pouvait jamais faire totalement confiance à une autre personne ? Sa mère ne leur avait-elle pas appris cela, à tous les deux ?

Maintenant, Nadia et son père se tenaient sur le seuil du bureau du pasteur. Il se racla la gorge et désigna les chaises bordeaux disposées devant lui.

« Asseyez-vous donc, déclara-t-il d'un ton calme.

— Non, répondit le père de Nadia. Je n'ai pas d'ordre à recevoir de vous. Ce n'était qu'une gamine, espèce de salopard, et vous saviez très bien ce que votre fils lui avait fait...

— Tout a été arrangé, Robert...

— Arrangé ? Comment ? Par qui ? C'est vous qui l'avez obligée à faire ça ? Ou votre fils ?

— Parlons-en tranquillement, fit le pasteur en commençant à se lever de son fauteuil. La colère n'arrangera rien...

— Un peu que je suis en colère ! Qui ne serait pas en colère ? Et si c'était votre fille ? »

Son père cherchait un coupable et comme il serait facile de le lui donner, songeait Nadia. Elle pourrait être la pauvre fille innocente, obligée de subir une opération contre nature à cause d'un garçon égoïste et de son père hypocrite. Derrière son bureau, le pasteur se frotta les yeux, comme si la vérité l'épuisait soudain.

— Oui, je savais, dit-il en regardant Nadia. Je savais que nous n'aurions pas dû te donner cet argent. C'était de l'arrogance. Nous nous sommes immiscés dans une vie que le Seigneur avait créée.

— Non, fit Nadia. Personne ne m'a obligée à faire quoi que ce soit. Je ne pouvais pas... je ne voulais pas d'enfant.

— Alors, tu l'as tué ? » s'écria son père.

Elle le dégoûtait, et c'était encore pire que la colère. Après tout, sa mère et lui n'étaient pas prêts à devenir parents, eux non plus. Ne l'avaient-ils pas élevée malgré tout ? Alors, qu'est-ce qui clochait chez elle ? Pourquoi n'avait-elle pas été plus forte ?

« Personne ne m'a obligée à faire quoi que ce soit », répéta-t-elle.

Sa mère était morte maintenant, elle avait disparu depuis longtemps, mais peut-être aurait-elle été fière de savoir que sa fille n'accusait personne de ses propres choix. Elle avait cette force, au moins.

Lors de son dernier soir en Californie, Nadia demanda au chauffeur de taxi de s'arrêter chez Monique et Kasey sur le chemin de l'aéroport. Elle demeura le long du trottoir pendant cinq minutes, à regarder tourner le compteur, jusqu'à ce que le chauffeur philippin, un costaud, baisse sa vitre avant d'allumer une cigarette.

« Vous entrez ou bien... ? demanda-t-il.

— Laissez-moi encore une minute. »

Il haussa les épaules et secoua sa cendre dehors. Nadia contempla les volutes de fumée de la cigarette se dissoudre dans l'air. Son père était resté sur le seuil de sa chambre pendant qu'elle faisait sa valise. « Tu n'es pas obligée de partir », répétait-il. Parce qu'il avait envie qu'elle reste ou par politesse, elle n'aurait su le dire. À cette heure-ci, il devait être dans son fauteuil, entouré à nouveau de silence. Peut-être allumerait-il la télé pour remplir la maison de bruit. Peut-être regrettait-il la vie simple qu'il avait menée sans elle, ses petites tâches quotidiennes. Il devrait trouver une nouvelle église – il n'avait même pas jeté un regard au pasteur en sortant du bureau –, mais quelle autre église aurait besoin d'un homme seul et de son pick-up ? Elle l'imaginait voyageant d'église en église, transportant éternellement le chargement de quelqu'un d'autre, sans rien garder pour lui.

Finalement, elle alla sonner à la porte. À la deuxième sonnerie, Aubrey vint ouvrir. Son ventre dépassait de son pantalon comme un ballon de plage. À une époque, Nadia avait redouté de se retrouver ainsi : les jours qui avaient suivi le test de grossesse, elle avait soulevé son tee-shirt face à la glace et regardé son ventre plat gonfler devant ses yeux jusqu'à déborder de son jean. Quand elle avait appelé la clinique pour prendre rendez-vous, un homme l'avait informée qu'elle devait d'abord écouter un enregistrement qui l'informait de ses autres options. « Je suis désolé, nous sommes obligés. » Il ne paraissait pas réellement désolé, et comme Nadia ne disait rien au bout du fil, il avait précisé qu'il n'existait aucun moyen de savoir si elle avait écouté ce message jusqu'au bout. Alors, dès que l'enregistrement avait commencé, elle avait posé discrètement le téléphone sur son bureau. Elle n'avait pas besoin d'entendre ces paroles pour savoir qu'elle ne voulait pas être alourdie par la vie d'une autre personne.

Aubrey ne semblait pas effrayée. Elle paraissait à l'aise, au contraire, dans son grand pull, une main posée sur le ventre, comme pour se rappeler que le bébé était toujours là. Elle voulait cet enfant, et cela changeait tout : la magie désirée était un miracle, la magie non désirée était terrifiante.

« Félicitations », commença Nadia.

Elle essaya de sourire. C'était ce qu'il y avait de plus difficile, non ? Quand l'aisance de l'amitié commençait à réclamer des efforts laborieux. Quand vous restiez sur le paillasson au lieu d'entrer en coup de vent. Elle scruta le visage d'Aubrey, en quête d'un signe de bienveillance ou de colère, mais ne trouva ni l'une ni l'autre, uniquement une constance sereine, tandis qu'elle baissait les yeux et tirait son pull sur son ventre.

« Tu m'as menti, dit Aubrey.

— Je sais.

— Pendant des années. Et lui aussi.

— Je suis vraiment désolée. Je ne savais pas comment…

— C'est ton taxi ? »

Nadia vit le regard d'Aubrey se poser sur le chauffeur qui fumait au volant, par-dessus son épaule.

« Oui, je reprends l'avion ce soir.

— Pour combien de temps ?

— Je ne sais pas.

— C'est ça, ton plan ? Tu me fais ce coup-là et ensuite, tu t'en vas.

— Je peux entrer une seconde ? »

Aubrey hésita. Pendant un long moment, Nadia crut qu'elle allait dire non, mais elle s'écarta pour la laisser entrer dans la petite maison blanche qui avait été aussi la sienne auparavant ; elle passa devant les cartons éparpillés au sol. Dans la cuisine, une échographie était fixée sur la porte du réfrigérateur. Nadia s'en approcha. Elle était là : une petite fille. Vingt semaines et en bonne santé, avec dix doigts et dix orteils. À vingt semaines, un bébé ressemblait à un être humain.

« Mon père a tout découvert, dit-elle. Au sujet de mon avortement.

— Oh. Il est en colère ? »

Nadia haussa les épaules. Elle n'avait pas envie de parler de son père, pas maintenant. Elle reporta son attention sur l'échographie et se vit dans la salle d'examen, tenant la main d'Aubrey pendant que le médecin promenait la sonde sur son ventre. Le médecin rirait en entrant dans la salle bondée : il n'était pas habitué à ce que ses patientes amènent toute leur famille. Nul ne le corrigerait en indiquant que Nadia ne faisait pas partie de la famille. Elle se joindrait au cercle formé autour d'Aubrey –

Monique qui tenait son autre main, Kasey qui lui massait les épaules – et les quatre femmes regarderaient le bébé apparaître sur l'écran, inondé de lumière blanche. Le bébé ressentait-il l'émerveillement dans leurs yeux ? Sentait-il qu'il était déjà enveloppé d'amour ? À l'inverse, un bébé sentait-il quand il n'était pas désiré ?

« Qu'est-ce que ça fait ? demanda Nadia. D'être enceinte.

— C'est bizarre, dit Aubrey. Ton corps ne t'appartient plus. Des inconnus te touchent le ventre et veulent savoir à combien de mois de grossesse tu en es. De quel droit ? Mais tu n'es plus toi-même toi non plus. Et parfois, ça fait peur car je me dis que plus jamais il n'y aura que moi. Et parfois, c'est super, car je me dis que je serai plus que ça. » Elle s'appuya contre le mur de la cuisine. « Et je me demande ce qui arrivera si je n'aime pas ce bébé.

— Tu l'aimeras forcément. Comment pourrais-tu ne pas l'aimer ?

— Je ne sais pas. C'est ce qui nous est arrivé, non ? »

Certains jours, Nadia aurait aimé que ce soit le cas. Ce serait beaucoup plus facile d'accepter le fait qu'elle n'avait pas été aimée. Ce serait beaucoup plus simple de détester sa mère. Mais elle la revoyait sur la plage, lui offrant des coquillages, ou assise à son chevet toute la nuit quand elle était malade, la main posée sur son front, l'embrassant comme si ce baiser pouvait détecter la fièvre mieux qu'un thermomètre. Chez sa mère, rien n'avait jamais été simple, ni sa vie ni sa mort, et son souvenir ne le serait pas non plus.

« Peut-être qu'elles nous ont aimées, dit Nadia. Du mieux possible.

— C'est encore plus terrible », dit Aubrey.

Elle étreignit son ventre. En elle vivait une toute nouvelle personne, ce qui était aussi miraculeux qu'effrayant. Qui deveniez-vous quand vous n'étiez plus seulement vous-même ?

« Tu as choisi un prénom ? »

Après une hésitation, Aubrey secoua la tête. Elle mentait. Sans doute avait-elle dressé des listes de prénoms lorsque ce bébé n'était encore qu'une prière. Mais elle ne voulait pas le révéler à Nadia, et celle-ci n'avait pas le droit de réclamer quoi que ce soit. Malgré cela, après avoir serré Aubrey dans ses bras au moment de partir, après être remontée dans le taxi, après avoir collé son nez au hublot pour voir San Diego rapetisser sous elle, elle s'imagina à l'hôpital un matin, après avoir reçu le coup de téléphone. Elle ferait les cent pas devant la nurserie, en scrutant les rangées de nouveau-nés coiffés de bonnets rose et bleu, jusqu'à ce qu'elle la trouve. Elle la reconnaîtrait : une lumière tourbillonnante enveloppée dans une couverture rose, un enfant né de deux personnes qu'elle aimerait toujours. Elle connaîtrait le bébé qu'elle ne connaîtrait jamais.

Au début était le verbe, et le verbe entraîna la fin.

La nouvelle se répandit en deux jours seulement, grâce à Betty. Plus tard, elle nous dirait qu'elle n'avait voulu faire de mal à personne. Certes, elle avait dévoilé des informations personnelles, privées, mais uniquement parce qu'elle n'avait pas pris conscience que c'était si personnel et privé. Elle vaquait à ses occupations, un matin, elle ouvrait les portes de l'église, quand elle avait entendu des éclats de voix provenant du bureau du pasteur. Évidemment, elle était allée voir ce qui se passait. N'était-ce pas son devoir ? Et si jamais le pasteur avait besoin d'aide ? On avait déjà vu ce genre de choses insensées. Elle avait lu dans *USA Today* l'histoire d'un pasteur du Tennessee qui avait été poignardé par un fidèle devenu fou. Et dans *60 Minutes*, elle avait vu un reportage sur une église de Cleveland pillée par une bande de voyous qui, bizarrement, savaient exactement où se trouvait l'argent de la quête. Quand nous lui avions demandé ce qu'elle aurait fait si le pasteur avait réellement été menacé par un individu armé d'un couteau, elle avait chassé cette question d'un geste, en suppliant qu'on la laisse reprendre son histoire. Donc, elle avait enquêté sur l'origine de ces éclats de voix, et en approchant du coin du couloir, elle avait jeté un coup d'œil par l'entrebâillement de la porte, et devinez qui elle avait vu dans le bureau ?

« Robert Turner, murmura-t-elle par-dessus la table de bingo. En train de hurler et de faire un scandale. Il a même traité le pasteur de salopard… Vous imaginez ? »

Non, évidemment, nous ne pouvions pas l'imaginer. Voilà pourquoi Betty se réjouissait de nous le raconter. Nous avions du mal à croire que Robert avait pu se mettre en colère, et encore moins insulter le pasteur dans son bureau.

« Mais pourquoi donc ? demanda Hattie.

— Je ne sais pas, répondit Hattie, mais son petit sourire en coin indiquait qu'elle avait une petite idée. Sa fille était là, et Robert ne cessait de répéter que c'était « encore une gamine », et le pasteur répondait qu'il voulait juste l'aider, et Robert répétait « c'est juste une gamine, et que c'était pas à eux de l'aider pour quoi que ce soit ». Elle s'interrompit, puis ajouta : « Vous savez ce que je pense ? Je pense qu'il y a eu un bébé, et que maintenant, il n'y en a plus. »

Nous étions écœurées, mais pas choquées. On lit ça tous les jours dans les journaux, des filles qui se débarrassent de leur bébé. Rien de nouveau. Dans notre jeunesse, on avait toutes eu une amie, une cousine ou même une sœur qui avait été envoyée chez une tante quand leur mère honteuse avait appris qu'elles étaient en cloque. Certaines de nos propres mères avaient accueilli ces filles et nous les avions regardées se changer par les portes entrouvertes. Nous avions déjà vu des femmes enceintes, mais la grossesse sur un corps de fille, c'était différent, le ventre rond pendait sur des culottes en coton brodées de petits nœuds roses. Pendant des années, nous avions tressailli quand des garçons nous touchaient, craignant qu'une simple main posée sur notre cuisse ait le même effet. Mais si nous étions devenues des bannies, nous l'aurions supporté comme elles l'avaient fait, et nous serions revenues chez nous en étant mères.

Les jeunes Blanches se retrouvaient en cloque aussi souvent que nous, les jeunes Noires. Mais au moins, nous avions la décence de garder nos ennuis.

« Vous pensez que…

— Évidemment.

— Pitié, Seigneur.

— Vous pensez que Latrice savait ?

— Y a-t-il une chose qu'elle ignore ici ? »

La fille Turner et son bébé indésirable. Pendant des jours, nous ne pensâmes qu'à ça, et bien que nous ayons promis de garder ce secret pour nous, la vérité finit par se répandre malgré tout. Plus tard, nous nous accuserions mutuellement, sans jamais parvenir à déterminer laquelle avait ouvert la bouche en premier. S'agissait-il de Betty, qui avait tellement aimé attirer l'attention avec cette histoire qu'elle n'avait pu s'empêcher de refaire son numéro devant quelqu'un d'autre ? Ou bien Hattie, qui était rentrée en voiture avec sœur Willis, et qui était incapable, nous le savions toutes, de tenir sa langue ? Ou peut-être que quelqu'un avait entendu notre conversation au bingo, et la nouvelle s'était répandue à partir de là. Nous étions toutes coupables en un sens, ce qui signifiait qu'aucune de nous ne l'était. Nous fûmes donc étonnées lorsque, le dimanche suivant, Magdalena Price quitta l'office en plein milieu du sermon du pasteur. Celui-ci leva la tête, la regarda s'éloigner et se mit à bredouiller, comme s'il avait perdu le fil. Son sermon évoquait les moyens de vaincre la peur, et nous l'avions entendu des dizaines de fois. Qu'avait-il bien pu dire pour l'offenser ? Et puis, le mercredi, durant le cours d'étude de la Bible, nous entendîmes John Numéro Trois dire à frère Winston que le pasteur avait donné cinq mille dollars à Nadia Turner pour qu'elle ne garde pas ce bébé. Sinon, comment aurait-elle pu partir étudier dans cette grande école ? Dans les divagations du Cénacle, la fille était de plus en plus jeune, le chèque de plus en plus gros, les motivations du pasteur de plus en plus sombres. Il avait payé Nadia pour qu'elle tue son enfant car il avait peur que cette grossesse fasse du tort à son ministère, ou peut-être qu'il ne voulait pas que sa famille se mélange avec les Turner. Souvenez-vous de sa mère qui était complètement folle. Souvenez-vous ! Comme si nous pouvions oublier.

Puis le journaliste arriva. Un jeune Blanc tout juste sorti de l'université, vêtu d'un pantalon vert pastèque, avec une queue-de-cheval blonde. Au début, nous ne le prîmes pas au sérieux, avec son pantalon et tout le reste, jusqu'à ce qu'il nous interroge sur ce pasteur qui avait soudoyé une fille enceinte, mineure qui plus est. Avions-nous des commentaires à faire ? Il se tenait sur le perron de nos maisons, campé sur ses deux jambes, le stylo au-dessus du carnet, comme les policiers qui gardent une main près de leur pistolet pour vous rappeler qu'ils peuvent vous tuer à tout moment s'ils le souhaitent. Nous lui répondîmes que nous ne savions rien. Il soupira et referma son carnet.

« Je pensais que des femmes de bon sens telles que vous aimeraient connaître les agissements de votre pasteur », dit-il.

Nous avions envie de le chasser à coups de balai. Ouste ! Sortez de chez nous ! De quel droit venait-il fouiller par ici ? Soulever nos tapis ? Qui était-il pour raconter nos histoires ? Mais il a quand même écrit son article. Un des photographes du journal avait une tante qui fréquentait le Cénacle, et qui était disposée à parler. Certaines personnes peuvent dire n'importe quoi pour voir leur nom dans le journal. À ce stade, que l'histoire soit vraie ou fausse n'avait plus beaucoup d'importance. Le tremblement de terre se produisit, celui que nous redoutions depuis des années. Le flot de nouveaux membres se tarit. D'anciens habitués ne revinrent plus. Les pasteurs des environs déclinèrent les invitations et cessèrent de fréquenter le pasteur Sheppard. Certains jours, disait Betty, elle restait dans le bureau à se tourner les pouces, l'emploi du temps vide de tout rendez-vous.

Des années plus tard, quand le Cénacle eut finalement fermé ses portes, nous rendîmes visite à Latrice Sheppard. Elle nous fit entrer, nous offrit du thé et des biscuits, mais jamais d'excuse.

« J'ai fait ce que n'importe quelle mère aurait fait, dit-elle. Cette fille devrait me remercier. Je lui ai donné la vie. »

Mais aucune de nous n'aurait su dire quelle vie avait désormais Nadia Turner. Nous ne l'avions pas revue depuis bien longtemps. D'après Hattie, elle s'était installée dans une de ces grandes villes de la Côte Est, comme New York ou Boston. C'était une grosse avocate maintenant, elle vivait dans un bel immeuble, avec un portier qui soulevait sa casquette quand elle se précipitait dans le hall pour échapper à la neige. Betty affirmait qu'elle ne s'était pas casée et qu'elle continuait à flirter à travers le monde, de Paris à Rome en passant par Le Cap, sans jamais se fixer nulle part. Flora affirmait que CNN avait parlé d'une femme, un jour, qui avait tenté de se suicider dans Millenium Park. Elle n'avait pas entendu son nom, mais, sur la photo, la fille ressemblait à Nadia Turner : même peau ambrée, mêmes yeux clairs. Est-ce que ça pouvait être elle ? Agnes n'en savait rien, mais elle avait senti dans sa chair que cette fille envisagerait de se suicider au cours de son existence, peut-être même à plusieurs reprises, mais qu'à chaque fois elle continuerait à vivre. Car sa mère était en elle, tenant le couteau ; son propre esprit était comme du silex, et chaque fois qu'il heurtait la lame, elle produisait des étincelles. Toute sa vie était une étincelle.

Nous l'avons revue, une dernière fois.

Il y a un an peut-être, un dimanche matin que, comme tous les dimanches matin depuis la fin du Cénacle, nous passions ensemble. Nous sommes trop vieilles maintenant pour chercher une nouvelle église, alors chaque dimanche nous nous réunissons pour lire les Évangiles et prier. Plus personne ne nous confie des cartes de prières, mais nous intercédons quand même, en imaginant les besoins des fidèles. Tracy Robinson a peut-être toujours un faible pour l'alcool, et Robert Turner n'a peut-être pas encore fini de porter le deuil de son épouse. Nous prions pour Aubrey Evans et Luke Sheppard, que nous avons pu voir ensemble dans le hall avec leur bébé, lors des derniers instants du Cénacle. Ensemble, mais pas tout à fait, de même que vous pouvez rapiécer un vieux pantalon, mais il ne paraîtra plus jamais neuf. Le dimanche, nous prions pour toutes les personnes qui nous viennent à l'esprit, et après cela, nous nous asseyons sur le balcon de la chambre de Flora pour déjeuner. Mais ce dimanche-là, en jetant un coup d'œil dans la rue, nous vîmes passer le pick-up de Robert Turner. Nous nous réjouissions de l'apercevoir, mais c'était sa fille qui conduisait. Elle avait une trentaine d'années maintenant, et elle n'avait pas changé : cheveux flottant sur les épaules, lunettes noires qui brillaient sous le soleil. La main gauche qui pendait au-dehors ne portait pas d'alliance, mais nous supposâmes qu'elle avait un homme quelque part, un homme dont elle pourrait se débarrasser quand elle en aurait envie, car jamais elle ne se mettrait en position d'être quittée. Pourquoi était-elle revenue ici ? Flora supposa que Robert était peut-être souffrant de nouveau, mais Hattie montra les cartons qui remplissaient l'arrière du pick-up. Aidait-elle son père à déménager ? L'emmenait-elle vivre chez elle, là où elle vivait maintenant ? C'était peut-être pour cette raison qu'elle nous avait paru si détendue, parce que plus jamais elle ne pénétrerait dans la maison de sa mère disparue. Agnes jura avoir vu un sac Barbie rose sur le siège passager : un cadeau, peut-être, pour la fille d'Aubrey. Nous l'imaginâmes gravissant les marches du perron avec son cadeau et s'agenouillant devant la petite fille, une fille qui n'aurait pas existé si son enfant à elle avait vécu.

Puis elle tourna au coin de la rue et, aussi vite qu'elle était apparue, elle s'évapora. Nous ne saurons jamais pourquoi elle est revenue, mais nous pensons encore à elle. Nous voyons les années de sa vie se dérouler sous forme de fils colorés et nous courons après, nous l'enroulons autour de nos mains, à mesure qu'elle se déverse. Elle a l'âge de sa mère, maintenant. Multipliez son âge par deux. Notre âge. Tu es notre mère. Nous renaissons en toi.

Remerciements

J'adresse des remerciements infinis aux personnes suivantes, sans qui ce livre n'existerait pas :

Julia Kardon, l'agent de mes rêves, qui me sauve chaque jour avec ses conseils et son intelligence. Merci de toujours croire. Je ne voudrais personne d'autre de mon côté. Tous les gens de chez Mary Evans, Inc., et particulièrement Mary Gaule, dont les commentaires et le soutien ont tellement compté pour moi. Sarah McGrath, dont les interventions incisives ont amélioré ce livre à chaque étape. Danya Kukafka, pour son aide précieuse en coulisse, et toutes ces personnes formidables de chez Riverhead, dont l'enthousiasme contagieux a égayé la publication de mon premier roman.

Les enseignants et le personnel du Helen Zell Writers Program, notamment Peter Ho Davies, Eileen Pollack, Nicholas Delbanco et Sugi Ganeshananthan, qui m'ont guidée pour transformer un brouillon mal dégrossi en thèse, puis en livre.

Merci à mes comparses excessivement doués, qui m'ont mise au défi lors de chaque atelier avec leur perspicacité et leurs remarques. Des remerciements particuliers à : Jia Tolentino, qui a édité et publié mon premier essai, Rachel Green, Derrick Austin et Mairead Small Staid, dont la gentillesse et la bonne humeur m'ont tenu chaud durant trois hivers dans le Michigan. Et à Chris McCormick, autre rat des champs, pour les séances de brainstorming impromptues, les voyages organisés à la hâte et les conseils infinis. Je me suis inscrite en troisième cycle uniquement dans l'espoir d'améliorer mon travail d'écriture. Quelle chance de vous avoir tous rencontrés.

Merci aux professeurs de *creative writing* qui m'ont guidée à Stanford, particulièrement Ammi Keller, qui m'a encouragée au stade du premier jet désorganisé, et Stephanie Soileau, qui m'a stimulée lors de ma première véritable révision. Vous avez l'une et l'autre abordé ces premières versions avec sérieux et générosité, et je vous en serai éternellement reconnaissante.

Merci à Ashley Buckner, qui a frappé à la porte de ma chambre un soir pour m'inviter à dîner et qui, des années plus tard, est devenue quelqu'un sans qui je ne pourrais pas imaginer vivre ; à Brian Wanyoike, qui me pousse à vivre amplement et à réfléchir de manière complexe ; à Ashley Moffett, ma plus vieille amie et ma première lectrice. Merci à ma famille, pour votre amour et votre soutien. Et à tous les écrivains, artistes, professeurs qui m'ont maternée, qui m'ont donné le langage, qui m'ont donné la vie.

11977

Composition
NORD COMPO

Achevé d'imprimer le 5 janvier 2019
par CPI BOOK IBERICA.

1er dépôt légal dans la collection : juillet 2018
EAN 9782290154960
OTP L21EPLN002333A005

ÉDITIONS J'AI LU
87, quai Panhard-et-Levassor, 75013 Paris

Diffusion France et étranger : Flammarion